TODOS COMETEMOS ERRORES

colección andanzas

CHRISTOPHER WAKLING
TODOS COMETEMOS ERRORES

Traducción de Ana Pérez Galván

Título original: *On Cape Three Points*

1.ª edición: septiembre 2004

© de la traducción: Ana Pérez Galván, 2004
Diseño de la colección: Guillemot-Navares
Reservados todos los derechos de esta edición para
Tusquets Editores, S.A. - Cesare Cantù, 8 - 08023 Barcelona
www.tusquets-editores.es
ISBN: 84-8310-280-3
Depósito legal: B. 32.483-2004
Fotocomposición: Foinsa - Passatge Gaiolà, 13-15 - 08013 Barcelona
Impreso sobre papel Goxua de Papelera del Leizarán, S.A. - Guipúzcoa
Impresión: Limpergraf, S.L. - Mogoda, 29-31 - 08210 Barberà del Vallès
Encuadernación: Reinbook
Impreso en España

Para Gita

¡Reputación, reputación, reputación! ¡Oh, he perdido mi reputación! He perdido la parte inmortal de mi ser, y lo que me resta es bestial.

Otelo, acto II, escena III

1

Hace trece días cometí un error. Fue un desliz momentáneo, pero bastó para precipitarme en caída libre; toda una vida se deshilachaba tras mis pasos.

Al principio no tenía ni idea de las consecuencias de lo que había hecho. Como si de una fugaz pérdida de equilibrio se tratara, pensé que un paso certero bastaría para enderezarme. De hecho, pensé que me había enderezado, pero estaba equivocado.

«Lewis Penn. Abogado. Madison & Vere», es lo que pone en mi tarjeta. Éste es mi primer trabajo. A mis veintisiete años, estoy abriéndome camino en el escalafón de un bufete de abogados monolítico y exageradamente próspero. Soy un abogado especializado en negociaciones empresariales. La negociación del martes 30 de enero era sólo una de tantas operaciones; un sordo reparto de dinero y poder entre empresas. Los detalles son irrelevantes. Otro día más en la brecha.

Mi reflejo dio un respingo hacia delante cuando empujé la puerta giratoria de entrada a nuestra oficina. Abrigo, traje y maletín, en una mano; en la otra, café en un vaso de cartón. Abajo, el parpadeo de los zapatos. Al captar mi imagen, vi cómo mi rostro se tensaba involuntariamente y se me encajaba la mandíbula.

Las recepcionistas no me saludaron, ni yo a ellas. La planta baja es un sitio demasiado grande para andarse con galanterías, y responder con una mirada perdida es peor aún que no hacer nada en absoluto. Continué recto hasta los ascensores. Mientras esperaba junto a otros, contemplé los recuadros con melocotones y palomas de la moqueta, que recorrían todo el pasillo.

Pasó la mañana. Recibí e hice llamadas; escribí e-mails y leí otros. En la máquina de café, dos personas, no recuerdo quiénes, me preguntaron por el fin de semana, y yo le hice la misma pregunta a un tercero. En un momento dado, recuerdo haber levantado la vista al irrumpir James Lovett en mi despacho. Venía a hablar sobre la reunión de la tarde.

–Lewis, ¿entonces qué, todo listo? ¿Lo tenemos todo claro?

–Por supuesto. –Y dejé el bolígrafo–. ¿Quieres que me concentre en algo en particular?

–Yo dirigiré la reunión; tú sólo estate preparado para entrar en el juego cuando te toque. A estos chicos les gusta que parezca que se les presta un servicio de gran empresa, aunque, en realidad, sólo estemos dándoles un empujoncito. –Se atusó un mechón de pelo sospechosamente negro y echó un vistazo a su reloj–. Conque estés listo para solventar cualquier cosa que surja...

–Claro –repetí–. Está todo controlado.

De vez en cuando oigo a Lovett al final del pasillo hablando por el manos libres con su mujer. Por la forma en que se dirige a ella –«Tengo previsto reunirme contigo poco después de las diez y te agradecería que realizaras los preparativos pertinentes con antelación»–, podrías tomarla por su dictáfono. Tiene una foto de su finca, con un helicóptero posado en el helipuerto, colgada de la pared del despacho. Se rumorea que guarda una foto del despacho en casa. Millonario; adicto al trabajo; un auténtico abogado de Madison & Vere. Si trabajas para él, todo eso tiene sus ventajas. Sabe lo que hace, le encanta la responsabilidad y lo controla todo.

Así es que acerté al suponer que le habría pedido a su secretaria que llamara a un taxi para ir a la reunión a la que debíamos asistir en representación de UKI, que, además de una compañía ucraniana de minerales, era un cliente muy importante. Nos habían encargado asesorarles sobre la reflotación de dos de sus filiales financiada por unos inversores estadounidenses. Acababan de iniciarse las negociaciones cara a cara, y en la reunión del martes, convocada en la oficina del banco de negocios de un posible inversor, iban a concretarse los puntos clave del acuerdo. Nada fuera de lo normal, nada de especial interés.

Mi papel en la reunión consistiría, como de costumbre, en anotar lo que allí se dijera, descartar contingencias, atar cabos sueltos, hacer que la parte contraria se ajustase a lo pactado verbalmente. Los detalles. Cuando uno ya ha hecho varias operaciones de este tipo como *junior* –es decir, como asistente en el bufete–, el curso que toman las cosas empieza a seguir un mismo patrón tranquilizador. He ahí un hueco en el que yo encajo y, cuando lo ocupo, ya es sólo cuestión de aparentar que soy eficiente, pese a que, en realidad, a menudo estoy pensando en otras cosas.

Llegamos tarde. Las puertas del ascensor se abrieron, en alguna planta intermedia del edificio, frente a una litografía: *El torero* de Picasso. Era probable que fuera una broma que sólo entendían los de la empresa, pero quién sabe. Nos acompañaron por toda la planta hasta llegar a una puerta entornada. Voces charlando en corrillos.

–El tráfico; perdonen. No se levanten –se disculpó James.

Lo cierto es que la mitad de los que estaban en la sala todavía no se habían sentado. Una de las paredes era una inmensa cristalera desde la que se dominaban los tejados de la ciudad, que yacía plana y gris, perforada por esporádicas agujas de iglesias. Justo enfrente, una carretera conducía hacia el Támesis. Vi un bote naranja fluorescente surcando las aguas entre los edificios. La gente se volvió hacia nosotros. Había entre quince y veinte hombres en la sala. Ninguna mujer. No reconocí a nadie: nada fuera de lo normal.

–Éste es Lewis Penn, uno de nuestros prometedores *juniors*.

Saludé inclinando la cabeza, sin mover un músculo de la cara.

–Ya has hablado con el señor Kommissar, ¿verdad?

Incorrecto. Yo había escuchado a James mientras éste hablaba con él por teléfono. Asentí a sus palabras.

–Señor Kommissar –dije–, me alegro al fin de conocerle.

Un hombre corpulento dio un paso hacia delante y estrechó mi mano entre las suyas. Era el director ejecutivo de UKI. Sus ojos acuosos se volvieron hacia los míos y luego se apartaron. No interrumpió la conversación que mantenía con el hombre sentado a su lado. No hablaban en inglés.

–Y Serguéi Gorbenko.

Un cargo inferior en la cadena de mando de UKI, el hombre que nos daba las instrucciones a diario. Esbelto, con la cabeza rapada.

–Serguéi.

–Y éste es...

James me presentó a varios de los que estaban en la sala: a nuestros banqueros y a los representantes de los inversores americanos; y a los banqueros, abogados y asesores fiscales de UKI. Se movía con pasos silenciosos entre los tipos trajeados, mientras sus pantalones de raya diplomática rompían sobre unos dinámicos zapatos. Di y recibí un par de tarjetas sin darme cuenta. Cuando se quedó sin gente a la que saludar, los demás se presentaron ellos mismos. Tantos nombres me desbordaban.

En esas circunstancias yo solía aturullarme, pero tengo mis métodos para salir del paso. Después, tan pronto como pasé a segundo plano, tomé asiento, dibujé un gran óvalo en la primera página de mi libreta y numeré las sillas en torno a la mesa del uno al dieciocho. Para cuando todo el mundo se hubo sentado, había rellenado cuatro de los espacios en blanco. James, Kommissar, Gorbenko y yo mismo. Los demás seguirían siendo unos números hasta que las anotaciones cobrasen cuerpo gracias a las referencias cruzadas. Esta estratagema me parecía infalible, hasta no hace mucho tiempo: en una reunión, todo el mundo se cambió de sitio después de la comida. Mis notas acabaron llenas de ecuaciones, y el esquema de la mesa explotó en flechas circulares, como una girándula. Aun así, mi estrategia funcionó más o menos.

Era evidente que el número seis, con esos puños de camisa con gemelos bajo su traje azul marino, era el banquero de negocios de la parte contraria y el anfitrión de la reunión. Se recostó en la silla y se puso las sonrosadas manos detrás de la cabeza. Un anillo de sello refulgió detrás de su oreja.

–Bien. ¿Les parece que empecemos? –terció.

Eso hicimos. No entraré en el meollo de la reunión. Como digo, carece de importancia. Poses, digresiones, circunloquios. Los que más hablaron fueron tres o cuatro individuos. Kommissar permaneció en silencio. Gorbenko expuso la mayoría de los puntos de UKI por mediación de James. En un momento dado, llegó una bandeja de sofisticados sándwiches, pero nadie los probó. Salimos de vez en cuando a las salas auxiliares, como si fuéramos boxeadores que se retiran a sus esquinas, y luego nos reunimos de nuevo. Fui rellenando los espacios en blanco en torno al óvalo dibujado, y los apuntes se sucedieron por las páginas de mi libreta jurídica.

La reunión fue como una clase de colegio, dominada por un puñado de alumnos. El mismo exhibicionismo por parte de los jugadores clave, y otros satisfechos de anotarse algunos tantos sueltos. Como de costumbre, un par de personas intentaron justificar su asistencia dejando caer ideas irrelevantes; los demás asentimos a sus palabras y sonreímos, para después proseguir. Las puntas de los sándwiches se curvaron. La vista desde la ventana se llenó de luces; el río parecía negro. Pensé en Dan, estaría conectado al respirador y resollando, a la deriva. Lo que hacíamos en la sala me resultaba tan distante como las estrellas, igual de intrascendente que un golpe de Estado en un país del que jamás hubiera oído hablar.

No obstante, a medida que la reunión llegaba a su fin, crecía en mí el vago temor de que me acabaría llevando una o varias de las tareas más desagradables. «A trabajar», como decía James. Siempre es así. Los participantes de rango medio y los *juniors*, muchos de los cuales esperan ansiosos hacerse ver, se retraen en la agonía final de la reunión. Nos fundimos con los muebles, y sólo ofrecemos unas cabezas gachas y unos bolígrafos veloces.

–Como decía, necesitamos acomodarnos a la actual estructura financiera –afirmó el número once.

–Eso no es problema –dijo James.

–Y ustedes deberán garantizarnos que la información que nos dan es el cuadro completo.

–Así lo haremos, aunque con las salvedades que ya hemos comentado. –James se volvió hacia Kommissar–: Lewis preparará un informe preliminar sobre cómo quedan las cosas. Haremos que nuestra oficina de Washington lo revise para comprobar por partida doble que cumple con el marco regulador estadounidense.

Kommissar sonrió con frialdad.

–Está bien.

–Por supuesto –añadió Gorbenko, y asintió–, querremos darle el visto bueno a su trabajo antes de que ustedes se lo pasen; sólo por respetar el orden debido. –Su voz sonaba grave y cómica a un tiempo.

–Y necesitaremos tenerlo listo con presteza –apostilló el número once.

Me resigné a cuanto se decía. No había posibilidad alguna de eludir las inevitables e inútiles prisas. De hecho, la ambigüedad de ese ridículo «con presteza» ofrecía en cierto modo una escapatoria: me daba margen para escabullirme. El hecho de que nuestra oficina estadounidense participara también ayudaba: no sería culpa mía si ellos retrasaban las cosas.

–Y, por su parte –prosiguió James–, esperamos...

Nuestras expectativas no me importaban demasiado, pero las anoté para que quedase constancia. Al otro lado de la mesa, el número dos y el dieciséis supieron guardar bien la compostura mientras veían cómo sus fines de semana se evaporaban.

A medida que la reunión se relajaba, hubo un revuelo de conversaciones secundarias en torno a la mesa. Alguien propuso que se prosiguiera al instante con las posteriores negociaciones, que abordaban un aspecto distinto de la operación. Ése fue otro golpe de suerte, ya que no se nos necesitaba ni a Lovett ni a mí. Se me ocurrió que tal vez aún podría hacer una visita a Dan. El interior de la sala se reflejaba en la ventana. Tazas de café, botellas de agua mineral, expedientes, papeles desparramados sobre la mesa, trajes y corbatas, pálidas e indeterminadas caras, el esporádico gesticular de unas manos.

–Lewis... –intervino Gorbenko.

Me volví hacia él. Su mano se deslizó por la incipiente barba plateada de su mejilla, y luego bajó a la barbilla.

–Recapitulemos. Usted tiene la envidiable tarea de revisar todo nuestro papeleo financiero, ¿no es cierto? –siguió.

–Así es –dije yo.

–No le llevará mucho tiempo –añadió James–. Es pan comido.

Gorbenko alcanzó un archivador de entre los maletines llenos de documentos que había amontonados en una fila, detrás de nuestras sillas.

–Pero sí va a necesitar esto. –Comprobó la primera hoja de un expediente y deslizó éste sobre la mesa–. Confío en que esté todo en orden.

–Muchas gracias. Lo estudiaremos enseguida –dijo James.

–Muy bien –replicó Gorbenko.

Kommissar asintió sin sonreír. Nos dimos la mano una vez más. La palma de Kommissar era suave; la de Gorbenko, fría y dura.

Recogí mis papeles y seguí a James fuera de la sala. Ya en el pasillo, se volvió hacia mí y miró su reloj.

–Buen trabajo. Volvamos a la oficina y te pones con esto.

Pasamos de largo las salas de reuniones y seguí a James hasta llegar a una puerta; me paré en seco cuando caí en la cuenta de que le había seguido hasta el baño. Decidí al instante que dar media vuelta y marcharme sería aún más embarazoso que fingir que también tenía la intención de pasar al servicio. Me metí en un retrete, esperé a que James saliera, tiré de la cadena y le seguí de nuevo hasta el pasillo. Entramos en el ascensor, llegamos a recepción y salimos a la calle, donde esperaba nuestro taxi. Abrí la puerta y dejé que Lovett tomara asiento antes que yo: el dignatario menor y su guardaespaldas.

2

Ya en mi mesa, me relajé, cerré la puerta de mi despacho y me fumé un cigarrillo mientras revisaba los e-mails. No había llamadas que contestar. Nada encima del táctico montón de papeles pendientes en mi bandeja de esquinas cuadradas. Eran cerca de las seis y no tenía razón alguna para no ponerme con la revisión. Aunque, para ser sincero, no lograba animarme a comenzar, no era capaz de inducirme la falsa sensación de urgencia que requería tan árida tarea. En una hora me marcharía, tomaría un taxi hasta la estación y subiría a un tren hacia Guildford.

Pasé los últimos minutos de normalidad sentado en silencio antes de que cayeran unas elocuentes primeras gotas de lluvia. Al recordarlo, todavía puedo oler la carga eléctrica de la atmósfera. Me volví en mi silla giratoria y puse mi maletín sobre la mesa. Causaría buena impresión si a la mañana siguiente tenía preparada una copia del expediente de UKI para James. Pero, al subirlo, el maletín me dio mala espina. Lo noté demasiado ligero. Busqué en mi mesa, en la estantería que tenía encima, en el hueco detrás de mi silla; después abrí el maletín para confirmar, con la habitación nublándose a mi alrededor, lo que ya sabía: había perdido el expediente.

Sólo podía hacer conjeturas sobre su contenido exacto, y eso no me consolaba. La información confidencial y financiera de un cliente muy importante. Las cuentas actualizadas y el historial de dos de sus mayores filiales, los detalles de su estructura de deuda y capital. El equivalente corporativo de unos diarios secretos o de unas fotografías íntimas. Una información que, en manos equivocadas, podría hundir la operación o, peor aún, saltar a la prensa.

El reflejo en la ventana del despacho mostraba la trémula imagen de mi cuerpo anguloso, una mano que rascaba repetidamente la oscuridad de mi pelo.

Al reconstruir, marcha atrás, todo el trayecto de vuelta a la oficina, visualicé el taxi, la excursión a los lavabos, la propia sala de juntas. ¿Me había olvidado el expediente en los servicios? ¿Había llegado a cogerlo de entre los papeles de la mesa de reuniones? Intenté imaginar el interior del taxi, pero dudaba entre la imagen del asiento negro vacío a mi lado y la del asiento con el expediente encima.

Vi el expediente sobre la cisterna de mármol, encima de la mesa de reuniones de cristal ahumado y en la silla de armazón cromado que había entre Gorbenko y yo. Me vi a mí mismo apartándolo a un lado en la sala de reuniones.

Era negro, o azul oscuro. Tal vez verde oscuro.

Recorrí los recuadros de la moqueta de mi despacho. Uno, dos, tres, cuatro, cinco. Y vuelta atrás. Cinco, cuatro, tres, dos, uno. Planté cada pie en medio de su recuadro. Conté para mantener la imagen unida.

¿Lo había olvidado en el baño, en el taxi o en la sala auxiliar? De hecho, ¿había llegado a entregármelo Gorbenko? ¿O sólo lo había señalado entre los papeles de sus maletines? Cuanto más sopesaba estas opciones, más probable me parecía cualquiera de ellas, que se enfocaban y desenfocaban intermitentemente.

Al hilo de estos pensamientos, surgían salidas alternativas. Explicarle la situación a Lovett no era ninguna opción, como tampoco confesárselo a Gorbenko. Ni hablar del asunto.

Presioné la frente contra la fría ventana y tragué saliva; se me hizo un nudo en la garganta. En la calle, un hombre se arrodilló junto a su Jaguar e inspeccionó un cepo. Enfoqué la mirada sobre el cristal y articulé: «Joder, joder, joder». Cada palabra formó un círculo de vaho frente a mi cara. Me temblaba la pierna izquierda, las rayas diplomáticas se estremecieron.

Podría mentir –¿o pudiera no ser una mentira?– y decirle a Gorbenko sin tapujos que se había olvidado de pasarnos el expediente. Pero si el expediente aparecía en los lavabos, o en el taxi, y alguien lo devolvía, la mentira se descubriría. No. La única esperanza era que yo lograra recuperar la carpeta, o sea, que estuviera en el taxi, en los lavabos o en una de las salas de reuniones.

Descolgué el teléfono y llamé a la centralita del servicio de taxis de la empresa para preguntar si alguien les había entregado unos documentos.

–Nada, señor. Y eso que suelen informarnos de cualquier cosa que se hayan dejado. Nosotros lo guardamos, aunque normalmente ustedes no nos llaman. Para empezar, podría abrir un puesto de paraguas de segunda mano con sus donativos.

–Ya, pero ¿podría hacer, de todos modos, unas llamadas para comprobarlo? Busco una carpeta de color oscuro. La referencia es: Lovett. Debió de ser en la última media hora.

–Lo haré, pero no espere gran cosa.

La parte de atrás del auricular brillaba de sudor cuando colgué.

No me quedaba más remedio que volver sobre mis pasos. Bajé las escaleras hasta la entrada lateral a toda prisa, con lo cual me olvidé el abrigo, y paré un taxi. Entonces caí en la cuenta de que no recordaba con exactitud dónde había sido la reunión: ni la dirección ni, por algún motivo, siquiera el nombre del banco de negocios. JP Morgan. Goldman Sachs. Merrill Lynch. Una momentánea oleada de impotencia recorrió mi pecho. Con un gran esfuerzo de voluntad, conseguí suprimirla. «Piensa. Comprueba los bolsillos.» Saqué dos tarjetas de visita con el nombre y la dirección correctos, y resoplé por entre mis labios fruncidos.

Una fina lluvia caía a rachas ante la luz de los faros de los autobuses y sobre los pacientes trabajadores del extrarradio que los esperaban para volver a casa. Sin preocuparme por la humedad que calaba mi camisa, subí al taxi y le indiqué al conductor que fuera al banco lo más rápido posible. La sensación de ridículo surgió más tarde, después de ese pánico momentáneo.

El taxi topó con un tráfico intenso. Luces parpadeantes. Una ambulancia cruzada en la calzada. Accidente de bicicleta. Miré agitado desde mi asiento al ciclista tendido boca abajo mientras pasábamos despacio por su lado. Un auxiliar sanitario lo envolvía en plata.

Entrar en el banco no sería fácil. No se me ocurría qué nombre dar a las recepcionistas; tendría que pasar el control de seguridad pegado a alguien. O bien parecer un empleado decidido y con prisa.

Frente a mí, un cartel en el respaldo del asiento anunciaba una compañía de tarjetas de crédito. El plexiglás del cartel, iluminado por las luces de la calle, despidió un reflejo naranja. Uno. Los bordes del panel: dos, tres, cuatro y cinco. A mis pies, el suelo del taxi: seis. Las puertas: siete y ocho. Pero los paneles de las puertas estaban interrumpidos por los tiradores y los revestimientos empotrados. Me sorprendí a mí mismo intentando contarlos.

La manía de contar es una debilidad que intento evitar: me viene siempre que la mente sale disparada y se pone a trazar círculos en una espiral hasta el infinito. Me ayuda a estar con los pies en la tierra, aunque también me paraliza. Tomé un cigarrillo del paquete que llevaba en el bolsillo de la camisa y le di vueltas entre los dedos. Me obligué a mirar por la ventanilla las fachadas de las oficinas, los taxis y los coches, que ya pasaban deprisa, demasiado rápido para poder contarlos.

Las manos arreglaron la corbata. Sentía picores en la parte de atrás de los muslos debido al contacto de mi piel sudada con la fina lana del pantalón, y tenía el corazón en un puño. El taxi se detuvo. Pasé un billete de diez libras por la mampara, me apeé de un salto y subí de dos en dos los resbaladizos escalones hasta la recepción. Caminé decidido y de puntillas hacia las imponentes puertas de cristal de doble hoja.

Esperé en un hueco junto a aquel rastrillo. El flujo de gente que cruzaba la recepción iba hacia fuera, y no hacia dentro: gente vestida como yo, muchos de mi edad, de mi estilo. Como en nuestra oficina, las recepcionistas llevaban las uñas primorosamente pintadas y no levantaban la cabeza a menos que alguien se les acercara. Los postes de seguridad, ante los que los empleados exponían las tarjetas magnéticas que los identificaban, estaban repartidos a trechos iguales a lo largo del sobrio vestíbulo de entrada. Era una escena digna de *The Day of the Daleks*.* Por experiencia, sabía que la única forma de engañar a estas máquinas es que pasen dos personas juntas por los sensores. Un grupo de hombres subía las escaleras detrás de mí, mirando hacia abajo para evitar la llovizna. Me puse detrás de ellos, como un ciclista a la zaga del pelotón, y, cuando se desplegaron hacia los sensores, pasé junto al último, me adelanté y me colé dentro.

En el ascensor —esperé a poder usar uno yo solo— me enfrenté con otro dilema. No recordaba en qué planta había tenido lugar la reunión. En alguna parte intermedia del edificio. La litografía del torero frente a las puertas del ascensor. Presioné los botones del ascensor del siete al catorce, y esperé, rezando para que nadie más lo detuviera en la subida. Las puertas se abrieron en el séptimo piso: Claes Oldenburg. En el octavo: una vitrina con máscaras tribales. Un Giacometti en el noveno. En el décimo, un Rothko, de nuevo mal. Pero, en el piso once, encontré *El torero* de Picasso.

* Serie de televisión inglesa, de ciencia ficción, muy popular en los años setenta. *(N. de la T.)*

Una vez en la planta correcta, todavía me quedaba encontrar los lavabos en los que había estado. Los servicios de enfrente de los ascensores parecían menos probables que los que había a cada extremo del pasillo. Al final comprobé los tres, y dos veces, pues por dentro eran iguales: las mismas papeleras cromadas para tirar las toallas de mano, que eran de papel estampado con relieves. Sobre las cisternas de mármol de los lavabos no había nada.

Me invadió una sensación de ingravidez. Creí verme a mí mismo guiando mis propios movimientos desde la lejanía. Pasé de largo la sala de juntas y la sala de reuniones, y sólo me detuve a echar un vistazo a través del cuadro de cristal que había en cada puerta. Ambas salas estaban ocupadas. Lo comprobé de nuevo. Gorbenko y Kommissar hablaban con el número tres en la sala de reuniones. En la sala de juntas, dos o tres grupos charlando animadamente. Consideré qué hacer.

Estaba seguro de que nadie se extrañaría de que yo volviera a entrar en la sala de juntas. Tan probable era que las personas de la sala identificaran mi papel en la reunión anterior como que no lo hicieran: un adlátere, nada más. Y mi cara les resultaría familiar: de una u otra forma, yo tenía que ver con todo aquello. En caso de que sí se acordaran de los detalles, de que yo era el *junior* del equipo jurídico de UKI, no les extrañaría que comprobara papeles encima de la mesa al otro extremo de donde se habían sentado los miembros de UKI. Estos pensamientos cruzaron mi mente como los pájaros pasan por delante de una ventana: los registré sin seguir su curso completo. Di un paso y abrí la puerta.

Mientras rodeaba la mesa hacia el sitio que habíamos ocupado Lovett y yo, vi que la gente levantaba la mirada, pero las conversaciones continuaron. El número cuatro había separado su silla de la mesa y me bloqueaba el paso. Gafas de montura dorada de Armani, papada, cabello muy corto, casi ralo.

–Disculpe.

–Claro. Ha vuelto. ¿Cómo lo llevan?

–Todo bien.

–¿Sabe para cuándo podemos esperar su decisión?

–Todavía no me lo he mirado, pero creo que terminarán pronto. –Sonreí y me puse de lado para pasar por detrás de su silla. Se me ocurrió añadir–: Por supuesto, podría llevar más tiempo. Lo considerarán desde todos los puntos de vista.

–Puede estar seguro de eso –replicó y se acercó al grupo.

Miré el hueco que yo había ocupado en la mesa. Nada. El de James también estaba vacío, salvo por un bloc con membrete del banco. Fui hasta donde habían estado sentados Kommissar y Gorbenko. También allí había blocs, pero, de nuevo, ningún expediente. Tenía la boca seca y un sabor a café recalentado en los labios. Me pasé la mano por la frente. El recuerdo de haber recibido el expediente de manos de Gorbenko se había disipado, ya no era fiable. Me obligué a mí mismo a pensar aunque estuviera inmerso en un creciente mar de dudas. Si el expediente no estaba en el taxi, ni en los lavabos, ni allí en la mesa, es que seguía en el maletín de Gorbenko –me lo enseñó, pero no llegó a entregármelo–, o me lo había dejado olvidado en la sala de reuniones.

Con aparente calma, rodeé de nuevo toda la mesa de cristal pulido. Los halógenos del techo se reflejaban sobre su superficie ahumada. Mis pies, que se movían en silencio sobre la moqueta, le pertenecían a otro. Quise salir al pasillo. Pero la puerta de la sala auxiliar se abrió hacia dentro, hacia mi izquierda. Me volví a la derecha con rapidez, dándoles la espalda de mi traje. Kommissar y Gorbenko, conducidos por el número tres, entraron en silencio en la sala de juntas, y Gorbenko cerró la puerta.

Di media vuelta y entré en la sala auxiliar. Los maletines con los documentos de Gorbenko estaban amontonados unos sobre otros en el centro de la mesa. Frente a ellos, desparramadas sobre el cristal, había una serie de carpetas oscuras.

Pero esas carpetas me importaron un ardite: junto a ellas había otra, de color azul oscuro.

Sentí un gran alivio en el pecho, como un trago de agua fría. Podía imaginarme a mí mismo poniendo la carpeta allí, vi mis propios dedos colocándola en la esquina de la mesa, tan cuadrada y azul –tan azul entre mis pálidas manos–. Mi memoria recompuso los detalles del acto. Pasé las páginas deprisa y, sin duda, la carpeta detallaba una serie de cuentas bancarias, mostraba movimientos de ingreso y salida de dinero, contenía hojas resumen. Era material financiero. Abrí el cierre de mi maletín, metí el expediente en él y me fui.

En el taxi de vuelta, mi mente se despejó. En mi cabeza se fue apagando el sordo rugido de mi corazón.

El taxista se volvió hacia mí en el primer semáforo donde paramos.

–¿Un buen día? –me preguntó alegremente.

–No está mal. Ya sabe.

Sentí una curiosa necesidad de contarle lo que me había ocurrido. Cómo había salido del paso. Me había arriesgado: mala conducta; allanamiento de morada. En todo caso, un riesgo menor, comparado con la posibilidad de haber perdido el expediente y de parecer un incompetente. Mi puesto de trabajo requería ser una persona con recursos, y eso yo lo había demostrado. Sin embargo, como tema para entablar conversación con el taxista no funcionaría; él no lo entendería. Sólo era una carpeta con papeles dentro. Le sonreí por el retrovisor.

–¿Y usted?

3

Tenía tiempo de llegar a la residencia de enfermos terminales. Como todos los demás visitantes, odiaba aquel sitio. Me incomodaba. Peor aún, me repelía incluso la idea de una institución cuya única función era proporcionar una antecámara de la muerte. Carecía incluso de la esperanza que ofrece un hospital. Las paredes pintadas en tonos claros y unas asépticas obras de arte colgadas, la limpieza excesiva y la eterna alegría del lugar no engañaban a nadie. Me había jurado a mí mismo que, si alguna vez me enfrentaba con eso, acabaría con mi vida antes que interpretar mis últimas escenas en semejante decorado.

Sin embargo, yo en público expresaba mi admiración por la residencia, por su ambiente sereno y digno, por la santidad de su personal. «Hay que tener un don especial.» Dado que él no se valía en casa –lo que en realidad significaba que quienes no nos valíamos éramos nosotros–, mis padres y yo nos engañábamos hasta tal punto que pensábamos que, de algún modo, habíamos trasladado nuestro hogar a la residencia. Y nos pavoneábamos de haber decidido, unas cuatro semanas antes, confinar a Dan en su última cama.

Es más, nos las habíamos ingeniado para autoconvencernos de que la Residencia St. Aloysius, en Guildford, no era igual que las demás. Como si la marca del desinfectante que allí usaban pudiera desvincularla de la característica común de todas las residencias de ese tipo: la gente iba allí a morir.

Yo ya estaba resignado a la inexorable muerte de Dan. Sabía desde hacía años que ésta se acercaba, y supe entonces que no tardaría mucho en llegar. Sin embargo, la resignación y el conocimiento no van unidos a la comprensión. Al salir del taxi ante la pesada mole de la residencia, nada tenía sentido, como de costumbre.

Mis padres ya debían de estar en la habitación de Dan. La puerta estaba cerrada. Al entrar, noté la corriente de aire invernal que vino conmigo del mundo exterior. Ambos levantaron la mirada. Dan yacía en la cama. Tenía el rostro del mismo color que el montón de almohadas blancas que le sostenían la cabeza. Mamá y papá estaban sentados; ella, en una butaca junto a la ventana con cortinas, y él, en una silla diminuta de plástico junto a la alta cama. Mamá tenía una revista en su regazo; era obvio que estaba leyendo. Papá debía de mirar hacia el vacío, incómodo. Dan estaba dormido, o fingía estarlo.

Mi madre me saludó con un susurro. Me agaché para besarla en la frente, de surcos demasiado profundos para sus cincuenta años.

–¿Qué tal va todo, hijo?

–Bien. Las cosas marchan muy bien. Hoy he tenido un buen día.

–Me alegro mucho de que hayas podido venir.

–Pues claro que podía venir. ¿Cómo se encuentra Dan?

–Muy cansado. En fin, tan bien como cabe esperar. La medicación lo amodorra. Dice que le provoca sueños.

–Me alegro por él –dije sonriendo.

–Están haciendo todo lo posible para que Dan esté cómodo. Y él está bastante animado. Ése es el curso natural de la enfermedad.

Ella miró el rostro silencioso de Dan, su largo y liso pelo rubio, peinado hacia atrás, irradiándose sobre la almohada: un icono. Mamá lo miraba sin buscar nada concreto; le bastaba con verle; el hecho de que su enfermedad iba avanzando quedaba tan claro como que la noche sigue al día, era algo tan común y corriente como los clichés que empleábamos para describirla.

–Y tú, papá, ¿cómo estás?

–Bien. Aún me las apaño para que no me maten mis alumnos. –Hizo un guiño y continuó–: ¿Qué hay de ti? ¿Cómo va todo en la gran ciudad?

–Ya sabes, como siempre.

–Seguro que te han vuelto a ascender, ¿verdad? Te han dado otro ascenso, ¿eh?

Sonreí y no contesté. Papá está delgado como un palo; a sus sesenta y un años, todavía es un fanático del *footing*, su receta para poder llevar una vida sedentaria de profesor de autoescuela. Siempre conduciendo o haciendo *footing:* un hombre que no sabe sentarse tranquilamente a pensar qué va a hacer a continuación.

–Bueno –prosiguió–. Dime, ¿cuándo iremos a ver tu casa y a echar un vistazo a tu oficina? Sigo esperando la invitación.

Era una sugerencia habitual que yo solía esquivar porque sabía que, en realidad, el motivo de esa visita era añadir más detalles a su inventario mental de cuánto había mejorado yo con respecto a él en sus comienzos. Lo lejos que había llegado un hijo suyo. Dan se consumía, pero, junto a él, de forma también inevitable, florecía Lewis. La debilidad de uno reflejada en la aparente fuerza del otro.

–Todavía espero una invitación –repitió, y sonrió.

–Algún día, pronto. Cuando todos tengamos algo más de tiempo, ¿vale?

Nada más decirlo, me di cuenta de lo inoportuna que era mi respuesta. Miré hacia la cama y, en efecto, Dan me miraba con los ojos limpios en su rostro translúcido y una leve sonrisa en los labios.

–Hola, Lewis.

–¿Qué tal, Dan? ¿Cómo te encuentras?

–No estoy del todo mal. Estaría bien poder respirar adentro y afuera para variar; ya me entiendes, hacer el proceso completo. Pero estoy aprendiendo a sobrevivir sin ello.

En general, si bromea sobre su estado significa que se siente muy mal.

–¿Tú cómo estás? Espero que sigas cebando a los peces gordos.

–Se las arreglan bien sin mí.

Dan cree que lo que hago es bastante divertido. Pero, claro, él no tiene que hacerlo; emplea su tiempo en no hacer nada, en mantenerse al margen y en luchar por seguir viviendo.

–Me he enterado de que estás tomando una medicación interesante. Mamá dice que te hace soñar. ¿No podrías pasarme un frasco?

Sonrió de nuevo, y, con un más que notable esfuerzo, respondió:

–Me encantaría compartir mi medicación contigo, pero a cambio tendrías que donar una costilla o un órgano. Todo tiene un precio.

–Danny, deja que hable Lewis –intervino mi madre–. Se supone que deberías descansar.

Sus pálidos dedos se movían inquietos sobre la revista. Se volvió hacia mí y vi que los surcos debajo de su pelo de color gris cemento se hundían hasta la frente.

–El médico ha dicho que no debe hacer esfuerzos.

–Bueno, a mí me parece que más relajado no puede estar –respondí, y me dirigí a Dan–: ¿De dónde sacan las almohadas los demás pacientes?

Sonrió con la mirada, pero no dijo nada.

–Las hemos traído de casa, Lewis –se justificó mi padre–. La polea de la cabecera de la cama está rota y no sube lo suficiente. Ha sido idea mía.

Di una vuelta con la excusa de que iba al baño. Estar con los tres en la misma habitación sólo era soportable un rato.

La incansable búsqueda de mi padre de alguna medida práctica que mejorara la situación y el fatalismo de mi madre me deprimían cuando estábamos todos juntos.

En el pasillo había una niña con el pelo negro que coloreaba el dibujo de un caballo. Estaba sola y muy concentrada, como si el mundo entero dependiera de su precisión. Me senté a su lado, dejando un asiento libre en medio, y ella me miró.

–Bonito caballo –le dije.

–Van a regalarme un caballo para mi cumpleaños.

–¿Ah, sí? ¿Cómo lo sabes?

–Me lo ha dicho papá. Pero es un secreto. No se lo he contado a mamá. Va a ser una sorpresa para cuando ella vuelva a casa. –Tenía una expresión seria en el rostro.

–Ya veo. ¿Y dónde están papá y mamá?

–Ahí dentro –dijo ella señalando una puerta que permanecía cerrada.

–Dime, ¿para quién es el dibujo? –pregunté.

–Para nadie.

–¿Para nadie? ¿De verdad? ¿No crees que tal vez le gustaría a tu madre?

–Supongo que sí. Pero no se lo puedo dar a mamá porque estropearía el secreto.

–Tienes razón. Pero ¿y a alguien más? Podrías dárselo a otra persona. No digo que tengas que hacerlo, ni siquiera que debas, pero si quisieras podrías hacerlo.

Me miró intrigada.

–Lo pensaré.

Una enfermera vestida con uniforme azul pasó a nuestro lado y me sonrió de forma automática. Una sonrisa serena y estoica. Se coló en una habitación contigua sin hacer el menor ruido. La niña siguió coloreando el dibujo.

Anduve por el pasillo de linóleo hasta llegar a los lavabos de puerta ancha, eché el pestillo y me quedé de pie observando las barras de apoyo y seguridad del retrete, el lavabo a poca altura, con los grifos de llave larga. Encima, un reflejo: mi rostro, con esa expresión que me recordó a cuando Dan y yo éramos niños, seis meses después de su diagnóstico, cuando él tenía siete años y yo diez.

Era una tarde de domingo otoñal. Íbamos todos en el Ford Granada de papá; salíamos de Guildford para dar una vuelta en coche y pasear por el campo, de color rojizo en esa época. El ambiente en el coche era tenso. Al rato empezó a lloviznar. Las ventanillas del automóvil se empañaron. Mis padres habían discutido. Yo no había presenciado la pelea, pero sus consecuencias se palpaban en el aire. No hablaban entre ellos, nosotros dos tampoco. Permanecíamos en silencio en la parte de atrás del coche. Dan dibujaba redondeles en el vaho del cristal.

Mi padre rompió aquel silencio.

–Ya que llueve y no podremos pasear, ¿qué os parece si paramos y nos tomamos algo en un pub?

Era una propuesta dirigida a mamá. En aquel entonces no se dejaba entrar a los niños en los pubs. Tendríamos que esperar en el coche. Patatas fritas y refrescos para nosotros, tiempo a solas para mis padres.

–No os importa, ¿verdad, chicos? –preguntó mi madre, y se volvió en el asiento.

Yo me encogí de hombros.

–No –dijo Dan.

Veinticinco minutos despés, metí la bolsa de cortezas que me había comido dentro del cuello de la botella de Fanta, con lo cual la pajita se dobló como un acordeón. La lluvia caía con fuerza; la oía golpear sobre el techo del coche. Dan daba unos lentos e irritantes sorbos a su botella vacía. El aparcamiento del pub estaba algo solitario. Los coches me parecían diluidos tras las ventanas empañadas. Mi padre había dejado las llaves del coche puestas en el contacto. Me retorcí hacia delante, por encima del freno de mano y la palanca de cambios, pero no logré sintonizar ninguna emisora en la radio. Me senté de nuevo. Al cabo de unos minutos, el aburrimiento llenó el silencio que había dejado la pelea de mis padres. Me estaba agobiando.

–¿Dónde están? –pregunté.

–En el pub.

–Pero hace siglos que se han ido.

–Ya lo sé. –Dan sorbió ruidosamente de su pajita hueca y luego me miró–. Están cabreados.

–Se habrán enfadado con alguno de nosotros. Por lo menos con uno de los dos.

No lo pensé de forma consciente; fue el tedio lo que me hizo decirlo. Desde que la enfermedad de Dan era la gran protagonista, él había cambiado. No sólo era mi hermano pequeño enfermizo. Tenía algo especial. No es que yo sintiera celos de la atención que él recibía, pero su cambio, su condición especial, había alterado la arquitectura de nuestra familia y me había relegado a una posición nueva, y eso era lo que yo le echaba en cara.

–¿Por qué?

–No lo sé. Somos un rollo. Somos un auténtico coñazo.

–No hemos hecho nada malo.

–Yo no digo que hayamos hecho algo. Es mucho peor que eso. Están hartos de nosotros. Al menos de uno de los dos.

Se me ocurrió una idea. No llegué a plantearme qué era lo que la provocaba. Estaba el hastío, y también el hecho de que sabía que podía hacerle creer lo que quisiera. Yo era el mayor: él creía lo que yo le contaba.

–Tal vez nos han abandonado.

–¿Cómo?

–Hace horas que se han ido. ¿Y si no vuelven? –insinué.

–No seas tonto. Volverán. Tienen que volver al coche –dijo Dan.

–No. Creo que se han metido en otro coche y se han ido. –Hubo un silencio–. Voy al pub a comprobarlo. Pero estoy seguro de que los he visto entrar en otro coche. Se han ido, Dan.

–No puede ser. Habrán sido otros. –Mi hermano parecía preocupado.

–Espera aquí. Voy a ver.

Salí del coche y cerré la puerta de un portazo. Bordeé un gran charco y pasé por detrás de un monovolumen hasta llegar al pub. Sabía que aquello no iba a durar mucho, saldrían en breve, pero, durante cinco o diez minutos, le haría creérselo. Yo ya lo pagaría cuando se lo contara a mis padres. Me matarían. Era hombre muerto. Pero, hasta entonces, haría que la historia fuera real. La idea de cambiar el mundo de Dan, siquiera por un momento, me pareció irresistible. Esperé detrás del monovolumen y luego volví al coche. Puse cara de pánico.

–¡Se han ido! Lo sabía. Han dejado un mensaje en el pub. Dicen que no nos aguantaban. Me lo ha dicho un hombre en el pub. Le han pedido que nos diga que no lo soportaban ni un día más.

Dan se quedó mirándome. No supe distinguir si se lo había tragado o no, así que empecé a llorar y proseguí:

–La preocupación, ha dicho que la preocupación era demasiado para ellos.

Sus pensamientos se reflejaban en su rostro, que se contraía como una bolsa de patatas fritas que arde en llamas. Era culpa suya.

–No... pueden... haberse... ido.

–¡Lo han hecho! ¿Qué será de nosotros? ¿Quién va a cuidarnos?

–¡Lo siento! –gimió–. Lo siento.

Una luz se encendió en mi interior y sentí unas náuseas repentinas en el estómago. Al ver su reacción, que era lo que yo andaba buscando, me di cuenta de que había hecho algo terrible y despreciable. Le di un abrazo, pero él no dejaba de temblar.

–Tranquilo. No pasa nada. Estaremos bien. Los dos juntos. No te preocupes.

No fui capaz de reconocer que era mentira, pese a lo mal que me sentía, cuando ya veía acercarse las cabezas de mis padres: papá rodeaba con un brazo los hombros de mamá mientras avanzaban bajo la lluvia.

De golpe las dos puertas delanteras del coche se abrieron y Dan volvió la cabeza.

–¿Qué pasa?

La sonrisa de mi madre se desvaneció al instante. Mi padre se sentó en su asiento.

Dan la miró y se secó las lágrimas de la cara. Observó la coronilla en la calva de mi padre. Luego me miró a mí. El dolor se borró de su rostro. Sus ojos atravesaron los míos. No pude sostener su mirada, ni tampoco la mía en el retrovisor.

–Nada –se calmó Dan–. Estoy bien.

Regresé a la habitación de Dan. Durante la media hora de mi visita, charlé con mamá y papá sobre sus cosas, les pregunté por la casa, los amigos. Papá había reducido sus clases a las mañanas, así tenía más tiempo libre para estar con Dan. Mamá había dejado su curso de arte: no quería, al menos de momento, malgastar el tiempo. Si la conversación giraba en torno a mí, yo la frenaba discretamente, o desviaba la atención por completo. Me iba todo bien. Dan durmió hasta que yo me fui.

4

Mientras contemplaba el reflejo de uno de mis ojos sobre la negra superficie del café, reviví los acontecimientos del día anterior. Cada vez que lo hacía, sentía una mayor liberación, rayana casi en la autocomplacencia. Giré la taza de cartón en la mano, pero el ojo permaneció inmóvil. El recuerdo de mi pánico, una vez que su motivo había pasado, me parecía casi irrisorio, tanto por el alivio que sentía como por la imagen de mí mismo momentáneamente a la deriva. El ojo sólo se entrecerró al sonreír.

No me puse a revisar el expediente de UKI a primera hora. Como de costumbre, surgió algo más urgente, o al menos yo me convencí a mí mismo de ello. Hice que sacaran dos copias del dossier y envié uno a nuestra oficina en Estados Unidos, junto con algunas instrucciones para Andrew Macintyre, mi homólogo de allí, que debía tenerlas en cuenta para preparar su análisis. Frases hechas. Después me dediqué a otros asuntos y dejé la revisión para más tarde.

Quiso la suerte que James me llamara por teléfono a media mañana; los nueve metros de pasillo que separan nuestros despachos eran una distancia demasiado grande para un hombre con tantas prisas.

–¿Lewis? Soy James. Sobre UKI. Gestión del flujo de trabajo. Acabo de recibir una llamada de su número dos, Gorbenko, que nos deja en compás de espera, al menos por ahora. Están considerando otras opciones, léase ralentizar las cosas, para crear más tensión negociadora. Así que tómate con calma el informe preliminar, apárcalo de momento. Aun así, no olvides hacerlo, nos hará falta bastante pronto. Aunque, como mínimo, no en los dos próximos días.

–Claro. Gracias por informarme. Como es lógico, ayer mismo me puse con ello –mentí–, pero tengo un montón de cosas urgentes. Así que es una ayuda saber que dispongo de más tiempo.

–Bien. Llego tarde a la reunión de las once. Hablaremos más tarde.

El teléfono enmudeció.

Me recosté en la silla y apuré el café. Pensándolo bien, mejor que mejor. Dejaría que la oficina de Estados Unidos siguiera adelante y basaría mi informe en sus consejos. Era fácil. Como decía Lovett, la «gestión del flujo de trabajo» siempre es más sencilla que el trabajo en sí.

Mientras hablaba por teléfono vi que entraba en mi despacho una de las encargadas de cuidar las plantas de la oficina. Era una mujer delgada y no muy alta, llevaba una larga coleta castaña, iba vestida con una sudadera de color verde oscuro, pantalón de chándal y playeras negras. Me daba la espalda. Se ocupó de la planta del rincón de la habitación, quitó el polvo a las brillantes hojas subtropicales, arrancó las que se habían secado y las echó con diligencia en una bolsa de basura. La forma de esas plantas era irregular y orgánica al mismo tiempo; había una por despacho. Siempre me ha apenado verlas entre las líneas rectas de los marcos de las puertas, las pantallas de los ordenadores, las estanterías, los montones de papeles y libros, e incluso en las esquinas de los dibujos de la moqueta sobre las que descansan.

Dejé mi taza sobre la mesa con un ruidito seco que puso de relieve la absoluta discreción con que trabajaba la mujer.

Sentí la necesidad de romper ese silencio y dije:

–Gracias. Es una planta bonita, ¿verdad?

–¿Perdón? –preguntó, y se volvió hacia mí.

–Digo que gracias. Me gusta esta planta. Le da un toque de alegría al archivador.

Me miró con cara de pocos amigos, y por un momento pensé que tal vez la había ofendido.

–En cualquier caso, se agradece que usted la cuide –afirmé.

Puso cara de verdadera sorpresa al comprender que hablaba en serio, que era sincero y no bromeaba, que alguien quería entablar conversación con ella en uno de los numerosos e idénticos despachos donde cuidaba uno de los innumerables e ignorados tiestos.

–Las plantas necesitan cuidados, como todo lo demás.

No supe qué responder. Me vi a mí mismo inspeccionando, bolígrafo en mano, las páginas del manual que tenía más cerca, fingiendo que estaba ocupado, haciéndome el importante. Vi por el rabillo del ojo que sus delgadas muñecas se movían al reanudar su trabajo. Sus dedos blancos tiraban y retorcían las hojas con rapidez.

Cuando la mujer se fue, me quedé pensando en el hueco que la llamada de James había abierto en la agenda de la jornada. Haría planes para esa noche y, si no surgía nada más, mataría el tiempo hasta entonces.

Aunque ¿qué tipo de noche? Traté de buscar alternativas al plan de llamar a Holly, pero no las encontré. Podía salir con un amigo, tal vez alguien de la oficina, eso suponiendo que también estuviera libre, pero no era lo que más me apetecía. En realidad, no sabía qué quería hacer o lo intuía de una forma vaga. Lo prefería así porque me cegaba la potencia del resplandor. Pero, pese a todo, seguía ahí, ante mí, como una fuerza ineludible, y fue esa fuerza la que me impulsó a descolgar el teléfono.

–Hola, soy yo.

–¿Lewis?

–Sí, hola. ¿Qué hay? ¿Qué tal estás?

–Bien, ¿y tú? ¿Trabajando duro?

Saqué un lápiz de entre las páginas de un manual que había encima de la mesa. La frustración que sentía Holly por todo el tiempo que me robaba el trabajo era una de las razones por las que lo habíamos dejado. Aquello iba con segundas.

–En realidad, estoy un poco flojo. Por eso te llamo. Tengo algo de tiempo libre.

–Ah, eso está bien –respondió ella. Una pausa. Y a continuación–: Dime, Lewis, ¿qué tal le va a Dan?

–Estupendamente.

No la llamaba para hablar de Dan. En una hoja suelta había dibujado una caja y emborroné de negro una de sus mitades.

–Me preguntaba qué haces esta noche. ¿Tienes algún plan? –solté.

–Esta noche... –Otra pausa–. Esta noche no me va bien. Tengo cosas que hacer. Ahora estoy muy liada.

–¿De verdad? ¿Y qué haces?

–Sí, de verdad. He tenido mucho trabajo y esta noche salgo. Ya he quedado.

–Ah. Es una pena. Una verdadera pena. –Holly trabaja de voluntaria, así que lo de ocupada es relativo. Me estaba dando largas–. Bueno, no te preocupes. Es sólo que voy a salir con una gente y pensé que tal vez quisieras venir. Ya sabes, para ponerte al día.

–Tal vez en otra ocasión. –No continuó hablando.

Sentí que un peso se desplomaba sobre mi cabeza. La otra mitad de la caja también estaba negra. El arrepentimiento por haber llamado. Lo empeoré aún más cuando a continuación no pude reprimir:

–Venga ya. ¿En realidad, qué haces? No quiero hablar contigo así... como si no nos conociéramos.

–Lewis –empezó ella.

–¿Lewis qué?

–Lo sabes de sobra, Lewis. Lo nuestro no funcionó y no funcionará. Estamos a años luz de distancia, y cuando te veo me pareces todavía más lejos. No creo que sea buena idea que salgamos, vayas con quien vayas.

–Por Dios. ¿Por qué lo ves así?

–No lo veo de ninguna forma.

Su voz estaba ya llena de resignación. No había nada que discutir. El color negro de la caja era brillante y satinado. El polvo de grafito se dirigía hacia la esquina del cuadrado, justo delante de la punta del lápiz, mientras yo seguía emborronándola. «Termina de hablar. Queda bien.»

–Tienes razón. Lo siento. Simplemente pensaba en ti y he querido llamarte, pero no volveré a hacerlo. Esperaré a que estés preparada... Llámame tú si quieres.

La conversación no mejoró en absoluto mi estado de ánimo; al revés, me dejó avergonzado y enfadado. No había quedado bien, tenía las de perder. El lápiz estaba sin punta. Busqué un sacapuntas y lo afilé. La mina se rompió por tercera vez, y sin más tiré el lápiz a la papelera. Habría sido mejor evitar la situación. Decidí comer temprano.

Me encaminé hacia la cafetería de los empleados por el servicio de caballeros. Entré con la cabeza gacha y las tripas aún revueltas por la conversación con Holly. Había otra persona en los lavabos. Me dirigí al urinario más alejado y me bajé la bragueta. Vi que, de hecho, era una de las empleadas de la limpieza –una mujer asiática de avanzada edad–, que limpiaba los azulejos de la pared. Me dio apuro, pero seguí como si tal cosa; me pareció mejor que retirarme avergonzado. La mujer se volvió hacia mí y, antes de que yo pudiera desviar la mirada, me pilló observándola. Tenía una expresión algo perdida. Dio media vuelta, agarró el cubo con los productos de limpieza y pasó de largo hacia la puerta.

Me miré el rostro de cerca en el espejo. Iba bien afeitado, tenía la raya del pelo bien hecha. Pero mis ojos, hundidos en unos hoyos oscuros, estaban tan vacíos como los de esa mujer. Me sequé las manos con una de las toallas de papel grueso de la máquina dispensadora, colocada en el trozo de pared más reluciente, y luego me fui. En el pasillo, la mujer esperaba, paciente, para reanudar su trabajo.

–Disculpe, estaba distraído –dije al pasar junto a ella.

No esperé su respuesta.

Esa tarde me bebí una segunda pinta de cerveza lager sobre una barra manchada de cercos. Llevábamos tres cuartos de hora en el Bear and Chain, un pub del centro que abría entre semana. Saqué un paquete de Camel medio vacío y le ofrecí un cigarrillo a Jenny, y luego a Sam, dos compañeros de la planta de arriba. Lo hice como quien muestra una baraja de cartas antes de repartir. No querían fumar, de momento. Sabía que no tardarían mucho en caer en la tentación: esa molesta tendencia a disfrutar del tabaco de los demás. Hace ya tiempo que decidí fumar mis propios cigarrillos, o no fumar ninguno.

–Así que no estás muy liado, ¿eh, Lewis? –dijo Jenny.

La chica entornaba sus pequeños ojos, enrojecidos por el humo del tabaco, para protegerse del ambiente cargado del pub. Era la misma cantinela de siempre. Todo el mundo se vuelve loco por saber cuánto trabajo tienen los demás y por dejar claro que ellos todavía tienen más. Jenny, por ejemplo.

–Bueno, yo no diría tanto, pero ahora tengo un par de días de tregua. Un corto aplazamiento. Por una vez, a Lovett le ha parecido lógico esperar a que el cliente pida los resultados del trabajo.

–¿Y para quién dices que es? –preguntó Sam. Su cuello sonrosado desbordaba por encima de la doble costura de la camisa.

–Para UKI. Vamos a reflotar una compañía ucraniana de minerales, o al menos eso parece. Aún no está decidido.

–Lovett es un poco capullo, ¿no? –preguntó Jenny.

–Lo normal. Es bueno en su trabajo, pero en todo lo

demás se comporta como si le hubieran practicado una lo-
botomía.

–Eso me habían dicho –comentó Sam–. Un poco obsesi-
vo. Puede ser muy majo cuando las cosas marchan bien, pero
un completo gilipollas si la cagas. Aunque no lo digo por
presionar. –Se rió y terminó la cerveza–. Así que, si la cosa
está dudosa, no pasa nada todavía, ¿no?

–No, no pasa nada –corroboré.

Pensé un instante en hacerles reír con la historia del expediente extraviado, pero, para contarla, tendría que explicar cómo había solucionado el problema. Y si de algo estaba
seguro era de que el tema no quedaría ahí, se lo contarían a
gente que yo no conocía, que, a su vez, lo almacenaría en su
cabeza como el único dato que recordaban de Lewis Penn.
Aunque Sam y Jenny no estaban en posición de utilizar esa
información en mi contra. Sin duda encontrarían la historia
divertida e incluso simpatizarían conmigo. Pero eso no venía
al caso. Mejor no malgastar palabras, mejor guardarlas.

–No pasa nada –repetí.

Sam y Jenny charlaban, pero yo ya no escuchaba; asentía
a sus palabras y miraba a mi alrededor. Eran sólo las ocho,
pero la atestada barra empezaba a despejarse a medida que la
gente se iba en metro, autobús o tren a casa. Todos hombres
maduros, con los mofletes caídos, que miraban sus relojes y
comprobaban los móviles para ver si tenían mensajes. Los
más jóvenes, como nosotros, pediríamos otra ronda para
posponer el momento de regresar con las neveras vacías, los
envases de comida precocinada, los programas nocturnos de
televisión. Chaquetas oscuras, abrigos, paraguas mojados que
colgaban de los respaldos de las sillas o yacían en el suelo,
goteando. Alguna que otra corbata chillona en contraste con
el insulso catálogo de rostros. Por encima de la barra, unos
medallones de latón, jarras de estaño, un pájaro disecado y
viejos anuncios sobre planchas de metal de Tate & Lyle y Bis-
to. En fin, eran falsas antigüedades, que se adecuaban tanto a

ese pub de la City londinense como unas lanzas amazónicas o unas cabezas reducidas.

–Y ella le dio a *Responder a todos,* en lugar de darle a *Responder,* y le envió el insulto directamente a Rabinder. Hay que ser imbécil. Vaya un fallo más tonto. –Sam se reía a carcajadas.

–Sí, pero puede pasar –dijo Jenny.

–Eso te pasa si eres idiota –continuó Sam–. Es decir, lo haces tan a menudo que sólo hay que fijarse un poco. Bueno, pues a continuación ella se va al despacho de Rabinder a disculparse en el acto. Como si no tuviera bastante con llamarle «parásito incompetente» en un e-mail colectivo, se presenta en su despacho, se lo cuenta y le dice que lo siente. «Era una broma que se me ha escapado de las manos.» ¡Ja! Y va Rabinder, se queda mirándola y le dice: «No te preocupes, me gustan las bromas». Qué triste, ¿verdad? ¡El tío es de un soso...!

Sam golpeó su rolliza mano contra la barra y sonrió con entusiasmo; parecía un niño de doce años y un hombre de cuarenta al mismo tiempo. Jenny y yo también sonreímos, aunque ya me habían contado antes esa historia.

–Creo que es mi ronda –sentencié, y me volví hacia el camarero, que, bayeta en mano, limpiaba de forma automática las llaves y los grifos de los barriles de cerveza.

Después de cuatro pintas, ocho cigarrillos, una cena tailandesa y un paseo en taxi, me encontré ante la puerta de mi casa, con unas setenta libras menos y desconsolado. Caían chuzos de punta. Tanteé la cerradura con las frías llaves, y cuando ésta se abrió, empujé la puerta más fuerte de lo que pretendía y la estampé contra mi bicicleta armando mucho jaleo. Me molestaba recordar esa bicicleta, que había comprado hacía algo más de un año y apenas usaba. La enderecé contra la pared y subí las escaleras hacia mi apartamento, que estaba a oscuras, sólo iluminado por la luz de las farolas de la calle, que se colaba por las ventanas sin cortinas.

Permanecí en ese tenue resplandor y observé a las Marilyns de Warhol colgadas encima de la chimenea, que tampoco usaba. El ruido del tráfico esporádico resonaba desde la calle. Pensé en lo absurdo que había sido no pasar la tarde con Dan, y me invadió el rencor hacia Holly. Mi mano buscó algo a tientas en el bolsillo de la chaqueta, y después el pulgar pulsó las teclas del móvil. Vacilante, presionó una hilera de caracteres tras el número de Holly, los borró, empezó de nuevo... «Necesito hblr contigo para»... El pulgar hizo una pausa... «decirt q necesito q»... «tu habls tambn»... El pulgar se quedó inmóvil sobre la opción *Suprimir*, y entonces, muy a pesar mío, le dio a *Enviar* y la pantalla se quedó en blanco.

Arrepentimiento inmediato. Me fijé en la factura de la televisión por cable, tirada a mis pies en el suelo, que aún no había abierto, y deslicé la mirada a lo largo de la mesa baja que había delante del sofá. Su tablero, uno. El borde, dos; el más alejado, tres; los extremos, cuatro y cinco. La parte interior del tablero, seis. La pata cuadrada de al lado, siete, ocho, nueve y diez; la esquina de la pata sobre el suelo, once. Pero la moldura de la pata estaba estriada con dos resaltes unidos. Protuberancias... Una superficie continua, así que doce, y, como eran dos, sumaban trece. Tres patas más, cada una siete, hacían veintiuno. Eso, más otros trece, treinta y cuatro. Un buen número. Ella respondería. Al fin y al cabo, no acabamos a malas. Encima de la mesa, revistas, libros. Una ingente plétora de páginas que complicaban las cosas. Holly vería el mensaje al volver de alguna santurrona cuestación y pensaría que yo estaba aún en el trabajo, dedicado por completo a él. Empecé a contar los libros sobre la mesa, no había leído ninguno de principio a fin, y fue como si recibiera un golpe de luz intensa.

En la cocina, bebí un vaso de agua cristalina del grifo. Después me acerqué al piano, que está colocado contra la pared en el vestíbulo. Saptak debía de dormir en la habitación de arriba, probablemente con Nadeen. Estaba un poco borracho y deseché la idea.

Solía tener un talento natural para el piano. No me hacía falta practicarlo demasiado, y muchas veces elogiaban mi forma de tocar. Cuando comencé la universidad, tocar el piano no me pareció apropiado. Lo dejé abandonado. Ya no tengo tiempo que dedicarle. Ahora, mis dedos tienen que pensar dónde han de ir al ejecutar movimientos que me resultan, a la vez, familiares y difíciles. Sin embargo, el piano me ayuda a dejar de contar. Levanté la tapa, retiré el paño protector de terciopelo que cubría el teclado y empecé a tocar de forma entrecortada, los dedos moviéndose a ciegas.

Nada más comenzar, oí que se abría la puerta de Saptak, luego sus pisadas sobre las escaleras, bajando despacio. Cada paso, un número: quince, catorce, trece, doce, once, diez, nueve, ocho, siete, seis, cinco, cuatro, tres, dos, uno. Apareció en el vestíbulo, con una toalla alrededor de la cintura, se echó el flequillo hacia atrás y bizqueó sin sus gafas.

–Joder, Lewis.

–Lo siento –me disculpé–. Creí que no estarías en casa.

–Pues lo estoy. Y en la cama. Y necesito dormir. Mañana tengo que llegar temprano al trabajo.

–Lo siento.

–Tengo otra sesión en la Oficina de Asesoramiento al Ciudadano a las diez, y antes he de solucionar un montón de cosas.

Por lo visto, Saptak tiene todos los días algún que otro encomiable compromiso. Compartir piso con él es un constante recordatorio de lo poco que yo hago.

–Ya lo dejo –repliqué.

–Sí, hazlo –claudicó Saptak. Se detuvo en seco, reflexionó–: Mira, tampoco quiero ser un coñazo. A todo esto, ¿qué hora es?

Miré el reloj. Entre la penumbra y el atontamiento alcohólico de la noche, tardé un poco en enfocar la mirada.

–Las doce y diez.

–Bien. Mañana asesoraré a los ciudadanos medio dormido. –Y sonrió.

–De todas formas, la mayoría están locos, ¿verdad? No se darán ni cuenta –comenté yo.

Toqué dos suaves acordes descendentes y luego cerré la tapa del piano. Saptak sonrió de nuevo y encaminó sus pasos escalera arriba.

Pensé en fumar un último cigarrillo mirando el tráfico pero, al recordar la lluvia, no logré decidirme entre abrir o no la ventana de guillotina.

Mientras estaba allí de pie se encendió la pantalla de mi móvil, encima de la mesa baja. La vi parpadear al tiempo que sonaba un único pitido. Mensaje de texto. Caminé hacia la mesa, abatido y a la vez aliviado: era tarde, pero había respondido. ¿Que decía? En la pantalla se desplegaron, incomprensibles, las palabras: «no conozco est num... pero si rs Lewis hay 0 q decir».

5

–Lewis Penn al habla.

Palabras firmes.

Paula, mi secretaria por cuatro meses –rotan regularmente por el departamento «para prestar un servicio más homogéneo»–, volvía a estar enferma, así que todas las llamadas me entraban a mí directamente. Iba a llevarle una pila de correspondencia corregida a la secretaria de turno que me habían asignado para aligerar mi trabajo. Me incorporé de la silla tomando impulso, como un nadador a punto de zambullirse en el agua fría. De pronto sonó el teléfono. Supe por el único tono largo e insistente que se trataba de una llamada exterior. Pensé en dejar que saltara el buzón de voz, que es lo que suelo hacer la mitad de las veces, pero ésta debió de ser una de la otra mitad, porque alcancé el teléfono, contuve un bostezo, aguanté un momento y dije muy serio:

–Lewis Penn al habla.

–¿Señor Penn? –dijo la voz al otro lado de la línea.

Se escuchaba un eco.

–Sí, yo mismo.

–Señor Penn, soy Serguéi Gorbenko.

–Serguéi, me alegro de tener noticias suyas.

¿Por qué me llamaba a mí?

–El señor Kommissar está aquí a mi lado. Por favor, disculpe el manos libres.

–Hola, señor Kommissar.

¿Kommissar? Debían de estar buscando a James. Hice una pausa, pero no hubo respuesta, así que continué:

—¿Quieren que James... digo, el señor Lovett, se incorpore a la llamada?

—No se preocupe, señor Penn. En realidad, queríamos hablar con usted —dijo la voz de Gorbenko.

Me senté, intenté pensar con rapidez. ¿Por qué me llamaban a mí? ¿Por qué a mí y no a otro? El rayo de sol que pasaba por encima de mis hombros iluminó las despellejadas cutículas de mis dedos, que se cernían sobre el teclado. Por un momento, pensé en cortar la conversación. Las palabras «¿Puedo volver a llamarles?, ahora mismo estoy acompañado» cruzaron por mi cabeza, era una maniobra habitual de defensa. Estuve a punto de decirlo, pero algo en el tono de voz de Gorbenko me hizo suponer que no le disuadiría.

—Claro. ¿En qué puedo ayudarles?

Abrí una plantilla de documento e intenté teclear «UKI» pero la pantalla se había bloqueado. De todos modos, continué pulsando las teclas y proseguí:

—Me ha comentado James que están sopesando con detenimiento las consecuencias de nuestra reciente reunión. Por supuesto, nuestro informe está ya en marcha, pero James nos transmitió sus instrucciones de no abrir fuego de momento.

—El informe. No abrir fuego. Sí.

Una pausa que se prolongaba. Un nervio me palpitaba irritantemente en el cuello, por encima de la camisa.

—Sí. ¿Quieren añadir algo más o cambiar esas instrucciones? ¿Qué puedo hacer por ustedes, caballeros?

«¿Caballeros?» Sin yo quererlo mi voz sonaba arrastrada, americanizada.

—Bien, señor Penn, en realidad queremos algo. —Era la voz de Kommissar, más ronca y pausada.

—Así es —esta vez hablaba Gorbenko—. Señor Penn, creemos que ha habido un pequeño lío, una confusión con parte de nuestra documentación. Quizás usted pueda ayudarnos a solucionarlo.

Era impreciso. ¿Qué se proponía? Notaba el auricular, encajado entre el hombro y la cabeza, muy caliente sobre la oreja. El ordenador se había desbloqueado: el encabezado «UKI» se repetía por todo el documento.

–Por supuesto, haré todo lo que esté en mi mano. Exactamente, ¿qué tipo de lío?

Otra pausa, después Gorbenko:

–Basta con decir que preferiríamos que nos devolvieran el expediente y esperaran nuevas instrucciones.

–Entiendo. Me aseguraré de que así se haga y de inmediato.

–Eso espero. Y puede que le resulte algo inusual, pero permítame recalcarle que deben destruir todas las copias de ese expediente, si es que han hecho alguna. O bien mandarlas a nuestra oficina. Verá, parte de la documentación está un poco desfasada, y podría ser malinterpretada. Queremos actualizar el expediente. –Gorbenko enfatizó despacio estas últimas palabras, como queriendo indicar que tenían un gran significado.

–Por supuesto. Cualquier cosa con tal de ayudarles.

Mi preocupación disminuía poco a poco; podía destruir los expedientes, pero algo no encajaba. Aún no había explicado a qué lío se refería.

De nuevo la voz formal de Gorbenko:

–Además, señor Penn, usted acaba de decirnos que el informe está en marcha. ¿Podría explicarnos sobre qué documentos han empezado a trabajar?

¿Por qué lo había dicho? Víctima de mi propia mentira, me volví, alcancé el expediente y dije mientras pasaba las páginas con atropello:

–Verán. Hemos hecho una perspectiva general, un análisis del...

Vi cuentas de resultados, balances, nombres de compañías ucranianas que no distinguía a primera vista, lo que parecían borradores de cuentas de entidades que sólo aparecían indicadas con iniciales. Pero las cifras, los números, el texto sobresalían un dedo por encima de la página impresa y bailaban ante mis ojos.

–... del desglose del activo y el pasivo, con especial atención a los últimos resultados de cada una de las filiales, su endeudamiento actual. Realizaremos un estudio más pormenorizado de cada una de las cuentas que nos han proporcionado en la siguiente fase.

Me callé sin que esas débiles y vacías palabras suspendidas en el aire lograran convencerme a mí mismo. Deseaba no haber mentido en un primer momento, haberme retractado al responder a su pregunta para confesar que, en realidad, no habíamos empezado con el informe. Simplemente, podía haberme desdicho y apechugar con las consecuencias. Sin embargo, hubiera sido una contradicción, un evidente tropiezo, el cual, por ese motivo, permaneció en mi garganta sin ser articulado.

–Creo que lo entiendo. Cuestiones básicas, una perspectiva general de los documentos –dijo Gorbenko.

Se detuvo, como si estuviera sopesando algo. No había terminado.

–¿Hay algo más en lo que pueda ayudarles? –me ofrecí.

Otra pausa que se prolonga, y luego:

–Sí, me alegro de que me lo recuerde. Hay una cosa más. –De nuevo Gorbenko–: Parece ser que hemos perdido unos documentos en estas últimas reuniones. Sin duda es culpa mía. ¿Podría confirmarnos que el expediente que ha revisado contiene sólo los documentos que le entregué a usted durante la reunión del martes, que usted no ha, en fin, no se llevó sin darse cuenta algún material de más?

Vinieron a mi cabeza unas imágenes sueltas, la de mí mismo dos días antes en el banco, recuperando el expediente sin permiso. No estaba seguro de cuál era la respuesta correcta a esa pregunta. En el ordenador mis dedos teclearon la expresión «sin darse cuenta» en letra cursiva. Con el tiempo, he comprendido que en aquel momento debería haber puesto fin a todo aquello, tomar la salida que Gorbenko me ofrecía. Pero no lo hice. El riesgo de revelar o admitir un error debió de parecerme menor que su alternativa. Había entrado en el banco sin autorización alguna, me había colado dentro y además había asistido a una reunión sin el permiso del cliente. Tenía el expediente, lo devolvería y asunto zanjado. Pero todos cometemos errores. Y así fue como yo, inflexible, me ceñí al camino que me pareció más sencillo, ya que la verdad resultaría imperfecta y demasiado complicada.

—Sólo me llevé el expediente. Como decía, de momento le hemos echado un vistazo por encima. Se lo devolveré inmediatamente y destruiré las copias. Tienen mi palabra.

«¿Mi palabra?» ¿De dónde salían esas frases pomposas?

Hubo otra pausa, luego cesó el eco. Le habían quitado el sonido al teléfono. Aun así, agucé el oído. A continuación, un suave clic, otra vez el eco y...

—Está bien. Señor Penn, gracias por su tiempo. Hablaremos dentro de poco, estoy seguro.

—Con mucho gusto.

—Entretanto, deberá saber que hemos remitido el asunto de los documentos extraviados al departamento de seguridad interna de UKI. Puede que se pongan en contacto con usted durante su investigación. Le agradeceríamos que cooperara con ellos.

Otro clic y terminó la conversación.

Colgué despacio el auricular. La mano que lo depositó fue a reunirse con la otra por iniciativa propia y enmarcaron mi frente. ¿De qué iba todo aquello? Pensé en una palabra, coincidencia, y cuando iba a articularla, la primera sílaba se quedó atascada ante la insistencia del teléfono, que sonó dos veces más. Estiré el brazo para alcanzarlo y, con los dedos temblorosos, lo descolgué.

—Lewis Penn al habla. —De nuevo una seguridad automática en mi voz.

—Ah, hola, Lewis. Soy Sally. Perdona, es que te tenía en rellamada. Voy a sustituir a Paula mientras ella esté de baja. Sabes que está enferma, ¿no? Supongo que sí.

—Claro, Sally. ¿Puedo ayudarte en algo? —pregunté.

—Oh, no; en realidad sólo tengo un mensaje. Y soy yo quien debe ayudarte, no al revés —comentó ella.

Tenía un tono de voz vacío y empalagoso, como si estuviera leyendo un anuncio en el reverso de un paquete de cereales.

—Muy bien. Gracias —asentí.

—Un placer.

—¿Y el mensaje? Has dicho que había un mensaje.

—Ah, sí. Acaba de llamar un hombre de SwiftCars, el servicio de taxis. Dice que tienen el expediente.

—¿Qué?

—Pues que alguien ha entregado el expediente por el que preguntabas. Lo encontraron en la parte trasera del taxi 947 con la referencia: señor Lovett. Dijo que tú les habías llamado. Se disculpó por el retraso, pero, por lo visto, el taxista no lo ha entregado hasta hoy. No había vuelto a trabajar desde que te llevó a ti. Tiempo libre. Dicen que lo encontró al reanudar el servicio. Ya sabes cómo son, demasiado perezosos para llamar de inmediato. En fin, el caso es que lo han enviado aquí y lo he guardado con tu correo. Te lo llevo en cuanto lo necesites. O ahora mismo, si quieres.

La imagen borrosa del expediente se materializó como un paisaje que surge entre la niebla.

—¿Entonces...?

—¿Cómo?

—Que si quieres que te lleve el expediente, lo tengo aquí y no me importa acercártelo. O tal vez estás muy ocupado y prefieres que lo guarde hasta...

—No, por favor, pásamelo. Gracias, Sally.

Colgué el teléfono, me recosté en la silla y apreté la palma de las manos contra los ojos, pero las imágenes se iban definiendo: esas amenazadoras rocas no estaban indicadas en ningún mapa. Al retirar las manos, el espacio sobre mi cabeza se tornó invisible, pese a estar todavía iluminado por el sol de media mañana. Los hoyuelos diminutos de las placas cuadradas del techo estaban desenfocados, un banco de nubes.

Dos expedientes de UKI. Ninguna improbable coincidencia podría explicarlo de otro modo. Aunque el expediente que venía de camino era el correcto. El que tenía sobre mi regazo, el incorrecto. El de Gorbenko. Miré hacia abajo. Esos «otros documentos» que yo había negado rotundamente haber visto.

Así que ésa era la solución. Me concentré para encontrar una salida al embrollo. La clave era el otro expediente. Lentamente, surgió un camino. Los documentos correctos que habían devuelto del servicio de taxis me salvarían. Pensándolo bien, ¡me había librado sin tener que confesar mi error! ¡Habría devuelto el expediente equivocado! Pero ahora que ya tenía el bueno, podía evitarlo. Seguiría adelante y haría lo que había dicho que iba a hacer: devolver el expediente correcto. ¿Y qué haría con el otro, ese obstáculo que pesaba sobre mi regazo? Librarme de él. Como había dicho, yo nunca lo había visto. Había estado aguantando la respiración sin darme cuenta. Entonces respiré hondo al pronunciar estas palabras: «Tú sigue como si todo fuera normal».

Sally apareció en la puerta, sus gruesas muñecas sobresalían de unos puños de camisa muy femeninos. En una mano, a modo de pala, sujetaba una carpeta negra con una goma elástica alrededor.

Sonreí.

–Muchas gracias, Sally. Me has salvado la vida.

–Ah. Es algo bueno, ¿eh?

Ella me evaluó tras una fina máscara de deferencia, incluso de diversión, y entonces entendió que yo había cometido un error, vio la falla que se abría bajo mis pies.

–Me alegro –dijo ella.

–Sí, son buenas noticias. Creí que lo había perdido. De hecho, lo había perdido... pero ya no importa –expliqué.

–De vuelta a casa.

Dejó la carpeta sobre mi mesa.

–Gracias, Sally.

–Ah, una cosita más, ya que estoy aquí. El paquete que le entregaste a Paula para que lo enviara a Washington. Ayer no pudo hacerlo, así que es lo primero que he hecho yo esta mañana.

Se lo agradecí. Pero al dar media vuelta, esas palabras empezaron a retumbar en mi cabeza. Un paquete para Washington... ¡Le había pedido a Paula que enviara una copia del expediente de UKI, del expediente incorrecto!

–¡Sally! –la llamé cuando ya se iba.

–¿Sí? ¿Hay algo más?

–¿A qué hora has entregado ese paquete a mensajería? –Intenté mostrar poco interés.

–A primera hora. –Y sonrió–. En cuanto vi que no se había hecho.

Satisfecha de la respuesta, se volvió y se fue.

Lo vi claro enseguida. El expediente incorrecto estaría de camino a Washington, a no ser que lograra recuperarlo antes de que se lo entregaran al mensajero. Si llegaba a salir de la oficina, debería recuperarlo como fuera. Ya estaba en la puerta con la chaqueta puesta; bajé, impaciente, en el terco y lento ascensor; recorrí a zancadas el pasillo del sótano –tenía un tono de moqueta ligeramente más oscuro– hasta llegar a mensajería.

–Sí, hay un registro de un paquete con su referencia, para Washington. –La mirada del empleado siguió su dedo por la pantalla y se detuvo.

–¿Y qué dice esa referencia? ¿Cuál es su estado? –Contuve la impaciencia de mi voz todo el tiempo que pude.

–Al parecer, llegó a la oficina a las nueve cincuenta. Y después lo enviamos. Sí, salió a las diez de la mañana. Un trámite rápido. El paquete llegará a Washington mañana, a la hora de la comida.

–Pero puede recuperarlo, ¿verdad? –pregunté.

–¿Cómo dice? –El empleado no lo entendía.

–Que puede hacer que lo devuelvan a la oficina, ¿no?

–Me temo que no, porque es un servicio urgente. A no ser que usted haya pagado el recargo para que esté localizable, que no es el caso... No, no lo es. El servicio de retirada va aparte. Una vez que el paquete se entrega al mensajero, le perdemos la pista hasta que llega a destino.

El hombre permaneció con la vista fija en la pantalla, donde se reflejaban sus gafas, luego volvió a mirarme, pero para entonces yo ya me daba la vuelta.

Subí despacio por las escaleras hasta la planta baja, palpé los bolsillos de mi chaqueta en busca de un bulto cuadrado. Al comprobar que estaban vacíos, salí por una puerta lateral del edificio, me acerqué a un quiosco para comprar un paquete de tabaco. Me metí por un callejón largo que conducía a un pequeño patio, aledaño a St. Andrew by the Wardrobe, una vieja iglesia que quedaba arrinconada entre los adosados edificios de oficinas. El sol no estaba todavía lo bastante alto en el cielo para que sus rayos bañaran el patio, así que me senté, en la fría sombra, en un banco rodeado de colillas, y me fumé un cigarrillo.

Expediente incorrecto; expediente correcto. ¿Verde, azul o negro? ¿Por qué había dicho que ya estábamos trabajando con él? No tenía sentido pensar en eso: era imposible fingir que no lo había entendido. Unos simples papeles. ¿Cómo podían tener tanta importancia? Pruebas, eso es lo que eran. Al menos, tenía el expediente bueno, que debíamos devolver. Pero también tenía el malo. Pruebas. Me maldije a mí mismo por haber cometido un error tan estúpido. No obstante, la salida me parecía sencilla, lograría evitar que se destapara el error.

Apagué el cigarrillo sin mirar, absorto como estaba en la puerta lisa de la iglesia de enfrente: uno. El nicho: dos, tres, cuatro; el camino: cinco. Cinco escalones: seis-siete, ocho-nueve, diez-once, doce-trece, catorce-quince. Y a cada lado el enrejado interminable.

«Borra la pizarra», dije para mis adentros. Y luego lo solté en voz alta:

–Borra la pizarra.

6

Pasé junto al despacho de Lovett con la cabeza gacha, simulando estar concentrado en los papeles que, con tal propósito, había tomado al azar de mi mesa. Vi por el rabillo del ojo que estaba vacío, y después comprobé el pasillo de arriba abajo. Ni rastro de Lovett, así que entré en su despacho. Buscaba la copia del expediente. No había nada malo en ello, ya que tenía instrucciones de destruirlo, pero quería evitar contárselo hasta poder exponerlo como algo hecho, resuelto.

Lo inspeccioné todo. Mis ojos pasaron por encima de esa fotografía tan hortera, una toma aérea de su finca en su condado natal, encajada entre dos colinas suaves y redondeadas. Había otras dos colocadas en una estantería: una foto profesional en blanco y negro de su mujer; ella posaba con la cabeza ladeada y el rostro medio en sombra, lo que parecía una buena elección. En la segunda, aparecía con la familia en una pista de esquí: los pies estaban cortados, y salían todos sobreexpuestos en contraste con la luz de la nieve; llevaban gafas de sol, gorros y trajes de esquí, anónimos, fantasmales.

Me incliné sobre la mesa y la registré a conciencia. El expediente no estaba entre el montón de papeles. Al mover un sobre grande descubrí una carpeta más pequeña, que estaba abierta, al parecer una agenda de mesa. Ésta captó mi atención. En la parte superior de la entrada de cada fecha había escrita, en cursiva, una breve cita que había incorporado el editor de la agenda. Una reflexión para cada día. Decía: «Para tener éxito, hay que tener pensamientos exitosos». Me reí y miré la portada. Era una agenda de autoayuda, titulada algo así como *Hábitos para la gente óptima*. Incluía un prólogo escrito por un psicólogo americano. Él era quien había seleccionado las citas, y la mayoría eran suyas. Pasé las páginas. En otra fecha, la cita que se atribuía el psicólogo decía: «Adopta los hábitos del éxito para asegurarte de que el día termina mejor de como empieza». Sonreí de nuevo. No esperaba encontrarme con que a Lovett le interesara esa basura. Lo imaginé comprando la agenda en una librería o tal vez recibiéndola como regalo de Navidad de su mujer.

Repasé las anotaciones de Lovett en las páginas anteriores. «Hoy he corrido dos kilómetros y medio. No está mal.» «Sheraton, Pekín, ¡pistas de squash!» «Entrega de diplomas de cata de vinos de Penny.» «Construir piscina: ¿cubierta / exterior?» Su caligrafía a lápiz era muy superficial y, de alguna forma, insegura. Otra cita rezaba: «Piensa a lo grande y los demás te verán así». Al lado, distinguí tres leves marcas de aprobación. ¡Y pensar que ese tío tenía éxito! A eso es a lo que yo aspiraba, en lo que se suponía que quería convertirme.

Mis dedos pasaron de largo la fecha de aquel día, y unos días más tarde en la agenda, vi escrito mi nombre. El mismo lápiz blando, pero en letras mayúsculas, subrayado. Yo no recordaba la conversación telefónica o la reunión a la que, sin duda, se refería el apunte de Lovett. Las anotaciones a ambos lados de mi nombre no aclaraban para nada el asunto: encima había garabateado «Revisión de la vista» y, debajo, «Llamar a Anselm en Washington». ¿Por qué mi nombre en mayúsculas?

Alguien pasó junto a la puerta, y el estómago se me encogió por un instante. «Olvídate de la agenda; recupera el expediente.» Me desplacé del escritorio al otro lado del cuarto, donde había una impoluta mesa de reuniones con papeles esparcidos. Un montón de carpetas sobre una silla y, encima, la copia del expediente equivocado de UKI. Incluso lo habían metido en una funda de plástico de color azul marino. Lo cogí y me fui.

Ya en mi despacho, al final del pasillo, me puse a trabajar. Como lo primero era lo primero, escribí una breve nota para Gorbenko, que adjuntaría al expediente correcto. Me ayudó firmar con mi pluma el papel de grano grueso. Sólo cuando el paquete ya estaba de camino, dentro de uno de esos señoriales sobres de mensajería de la empresa, me sentí algo más seguro.

Para reafirmarme un poco más antes de dar el siguiente paso, fui a servirme un café. Hace poco pusieron unas máquinas de mejor calidad para disuadirnos de salir fuera a tomarlo, lo cual, a primera vista, parece un acto de generosidad hasta que uno lo sitúa en su contexto. Sólo con que Madison & Vere ahorrase seis minutos diarios del horario de trabajo de sus abogados, podría costearse una plantación antes de la nueva cosecha.

Bebí agradecido y despreocupado, luego quité el clip a la copia incorrecta que Lovett tenía en la funda de plástico, saqué los papeles y los introduje en la máquina trituradora.

Después me puse a estudiar la primera página de mi copia del expediente equivocado. Leí el texto por encima. Tenía curiosidad por saber qué era lo que me había llevado por error, qué había enviado a nuestra oficina de Washington para que revisaran y, sobre todo, qué era lo que a UKI le preocupaba tanto haber perdido.

El expediente constaba de tres partes. La primera contenía correspondencia interna del propio UKI con varias de sus filiales europeas, nombres que, en su mayoría, no reconocí. Documentación acreditativa. También había notificaciones de bancos de Londres, París, Berlín, Roma, Madrid y Ginebra, que citaban la apertura y cierre de cuentas, los cambios de tipos de interés y gastos bancarios.

La segunda parte reflejaba el movimiento de dinero que entraba y salía de las cuentas europeas mencionadas en las cartas. Había extractos contables junto a lo que parecían unas tablas de resumen del contenido de dichos extractos.

Por último, en la tercera sección del expediente se detallaban cuentas activas de pérdidas y beneficios y hojas de balance, de nuevo encabezadas con el nombre de las distintas filiales.

Nada fuera de lo común. Era exactamente el tipo de información que habría esperado encontrar en el expediente correcto.

Lo importante era que el expediente que teníamos era una copia. Eso quería decir que el original, salvo que lo hubieran destruido, tenía que estar en otra parte, lo que a su vez hacía menos probable que UKI lo echara en falta. Siempre podrían sacar otra copia.

Releí la segunda parte y revisé las hojas resumen, al parecer las operaciones internas de UKI. Al examinarlas más a fondo, vi que algunas de las entidades que aparecían en las cuentas bancarias tenían el nombre abreviado con unos números en clave. Al principio pensé que probablemente lo hacían para poder encajar los nombres en el ancho de las tablas, pero al estudiar las cuentas de las compañías que sí tenían el nombre, vi que algunos de los cálculos positivos parecían consignados con códigos similares: «De S1.2281» o «De G4.8077», por ejemplo. Miré otra vez las referencias de las empresas y también repasé todas las cuentas bancarias, para comprobar si alguna estaba a nombre de una entidad codificada. No lo estaban. Al recorrer las columnas con la mirada, me percaté de que los asientos contables indicados mediante códigos aparecían reflejados como efectivo en las cuentas de las compañías de UKI. El dinero procedía de las fuentes codificadas, pero, al menos a la vista de esos documentos, no era capaz de deducir cómo llegaba hasta allí. Las claves no se correspondían con ninguno de los nombres de las empresas cuya contabilidad se detallaba en la tercera parte del expediente, ni con aquellas a las que en la primera parte se había enviado la correspondencia bancaria.

Yo no hago asientos contables, ni compruebo que cuadren. Si se me encarga que examine documentación financiera de este tipo es sólo para analizar si, según su situación financiera, la empresa cumple con sus obligaciones legales. Pasé las páginas deprisa, con lo que su contenido se volvió borroso. Cifras, palabras, bloques de texto. Información. Fuera de contexto, esos datos eran insignificantes.

Me alejé un poco de la mesa, me recosté en la silla giratoria y puse el expediente sobre las rodillas alzadas, como si fuera una bandeja con la comida. Volví a pasar las hojas de atrás adelante, distraído, y dejé que el borde biselado del montón de papel cayera en cascada desde mi pulgar. El expediente exhalaba. El reverso blanco de cada hoja pasaba veloz hasta que, de forma inesperada, de pronto vi letra impresa. Volví atrás. Una única página de la parte central del documento estaba impresa por las dos caras.

Contenía una tabla hecha con procesador de texto, que llevaba por título: «Proyecto Sebastopol». Una serie de columnas recorría la página, con fechas a la izquierda y cifras en las demás. Encabezaban cada columna varias referencias codificadas de empresas que ya había visto antes. Debajo había una columna de asientos negativos, correspondientes a las fechas que recorrían la parte izquierda de la página. Las dos últimas columnas llevaban el encabezamiento «PS». La de la izquierda contenía una serie de asientos positivos; la de la derecha, el saldo acumulado. Las cifras estaban en dólares. En la esquina inferior derecha de la página aparecía una cifra en negrita de unos setenta y nueve millones de dólares.

Le di la vuelta para ver la cara de la página, que estaba en blanco. Estaba colocada al revés. ¿A propósito? No tenía forma de saberlo. Comprobé una vez más el expediente: sólo aquella página estaba al revés. Por si acaso, saqué la copia del expediente de la máquina trituradora y le eché un vistazo. Allí estaba, era todo un testimonio desmoralizante de la eficiencia del departamento administrativo de Madison & Vere. La tabla cobró una importancia que habría pasado por alto si la página hubiera estado colocada correctamente.

Me concentré en las cifras y las comparé con las de las páginas anteriores, aquellas en las que los asientos sólo aparecían encabezados por un número de referencia.

Esos asientos eran los mismos que los números que contenía la tabla del Proyecto Sebastopol.

Abrí la carpeta y saqué la hoja. Allí estaba lo que preocupaba a UKI. Lo podía percibir. Simples cifras, letras, líneas. Bajo la luz matutina, pude distinguir el grano fino del papel que sujetaba en el aire; luego me eché hacia atrás desde la mesa. Una hoja. Pasé el dedo suavemente por su filo, desafiándola a que lo hiciera sangrar.

¿Blanqueo de dinero? ¿Un fondo para sobornos de algún tipo? ¿Dinero de una mafia? ¿Fraude? No tenía ni idea.

Tampoco me apetecía saberlo. Si UKI estaba metido en algún negocio sucio, conocer al detalle de qué se trataba sólo podía perjudicarme. Al parecer ya estaba a punto de tropezar con algo a lo que mi cliente no quería ni que me acercara, y mi intención era recuperar el equilibrio a toda costa. No debía caer, no debía siquiera dar la impresión de que sospechaba algo.

Mayor motivo para librarme de las pruebas. Me ceñiría al plan A y negaría haber visto jamás, por no decir tomado, aquel críptico expediente. Al fin y al cabo, eso cumpliría sus expectativas: si no querían que yo viera esa copia del expediente, les interesaría creerme.

Nunca antes me había sucedido algo parecido. Los clientes con quienes había trabajado hasta entonces eran –al menos hasta donde yo sabía– entidades honestas y serias. Y yo, por mi parte, siempre había cumplido las reglas. Nada veleidoso, nada inesperado. El camino que había seguido conducía a una riqueza, una posición social y una estima moderadas. Aunque era abogado, había decidido practicar el tipo de abogacía que no tiene nada que ver con los bajos fondos, el auténtico engaño, el crimen o el castigo. No. Mi línea de actuación consistía en operaciones rutinarias, alguna que otra agresividad con coreografía incluida, pero, sobre todo, ocuparse de los detalles más tediosos. El éxito se obtenía por medio de la perseverancia, echando horas, y no con una inteligencia y una astucia brillantes; y aunque yo veía ese tipo de éxito con cierta dosis de cinismo, la simple idea de que ocurriera algo hacía que una ola de frío recorriera mi cuerpo de arriba abajo, me sacara de mi seguro equilibrio y me hiciera retroceder a toda prisa en busca de un terreno conocido.

7

–¿Te vienes?

La silueta abotargada de Sam llenó el vano de la puerta de mi despacho.

–¿Adónde?

–Estás apuntado en la lista del seminario, ¿no?

–¿De qué va?

–Chorradas varias sobre la Declaración de los Derechos Humanos. Es obligatorio para todos los de la empresa sin licenciatura. Nos va a ser de tanta utilidad como una patada en la espinilla. Vi tu nombre en el e-mail.

–Voy por mi abrigo.

Llegamos tarde y nos sentamos a dos filas del estrado en esa oscura extensión que era la sala principal de conferencias. El nuevo logotipo en minúsculas de la empresa giraba en silencio sobre una pantalla desplegada desde el techo al fondo del auditorio. Yo sostenía una taza de café sobre el folleto impreso en papel cuché mientras esperaba. El primer orador subió a la tarima y se hizo el silencio. Dejé que sus palabras introductorias pasaran de largo, tan pendiente estaba del ruido que hacía Sam masticando unas galletas caseras.

¿Qué podía hacer yo para que las cosas permanecieran estables y bajo control? Librarme de la copia del expediente de UKI que llegaría a Washington. Pedirles que la destruyeran. Esperar hasta media tarde, cuando la jornada laboral en Washington ya estuviera más que comenzada y, entonces, llamarles por teléfono. No tenía sentido contactar con ellos antes, a pesar de que Macintyre, mi homólogo en Estados Unidos, entraba a trabajar casi todas las mañanas a una hora obscenamente temprana. Si llamaba demasiado pronto demostraría mi preocupación por un encargo que, saltaba a la vista, no era urgente. No, mejor llamar para charlar con Macintyre y de pasada informarle de que UKI nos tenía a la espera: querían actualizar el expediente y por eso lo necesitaban de vuelta. Y a esperar.

En ese momento, el siguiente orador se levantó y se encaminó hacia el estrado. Una mochila amarilla llamó mi atención, parecía fuera de lugar entre los apagados tonos urbanos. Seguí a esa figura con la mirada, la memoria se unió al reconocimiento, y ahí estaba la profesora Blake hurgando en su bolsa, buscando unos apuntes. Chasqueé los dedos. Comenzó a hablar, agradeciendo a la empresa por haberla invitado a dar su visión de la nueva legislación. Esperaba poder situarla en un contexto académico y político más amplio. Su mirada tranquila barrió, por encima de sus gafas, la parte de la sala que le quedaba más cerca, y se detuvo en mí. Sonrió un instante al reconocerme, después se centró en sus papeles y comenzó la charla.

La catedrática Blake me enseñó Derecho Penal durante mi primer trimestre en Bristol, y, en el último año, dirigió mi tesina –sobre delitos derivados de responsabilidad civil– hasta caer enferma. Una operación de corazón. Esa mujer me gustaba. Fui a visitarla al hospital. Aquélla fue la última vez que la vi. Sobre el estrado de la sala de conferencias, sus ojos azules brillaban detrás de las gafas; en otra ocasión me parecieron grises y acuosos, y sus mejillas, descoloridas.

Dan. Tras mi salida desesperada la noche anterior, quería volver a ver a Dan, preferiblemente a solas. Lo de Dan era algo tan grande e inapelable que a menudo olvidaba por completo pensar en él, en su debilitamiento. Como llevaba tanto tiempo empeorando, el deterioro se había convertido en una parte integral de su persona. Sin embargo, cuando me obligaba a mí mismo a pensar en ello, comprendía que cada día que pasaba era un día menos que lo unía a la vida. En los momentos de lucidez, sabía que pronto él ya no estaría y que, en su lugar, quedaría sólo un espejismo, un recuerdo que podría racionalizar, pero nada en lo que creer o confiar.

La charla terminó y se encendieron las luces. La profesora Blake, que asentía agradecida al aplauso, ya bajaba del estrado y se dirigía hacia mí. Me atusé el pelo, le sonreí y le tendí la mano. La estrechó un instante, parecía sorprendida por la formalidad del gesto.

–Así que trabajas aquí.

–Sí, eso parece.

–Me alegro de verte.

Sam se despidió de mí con la mano por encima del hombro de ella, puso los ojos en blanco en señal de solidaridad y se alejó.

–Me ha gustado tu charla.

–Es un tema fascinante. No es difícil captar el interés de la gente.

Se hizo un silencio. Me miró con cierta socarronería. No se me ocurría nada apropiado que decir. Cuanto me venía a la mente sonaba demasiado serio, demasiado profesional, no pegaba con lo que hubo entre nosotros. En lugar de reaccionar ante esa radiante figura que tenía delante, recordé a la profesora Blake tal como la había visto en el hospital, cuando fui a visitarla. Ya le habían quitado el respirador artificial, pero todavía estaba conectada. Parecía diez años mayor de sus cincuenta y cinco, y en un principio, pensé que tal vez no le gustaría que un estudiante la viera tan débil, en situación tan comprometida. La cánula que tenía en el antebrazo me impactó, tan presente y familiar a la par. Mientras disipaba aquella duda, ella me daba palmaditas en la mano como muestra de agradecimiento por enfrentarme tanto al hospital como a la línea divisoria entre profesor y alumno. Yo parloteé sobre Dan, tal vez para tranquilizarla y demostrarle que los gota a gota y los electrodos no me impresionaban, y luego desvié hábilmente la conversación para hablar sobre el curso, la universidad: quería ayudarla a volver a su propio mundo. Me ganó al ajedrez y luego se quedó dormida frente a una película de Tom Cruise que daban en la tele cutre del hospital. Es una habilidad ser capaz de relacionarse con una persona enferma, y aquel día yo hice buen uso de ella. Antes de que yo me marchara, ella dijo que se sentía mejor, y lo parecía: menos frágil, más entera en su papel autoritario. Pero en esta ocasión no supe qué decir, aunque sí fui consciente de las cinco triviales tarjetas de Navidad que separaban el pasado del presente. De alguna forma, éstas parecían haberme reducido a un acartonado apretón de manos y a tópicos anodinos.

–Yo sigo en Bristol. Más de lo mismo, aunque no deja de cambiar. Deberías venir a verme. Siempre quise darte las gracias por aquella visita que me hiciste. Ha sido una suerte encontrarte aquí. Madison & Vere. Has sabido forjarte una posición.

–Supongo que sí –dije.

Un compañero del bufete, cuyo nombre desconocía, se acercó a nosotros con los brazos abiertos, como para llevarse en volandas a la profesora Blake a comer. Ella le miró, luego me miró a mí, echó su mochila amarilla hacia delante y hundió una mano en ella, sin perder la sonrisa. Siguió otra pausa. Me mantuve firme, intentando parecer tranquilo, pero aún me esforzaba por encontrar algo, cualquier cosa, que decir. Su mano salió de la bolsa.

–Sabía que había una por aquí, en alguna parte –dijo triunfalmente–. Por favor, llámame algún día, Lewis. Me encantará saber qué tal te va todo.

Me plantó una tarjeta doblada en el bolsillo superior de la chaqueta, la metió bien adentro, se volvió y luego desapareció.

De vuelta en mi despacho, llamé a la residencia, y una suave voz me dijo, tras una pausa, que no, que Dan no esperaba aquella noche ninguna visita a las nueve, que sus padres tenían pensado pasar la tarde con él y que para esa hora ya se habrían marchado. ¿Les gusta a los moribundos que se susurre y se haga callar tanto a su alrededor, o es por el bien de los no moribundos, para que se sientan menos dolorosa y ruidosamente vivos?

A la hora de la comida, me tomé en mi mesa un panecillo con salmón ahumado y queso para untar y un zumo de frutas exóticas excesivamente caro. Cientos de sitios ofrecen ese tipo de cosas en la ciudad, y hay mucha gente como yo que las compran todos los días. Se forran. Después cerré la puerta de mi despacho. Generalmente eso no se hace; la empresa tiene una «política de puertas abiertas» que debo admitir es mucho mejor que la alternativa de «planta diáfana». Aunque también es fácil oír las conversaciones desde los pasillos. A veces, la gente cierra la puerta cuando habla por teléfono, pero eso no evita que los demás entren si les parece necesario. Todo forma parte de la libre circulación de información.

Mi primera llamada, a las 10:45, hora de Washington, fue al teléfono directo de Macintyre, pero saltó el buzón de voz. Los norteamericanos graban sus propios mensajes, y siempre se las apañan para que su voz suene al mismo tiempo un tanto entusiasta y no menos profesional.

«Éste es el despacho de Andrew Macintyre. Ahora mismo no puedo atender su llamada, pero deje su nombre y número de teléfono, y le llamaré en cuanto pueda.»

Colgué el teléfono, tecleé su nombre en el ordenador y accedí a través de su enlace a los datos de su secretaria. Probé con su línea. De nuevo pasó al buzón de voz, en esta ocasión un mensaje pregrabado en tono metálico:

«Shona Williams no está disponible. Por favor deje un mensaje después de la señal, o marque cero si necesita ayuda. Grabando».

Marqué cero.

La llamada rebotó a la centralita de Washington, les expliqué que quería hablar con Macintyre o con su secretaria y me pasaron con la secretaria jefe de su planta. Ésta me dijo que aquel jueves los dos iban a estar todo el día en Nueva York, en un congreso que duraba hasta el viernes por la tarde. Y que ninguno de ellos estaría la semana siguiente, ya que iban a aprovechar la ocasión para tomarse una semana de vacaciones. ¿Le puedo ayudar en algo? Le pregunté quién se hacía cargo, durante su ausencia, del trabajo de Macintyre sobre UKI. Después de tenerme en espera cinco minutos, recuperó la línea y me dio el nombre del jefe de Macintyre en Estados Unidos que llevaba el tema, el señor Anselm.

–Lo siento, también está en el congreso. Volverá el lunes. ¿Puede esperar hasta entonces?

Le expliqué que no.

–Oh, bueno, en ese caso, James Lovett y Lewis Penn llevan el asunto en el Reino Unido. El señor Penn figura como la persona que coordina las cosas allí. ¿Quiere que le dé su número?

–No, gracias, no se preocupe.

Colgué.

Macintyre estaría de vuelta en poco más de una semana. Podía destruir los documentos entonces. Pero ¿y si, mientras tanto, alguien más leía el expediente? Quien estuviera sustituyendo a la secretaria de Macintyre, al estar éste ausente, le daría el lunes por la mañana el expediente a Anselm, el compañero encargado de supervisarlo todo en Estados Unidos. Probablemente no comprobaría su contenido. ¿Entonces qué? Si averiguaba que no debía haberlo recibido, la ola vendría hacia mí, y si eso ocurría, no habría forma de saber hasta dónde me arrastraría.

Sólo había una pequeña posibilidad de que eso ocurriera. ¿Y qué? Seguía siendo una posibilidad aunque fuera pequeña. ¿Cómo podía hacerla desaparecer?

Anselm. El nombre resonó deletreándose a sí mismo. ¿Dónde lo había visto antes? Escrito debajo del mío en la agenda de Lovett. Era obvio que tenían una conversación pendiente. Si empezaba por llamar a la secretaria de Anselm para pedirle que me enviara las carpetas, seguro que Anselm se enteraría, e incluso podría mencionárselo a Lovett. Mi nombre en letras mayúsculas, subrayado. «Para tener éxito hay que ser audaz.»

Apoyé la cabeza en las manos y dejé que los codos resbalaran hacia los lados, separándose, que mi cara descendiera sujeta entre mis palmas hasta la pálida superficie de madera de la mesa. Mi despacho estaba en silencio. Con la puerta cerrada. Esto no estaba ocurriendo. ¿Cómo podía haber hecho algo tan jodidamente estúpido? Tenía que encontrar una salida. Seguro que se me ocurriría algo. El tablero de la mesa, ancho y plano, a tan sólo unos centímetros de mí: uno. Nada más en mi campo de visión. Sólo uno. Cerré los ojos.

Al instante, me encontré tumbado de espaldas mirando hacia arriba a unas soleadas ramas, y alguien pasaba unos relajantes dedos por mi pelo. Había montones de pájaros, de colores increíbles, desperdigados por las ramas del árbol, y podía oír sus chillones y aflautados cantos por encima de un ruido de fondo que parecía el de las olas llegando a una orilla. Los pájaros parecían absortos en su propia felicidad, sus caras expresaban casi una satisfacción humana. Los detalles de su plumaje, la corteza jaspeada de las ramas, el radiante y bendito azul sobre ellas daban a la escena una milagrosa intensidad. Intenté volverme para decirle a la persona que acariciaba mi pelo, fuera quien fuese, que mirara también hacia arriba, pero mi cabeza no se movía. Sólo podía mirar hacia delante. Era Holly, la mano de Holly, y yo estaba inmóvil. No podía volverme para verla, ni la orilla, ni los alrededores, ni tampoco mi cuerpo tendido ante mí. Los ojos se me llenaron de lágrimas, convirtiendo en una mancha borrosa lo que sí podía ver. Me perdía los detalles de los pájaros, su colorido se difuminaba en el cielo. Yo era incapaz de decirle a la mano de Holly que acariciaba mi pelo que mirara hacia arriba. La escena era real y perfecta, evanescente e incomunicable.

En ese instante se abrió la puerta, lo oí claramente, y, al levantar la vista, vi a Jenny viniendo hacia mí con una sonrisa en los labios.

–Qué, una siesta rápida después de la comida y antes del trajín de la tarde, ¿eh? –soltó.

–Algo así –reconocí.

–No pretendía molestarte. Pasaba por aquí. Pero mejor que haya sido yo y no alguien importante. Ay, pobre, tienes toda la pinta de sentirte como yo al levantarme esta mañana. ¿Llegaste bien a casa?

–Sí, sí, bien, gracias.

Tuve que reprimirme unas ganas irresistibles de contarle lo de los pájaros. Me vería ridículo. Y lo era, por pensar siquiera en decírselo. Recobré la compostura y dije:

–Sí, bien. Sólo estaba pensando en cómo organizarme la tarde y la noche. Tengo un montón de cosas que hacer.

No era del todo incierto, aunque dudaba de que al final hiciera algo.

–Yo también. Me espera una sesión continua de reuniones. Te dejo con tu preparación. –Sonrió con ironía, pero sin malicia, y se fue.

Durante el resto de la tarde intenté realizar parte de las tareas administrativas que tenía acumuladas sobre la mesa:

hice llamadas, dicté inútiles cartas de reclamación, contesté e-mails. Nada que me obligara a pensar o a analizar. Ni siquiera con las notas breves parecía capaz de dictar una frase lineal sin rehacerla, rebobinar y enredarme con mis propios procesos mentales.

Pero tenía que facturar algo de tiempo, no podía permitirme perder ni un segundo más. Si me retrasaba un día, ese día podía convertirse en una semana, en un mes, y antes de que me diera cuenta, estaría irremediablemente perdido, desviado del objetivo. Cada uno de los cuatrocientos abogados londinenses de Madison & Vere facturó el año pasado una media de más de dos mil cuatrocientas horas. No es que sea una cantidad muy alta, comparada con la de algunas empresas norteamericanas. Pero, aun así, equivale a diez horas diarias, cinco días a la semana, durante las cuarenta y ocho semanas del año. Dos mil cuatrocientas horas facturadas en fracciones de seis minutos. Para facturar a los clientes diez horas de trabajo, teniendo en cuenta los seminarios, las comidas, las interrupciones para ir al baño y el tiempo muerto entre tareas, hay que estar en la oficina un mínimo de doce. La única forma de no rezagarse es no rezagarse. Si un día pierdes un par de horas, recupéralas al día siguiente, no dejes que se acumulen. Dos tardes improductivas, y tu sábado se evapora. No puedes permitirte enfermar como no sea durante el fin de semana.

Trabajar en un entorno así, a no ser que tengas la extraordinaria energía y diligencia de alguien como Saptak, borra con total eficacia el mundo exterior. Como nos ponen los parámetros demasiado cerca y demasiado altos para poder ver algo por encima de ellos, el trabajo lo absorbe todo. El tiempo que te queda libre es tan escaso y se puede contar tan poco con él que te olvidas de cómo sacarle partido y, en vez de eso, lo malgastas en demostraciones de riqueza. Y demostrar y justificar ésta se convierte en una prioridad, dado que es, después de todo, la fuerza que mueve el trabajo sí. En una situación de este tipo, se hace más fácil trabajar que no hacerlo. Para mí, no ser capaz siquiera de trabajar de veras significaba un grave problema.

A duras penas seguí adelante hasta las siete. Luego tomé un taxi para volver a casa, comí, me cambié de ropa y fui a ver a Dan.

8

–¿Sebastopol?

–Sí, Sebastopol. Proyecto Sebastopol.

Dan se había incorporado en la cama y, aunque todavía tenía la tez translúcida, pálida, estaba más consciente que dos días antes y su aspecto había recuperado una exigua solidez. La imparable curva descendente de su enfermedad aún se interrumpía durante breves periodos de mejoría gracias al tratamiento. Cuando llegué, estaba con el ordenador, un portátil que le regalé hace seis meses para sustituir y mejorar el viejo equipo que por entonces tenía en casa. «¿Por qué un portátil?», me había preguntado. «¿Dónde te crees que voy?»

Siempre ha usado ordenadores. Desde que éramos pequeños, él era el interesado en los videojuegos, y creo que últimamente se ha metido en uno de esos foros interactivos en los que uno juega contra otros vía Internet. Es lo último que yo haría. Pero también utiliza Internet para investigar cosas. Sus «favoritos» son todo tipo de páginas de referencia: diccionarios, atlas, resúmenes de resultados deportivos, todo eso. Se pasa horas navegando, igual que de niño pasaba mucho tiempo hojeando los *Readers' Digest* de mis padres, la enciclopedia y las ediciones atrasadas de *National Geographic*.

Dan dejó el ordenador a un lado y nos pusimos a charlar. No le pregunté cómo estaba. No tenía sentido. Hablamos de la residencia y de temas generales, de mamá y papá, y de un par de amigos suyos que habían ido a verle para sentirse mejor por haberlo hecho. Dejé que aquello terminara, a la espera de una oportunidad para contarle lo que había ocurrido en el trabajo. Dan nunca ha estado cerca de un entorno así, pero es casi la única persona en la que confiaría para explicarle una situación de ese tipo.

Comencé sesgadamente:

–¿Has oído hablar alguna vez de Sebastopol? –pregunté.

–¿Sebastopol? –repitió él.

–Sí, Sebastopol. Proyecto Sebastopol –quise aclarar. Hice una pausa–. Por algún motivo me he visto arrastrado a trabajar en una operación que se llama Proyecto Sebastopol.

–Es un puerto –aclaró.

–Venga ya. Estás de broma. ¿Cómo lo sabes?

–Sí, es un gran puerto. En alguna parte de Rusia, creo. Espera un momento. –Desplazó la bandeja de la mesa auxiliar hasta su estómago y se acercó el portátil con cuidado–. Estoy casi seguro, pero déjame comprobarlo.

La pantalla iluminó su cara chupada. Alguien empujaba una camilla por el pasillo; una rueda chirriaba en mitad de lo que habría sido silencio. Dan continuó:

–Sí. No está mal teniendo en cuenta que estoy hasta arriba de morfina. Tenía razón, más o menos. Pero no está en Rusia. Sebastopol es una ciudad de Ucrania, en el Mar Negro. Por lo visto, allí desemboca el río Dniéper. Una histórica ruta comercial salía al Mar Negro desde Rusia y Ucrania a través del puerto de Sebastopol. Y parece ser que ahora la Marina ucraniana tiene allí su principal base. –Levantó la vista de la pantalla, satisfecho de sí mismo–. ¿Por qué quieres saberlo?

–Simplemente me interesa. Tiene sentido, ya que la operación es para una compañía ucraniana de minerales. O, mejor dicho, la operación en la que debería estar trabajando es para ellos. La cagué. Perdí uno de sus expedientes y el que tengo en su lugar tiene algo que ver con este Proyecto Sebastopol.

–Fascinante –se burló Dan y puso los ojos en blanco–. ¿Y qué?

–Bueno, perdí su expediente. Eso puede ser, digamos, importante. Pero lo recuperé. La empresa de taxis nos lo entregó. Sin embargo, ahora el problema es el otro expediente que tengo.

–Si te dieron un expediente equivocado, ¿por qué no se lo devuelves? –inquirió.

–No es tan simple. No me lo dieron. Me lo llevé –quise matizar.

–Ya, pero ahora has recuperado el bueno, ¿no?

–Sí.

–Pues entonces devuelve el malo, lumbrera.

A pesar del tono burlón, él me observaba atentamente.

–No. No puedo devolverlo porque no debería tenerlo. En realidad, lo robé. No pueden saber que lo hice. En el mejor de los casos, podría perder mi trabajo, y si me despiden, no conseguiré otro empleo en el mundo del Derecho. Perderé...

No continué.

–¿Qué perderás? Algo que, la verdad, tampoco te importa tanto. Por Dios, podrías conseguir otro trabajo de cualquier otra cosa. No tienes ni idea. –Dejó esas palabras suspendidas en el aire, tomó aliento y después recapituló–: Pero comprendo tu punto de vista. Así que, si no vas a decirles la verdad, lo que puede, o no, cubrirte de mierda, ¿qué ganarás con eso?

–Si destruyo el expediente, nunca podrán saber con seguridad que lo leí. No podrán probar nada, si es que se toman la molestia de afirmarlo, y yo estaré a salvo.

–Está bien. No sé, no quiero hacer presunciones, pero ¿no es peor robar un expediente y destruirlo que simplemente robarlo? Para mí es obvio, pero tú eres la ley. –Hizo una pausa, tomó aire despacio y lo soltó por entre los labios–. De todas formas, sigo sin entender muy bien qué problema hay en decirles la verdad.

Lo dijo con resignación, sin afán de hacerme cambiar de opinión. Sólo yo veía los obstáculos. Él nunca había tenido que tomar una decisión como aquélla para asegurar su posición. Volví la cabeza hacia la pared de enfrente de la cama para evitar su mirada.

Mis ojos se posaron sobre el dibujo de un caballo. Era de la niña con quien había hablado. Ya lo había terminado y ahora colgaba de la pared de Dan. El caballo estaba pintado de color marrón oscuro, y la línea divisoria que separaba su cuerpo del fondo era un trazo grueso, regular y negro. Aquella línea mantenía al caballo en su sitio, en la luminosa pradera verde, bajo un cielo despejado de color añil.

–¿De dónde lo has sacado? –pregunté.

–¿El qué?

–Eso. –Señalé el dibujo.

–Es un regalo.

–¿De quién?

–De una niña que vino a visitarme el otro día. Tiene seis años, así que no te emociones. Su madre estaba en una habitación de este mismo pasillo, con un cáncer intestinal muy avanzado. Murió ayer por la tarde. A mí me tocó su caballo.

–No. No era suyo. Era un secreto que le tenían guardado –expliqué despacio–. Vi a la niña el otro día cuando vine. Me dijo que iban a regalarle un caballo a su madre cuando volviera a casa, para darle una sorpresa.

–Oh, vaya, entonces no debería habérmelo dado. Pero su madre ya no regresará a casa. La pobre niña debería haberle dado una sorpresa a su madre con el dibujo. De todas formas, me gusta tal cual, no me quejo. Da un poco de vida, es la única cosa en un color distinto de ese maldito tono pastel.

En el momento en que Dan dejaba de hablar, los ojos se le cerraban, su voz se apagaba. Permanecimos en silencio un minuto o dos, hasta que me entró la duda de si estaba pensando o dormía. Tenía una expresión tranquila; la respiración, sonora, acelerada y superficial. Aparté la mirada.

–¿Lewis?

No abrió los ojos.

–Sí, estoy aquí –dije.

–Tal como yo lo veo, no hay que guardar secretos innecesarios. Engaños. Si la razón principal de un engaño es engañarte a ti mismo, es una mentira que no merece la pena. Y una mentira debería tener un propósito claro, inevitable y externo, si no, conlleva más peligro que ayuda. Una mano amiga se convierte en un puño enemigo. –Hizo una pausa–. Hay cosas muy importantes que justifican una mentira, y hay otras que parecen importantes, pero no lo son –continuó.

Tenía el rostro sereno, pero hablaba con la respiración entrecortada, a borbotones. Esa voz meditabunda no era la de Dan, resultaba raro oírle hablar de aquella manera. Me inquietaba pensar que él creía que yo quería oírlo.

–No te lo estoy contando todo. No puedo. Si te lo contara, no me creerías. No me creerías o no querrías creerlo. Preferirías no creerlo –me dijo.

–¿Creer qué? –le pregunté.

Divagaba, los ojos todavía cerrados.

–Pero si te pasa a ti algún día, entonces sí. Lo que quiero decir es que si me lo hubieras preguntado, te lo habría contado. Si pudiera contárselo a alguien sería a ti. Ya lo sabes.

Dan se abría camino con dificultad por una gruesa capa de nieve que le llegaba hasta la cintura. De repente, abrió los ojos, que brillaban bajo una visible película. Parecía haber pillado lo que trataba de expresar.

–Es como esa niña. El caballo. El caballo no debería estar ahí. –Se quedó mirando a la pared–. No debería estar ahí en absoluto.

No entendí qué quería decir con eso. Tenía menos sentido que el resto de lo que decía. Intentaba decirme algo, darme algún tipo de consejo que él no creía que yo quisiera, y se estaba agotando al hacerlo, su respiración se aceleraba con el esfuerzo.

–Claro, Dan, tranquilízate. Sé lo que quieres decir. –Pero no lo sabía–. No hace falta que me lo expliques. Lo entiendo perfectamente. Te lo prometo, no le ocultaré nada a nadie, salvo que no tenga otra alternativa viable.

Dan sonrió con tristeza. Fue el mejor resumen que supe hacer. La palabra «viable» impedía que fuera mentira.

9

Estaba despierto y miraba fijamente la persiana. Era apenas visible, en un color gris. Uno. El marco de la ventana estaba formado por líneas borrosas de un tono perla más claro: dos, tres, cuatro; cinco, si forzaba la vista. Mantener las cosas definidas. Bien diferenciadas. Todavía era muy temprano. Hasta la cornisa, en su sombra, era otra línea: seis. Y encima de mí, el silencioso techo, blanco y liso como la nieve, siete.

¿Era aquélla la única salida? Me reí para mis adentros, porque en esa mañana, aún adormilado, a salvo entre las sábanas, incluso el más real de los problemas carecía de verdadera trascendencia. Sin embargo, tenía que serlo. Si lo llevaba a cabo, y lo iba a hacer, el camino se fijaría solo. A pesar de lo absurdo que resultaba estar allí, tumbado, con el día todavía por comenzar. A no ser que encontrara una alternativa, tendría que hacerlo.

No podía dormir. Las opciones daban vueltas en mi cabeza. Así que fui a la cocina sin hacer ruido, me preparé una taza de café y levanté con cuidado la ventana de guillotina del salón para asomarme y fumar un cigarrillo en el diáfano aire de la mañana. Como nunca suelo estar despierto tan temprano, me pareció lo apropiado. El vapor salía sinuoso de la taza de café y, absorto, eché el humo del cigarrillo sobre el vapor. Abajo, la luz de las farolas se volvía más tenue, y las luces de posición de los coches que pasaban ya no brillaban.

Saptak se levantó poco después. Se acercó a mí con un tazón de cereales, ya vestido y con actitud resuelta.

–Ah, hola. ¿A qué debo este honor? –me saludó.

–Sólo quería confirmar lo duro que debe resultarte.

–Qué buen corazón tienes. ¿Sigue en pie lo de esta noche?

–¿Esta noche?

–Quedamos hace siglos en salir hoy por la noche. Tú, yo, Nadeen, dos compañeras suyas y mi hermano. A las ocho y media en el White Whale.

Me había olvidado de la cita para aquella noche con Saptak y su novia, amablemente empeñada –era su propósito– en presentarme a una nueva chica. Pero, en aquel momento, tenía un plan que llevar a cabo y resultaba un poco inoportuno. Inoportuno, aunque, como no podía empezar hasta la mañana siguiente, tampoco era imposible. Y dado que era posible, no me parecía bien echarme atrás y decepcionar a Saptak. Él odia que los planes no le salgan bien, por muy triviales que sean.

–Sí, claro. Sabía que tenía algo hoy.

–Pues entonces nos vemos allí. Yo iré directamente desde el trabajo.

Al salir, dio un portazo.

Era curioso. Me di cuenta de que todo continuaba su curso, al margen de mí. Mi confusión no afectaba a nada. Todo seguía adelante. Sólo si llamaba la atención con un movimiento brusco que rompiera la superficie camuflada, tal vez alguien se fijaría. Mejor continuar como siempre. Seguir con el espectáculo por el bien de todos, yo incluido.

Pese a pensarlo a una hora tan temprana, me faltaba la motivación necesaria para llevarlo a cabo. En lugar de ducharme y llegar pronto a la oficina, me senté al piano. Recorrí las secuencias de acordes con mimo, cada suave nota sonaba en el vestíbulo vacío. Toqué de un tirón, sin pausas, amontonando las notas y sin sentido. Unos compases sueltos de memoria, entrelazados con la nada.

Al final no pude posponer más empezar el día como era debido. Me preparé para ir al trabajo y salí de casa. De camino a la oficina, preparé una lista de las cosas que iba a hacer al llegar; sabía de sobra que surgiría algo y que la lista sólo serviría para dejarme en el subconsciente la sensación de haber empezado el día con el pie izquierdo. Para mi sorpresa, no fue así. Nada se desvió. Llegué a mi mesa, repasé los mensajes del contestador y los e-mails, y no había nada nuevo importante. Todo podía esperar.

Así que empecé con lo primero de la lista. Cerré la puerta del despacho y llamé a varias agencias de viaje. Reservé un billete de ida y vuelta a Washington para el día siguiente, por la mañana temprano. Tenía que atar el cabo que quedaba suelto, y la mejor forma de conseguirlo era hacerlo yo mismo. Volaría a Washington la mañana del sábado y regresaría a Londres en el vuelo del domingo por la noche, a tiempo de llegar al trabajo el lunes. Tal vez incluso hubiera podido ir y volver en el mismo día, pero me pareció más seguro emplear todo el tiempo del que disponía en el viaje.

Como ya había estado antes en la pantagruélica oficina de Washington, tenía un pase electrónico para entrar en el edificio y sabía que, igual que en la oficina de Londres, un rostro desconocido no levantaría sospechas entre la multitud que por allí pasaba. Técnicamente no me estaría colando, y nadie tenía por qué enterarse jamás de mi visita. Pensé que sería relativamente fácil encontrar el despacho de Macintyre, rescatar de su bandeja de asuntos pendientes el paquete que yo mismo le había enviado y terminar con el problema. Aquélla era la única forma de asegurarme de que el expediente no cayera en manos de nadie, y de que UKI no averiguara lo sucedido. Evitaría que pudieran sacar a la luz mi error.

Era absurdo. Volar a Estados Unidos para pasar veinticuatro horas y pagarlo de mi bolsillo. Sólo para recuperar unos papeles. Pensé en lo que dirían mi familia y mis amigos si se enteraran de cómo me las había arreglado para verme en aquella situación y supieran las medidas que me veía forzado a tomar para solucionar el problema. No se lo creerían. Yo tampoco me lo creía.

Me concentré en los detalles. Antes de la comida, saqué algo de dinero en efectivo y, a primera hora de la tarde, llamé al único hotel que conocía en Washington, una especie de jaula donde me había alojado durante mi última visita. Una vez hube realizado esos preparativos, intenté quitármelos de la cabeza y seguir con el resto de las tareas en la lista.

Justo cuando me puse con un antipático trabajo de investigación que estaba ya fuera de plazo, me hicieron participar en un desfile de prometedoras bellezas de la empresa para quitarle el hipo a un posible cliente. Un banco japonés, que quería formar parte de no sé qué proyecto energético indonesio, nos ofrecía la oportunidad de ser sus asesores. Yo no sé nada de proyectos energéticos, pero estaba en mi mesa en el momento equivocado y necesitaban convocar a alguien más en la alineación. Así que me arrastraron hacia una de las salas de reuniones para asentir y sonreír competentemente mientras Kent Beazley, uno de nuestros compañeros de Estados Unidos, nos machacaba durante cuarenta minutos acerca de cómo la empresa era lo mejor de lo mejor. Me presentó como «uno de los potrillos de la empresa, un caballo de potencia de la sala de máquinas de Madison & Vere, que espoleamos cuando hace falta». Como de costumbre, yo me limité a encajar la mandíbula. Hay que aguantar basura de ese tipo. Por un momento, mi corazón se aceleró cuando empezó a decir que «si nos daban la oportunidad, nos pondríamos a trabajar de inmediato y tendríamos listo un informe preliminar para el lunes». Eso habría supuesto en el acto dedicarle todo el largo fin de semana, pero, al final, los japoneses se reservaron la decisión.

–Gracias, Luke –dijo Beazley, y asintió en mi dirección después de acompañar a los japoneses al ascensor–. Te agradezco que hayas venido y muestres interés. Si el asunto se pone en marcha, te llamaré.

Dio media vuelta antes de que tuviera ocasión de corregir su error o expresar mi opinión, interesada o no.

Al volver a mi mesa, vi que el indicador del buzón de voz del teléfono estaba encendido, y que había brotado un rosario de e-mails en mi *Bandeja de entrada.* Suspiré y pulsé *Escuchar.*

«Señor Penn, me llamo Viktor Hadzewycz, soy uno de los directivos del departamento de seguridad internacional de UKI, socio del señor Serguéi Gorbenko, quien creo usted conoce.»

Su voz era firme y pausada, con un acento norteamericano que ocultaba un acento extranjero mucho más profundo. El mensaje continuaba.

«El señor Gorbenko me ha contado preocupaciones sobre cierta documentación de UKI que se ha perdido estos días pasados. Yo estoy llevando la estrategia de UKI respecto a recuperar documentos desaparecidos. Tengo comprendido que usted ha hablado sobre el tema hace poco con el señor Gorbenko y nuestro presidente, el señor Kommissar, y que asegura que no sabe nada de este tema. Pero si piensa algo que... cambie nuestra situación, mi más deseo es que me llame. Debo decir que en UKI están muy preocupados.»

Dejó el número de un teléfono móvil y se despidió.

Rebobiné el mensaje y lo puse de nuevo para anotar el nombre y el número de teléfono en mi bloc. Lo volví a escuchar, tracé un círculo alrededor del nombre y lo subrayé. Gorbenko había mencionado el departamento de seguridad de UKI, pero ¿a qué se refería exactamente? Por lo que yo sabía, el departamento de seguridad de Madison & Vere consistía en unos cuantos hombres fornidos que vestían camisas demasiado pequeñas, controlaban las cámaras de seguridad y nos entregaban los pases nuevos. Pero era de suponer que una empresa ucraniana que operaba en la antigua Unión Soviética necesitara un servicio más importante. La voz de Hadzewycz me ponía nervioso.

Pero no me tomaría sus palabras como una señal significativa; el mensaje no aportaba nada nuevo a lo que ya sabía. Gorbenko me había dado a entender que se pondrían en contacto conmigo. Era lo habitual. Y sin embargo, me dolía el cuello. Me pasé dos dedos por dentro del cuello de la camisa, como para aflojar una rueda de bici. ¿Qué sabía yo de cómo funcionaban ese tipo de empresas? Puede que Hadzewycz sólo fuera un subordinado al que le habían encargado la tarea rutinaria de procesar aquel inconveniente para UKI. Gorbenko había delegado el trabajo, eso era todo.

Nada había cambiado. El marco de aquel cuadro todavía contenía el mismo paisaje, y yo iba a aferrarme a mi plan. Hundí un pulgar en mi nuez y me desabroché el botón superior de la camisa. Tal vez esa llamada le daba un colorido más vivo, alteraba los contrastes, pero los hechos básicos permanecían sin cambios. Tenía que eliminar la posibilidad de que me asociaran con esos malditos papeles. Era tan simple como eso. Escribí en mayúsculas un escueto «¿Y QUÉ?» junto al nombre y al teléfono de Hadzewycz, y pasé la página de mi libreta para dar carpetazo al asunto.

La mayoría de los e-mails no eran importantes, como de costumbre. Tenía que renovar el carnet del gimnasio, todavía sin estrenar, y seguía siendo más fácil dejar que la orden fija de pago se repitiera por enésima vez que admitir que estaba tirando el dinero. Dos personas de las que jamás había oído hablar, y a las que menos aún había conocido, se iban de la empresa, y borré las invitaciones a participar en Dios sabe qué deprimente regalo de despedida que se llevarían en su último trayecto de vuelta a casa. Hice una mueca de dolor ante la reclamación de una investigación técnica de prioridad eternamente baja que, una vez más, yo no había enviado, y la aparqué hasta otro mes.

Con eso, quedó sólo un último e-mail. El nombre del remitente era extraño; de hecho, al leerlo vi que ni siquiera se trataba de un nombre como tal, el nombre del usuario: td@tortola.linealibre.com. Por el tipo de letra, me di cuenta de que lo habían enviado de fuera de Madison & Vere. En el campo de *Asunto* ponía simplemente: «Lewis Penn». Lo abrí.

El texto decía así:

Querido Lewis: he conseguido esta dirección en el Colegio Británico de Abogados y pido al cielo que haya dado con la persona correcta. No sabía qué otra ruta probar. Lewis, si eres tú, por favor, contesta. Sea lo que sea a lo que te estás enfrentando, puedo ayudarte. T.D.

Lo leí de nuevo palabra por palabra. ¿Pasaba algo por alto? Porque no tenía sentido. El tono era extraño. ¿Era alguien que quería reírse a mi costa? ¿La broma de un amigo? Tenía toda la pinta. Pero también daba la sensación de ser algo serio, deliberadamente inexpresivo, como si ese T.D. quisiera ayudar a Lewis Penn. Pero yo no conocía a ningún T.D. Repasé mi agenda del ordenador y después mi libreta de direcciones, pero T.D. no significaba nada, las iniciales no me decían nada. Y, de todas formas, la dirección, td@tortola.linealibre.com, sonaba a chiste. No parecía serio. Las cosas eran ya bastante irreales tal como estaban; no necesitaba mensajes melodramáticos que atascaran mi correo electrónico.

Me chupé el despellejado interior de mi labio. Las palabras eran tan imprecisas como para carecer de sentido, pero a la vez le tocaban la fibra sensible a quien lo leyera, independientemente de cómo se llamara. «Sea lo que sea a lo que te estás enfrentando, puedo ayudarte» podía significar todo y nada. No iba a contestar. Dirigí el ratón hacia el mensaje, lo volví a cerrar en la *Bandeja de entrada* y después arrastré su icono a la carpeta de *Varios*. Guardado.

10

Llegué tarde al White Whale porque fui primero a casa a cambiarme de ropa y hacer la maleta para la mañana siguiente. La situación carecía de realidad por partida doble. Elegí qué pantalones ponerme para salir un viernes por la noche, y también recogí el pasaporte, una muda y algo que leer durante mi viaje clandestino a Estados Unidos. Era como si estuviera preparándome para pasar fuera un fin de semana cualquiera, sólo que no era así. Lo hice todo como si detrás tuviera un telón de fondo de celuloide parpadeante.

Pedí un taxi que me llevara de vuelta al centro. Mientras esperaba junto al teléfono, llamé a casa. Contestó mi madre, la voz cansada.

–Me han dicho que ayer estuviste con Daniel.

–Sí, fui a verlo.

–Eres bueno por hacer el esfuerzo de venir hasta aquí. Estoy segura de que él lo aprecia.

–Mamá, nada de «bueno». Quería hablar con él.

–Claro. Es una pena que no coincidiéramos.

–Tal vez la próxima vez.

–Entonces, ¿te veremos mañana o el domingo? –insistió ella.

–Me temo que no. Precisamente te llamaba para recordártelo. Quedé en... pasar el fin de semana fuera, hace ya tiempo, y no puedo echarme atrás –improvisé.

–¿Fuera? No lo sabía.

En su cuadro mental tiene una columna asignada a mí y

no le gustan los cambios de última hora. Sabía que quería preguntarme adónde iba, pero que se lo estaba pensando.

–Sí, con unos amigos. Fuera de Londres. Estoy seguro de que te lo dije –mentí–. Pero estaré de vuelta el lunes y te veré en la residencia a la salida del trabajo.

–Bueno, qué se le va a hacer... Que te lo pases bien. –Lo decía en serio.

–Gracias, mamá. Ya te llamaré.

Colgué el auricular.

El White Whale era un plan típico del resuelto Saptak. Si sales una noche, ve a un sitio que está ahí justo para eso. Antes era un viejo pub del West End, ahora convertido sin tapujos en un bar de copas con estilo, y disponía de una pista de baile hundida en el extremo más alejado de la calle. La iluminación tenía un color violeta, fluorescente, proveniente de luces direccionales bajas, diseñadas tanto para dejar zonas de oscuridad como para iluminar. Las baldosas de cristal del suelo brillaban, oscuras y resbaladizas. Al encaminarme hacia la barra, oí una música alta pero indistinguible que recorría en oleadas la multitud compuesta de tonos apagados de diseño, gafas de montura cuadradas, peinados perfectos. El olor de la loción para después del afeitado y de los perfumes, en mutua competencia, surgía entre un velo de humo y bebidas que pasaban.

Me puse a la cola para pedir una cerveza mientras buscaba discretamente con la mirada a Saptak o Nadeen. En el bar, la noche ya estaba en pleno auge. En comparación, yo estaba frío y recién llegado, y me sentía como si me hubieran arrojado en medio de un campo de jugadores de movimientos rápidos. Esperaba mientras otros llegaban y eran atendidos antes que yo, ignorado por la mirada ausente de la camarera, hasta que finalmente me incliné lo suficiente sobre la barra para captar su atención. El cambio escaso de un billete de cinco libras se deslizó hacia mí en un platillo, que fue a parar junto a mi botella de Lowenbrau. Lo guardé. Al volverme despacio ciento ochenta grados, vi el largo antebrazo de Nadeen que me saludaba entre las bamboleantes espaldas. Encendí un cigarrillo y me abrí paso despacio, la bebida a la altura del hombro.

Estaban sentados en un cubículo empotrado, sobre un banco con forma de herradura, atornillado al suelo en torno a una mesa de acero inoxidable. Saptak llevaba una camisa oscura de manga corta, nueva y bien cuidada. Se pegó más a Nadeen para que yo pudiera sentarme; la frente le brillaba y las venas de las sienes le palpitaban por el esfuerzo en un lugar tan estresante. Nadeen, con un vestido de lentejuelas que dejaba la espalda al descubierto, señaló con sus anillados dedos hacia mí y luego a las dos chicas sentadas a su izquierda. Dijo mi nombre, luego el de ellas. Capté el primero, Isobel, pero del segundo sólo oí un «...ette». Sonreí a cada una alternativamente: pendientes, brillo oscuro de labios y hombros desnudos. Isobel tenía el pelo corto y pelirrojo. La otra chica se volvió hacia Dhiren, el hermano mayor de Saptak, cuyo breve cabeceo de reconocimiento por lo visto no había interrumpido el hilo de su historia.

—¿Qué te ha entretenido? —preguntó Saptak, y dio unos golpecitos con el dedo sobre la esfera de su reloj.

—Perdón, retraso acumulado —respondí.

Negó con un gesto de la cabeza, como diciendo «es inútil», y me invadió un vago resentimiento. Detrás de mí, alguien intentó mantener el equilibrio y me clavó la rodilla en los riñones; su pastosa disculpa quedó engullida por el ruido de fondo.

—Isobel trabaja conmigo en TTC —explicó Nadeen.

Asentí a sus palabras con una sonrisa. TTC es una especie de empresa que se dedica a las relaciones públicas éticas, aunque no estoy muy seguro de qué quiere decir eso en la práctica. Relaciones públicas enfocadas a causas benéficas, creo.

–Lewis es abogado. Él y Saptak fueron juntos a la Facultad de Derecho.

Nadeen se echó hacia atrás en el asiento, como diciendo que ya había hecho su parte. Sus ojos se movieron con rapidez del rostro de Isobel al mío, estudiando nuestras reacciones. Empujó a Saptak suavemente hacia atrás con la mano derecha, apartándolo un poco de la mesa para que a Isobel le resultara más fácil hablar conmigo.

–¿A... qué... tipo... de... Derecho... te... dedicas? –preguntó ella muy despacio, en parte para hacerse oír, pero también para reírse de la acartonada pregunta.

–Defiendo los intereses del mismísimo diablo –solté.

Sonrió, y mostró unos dientes pequeños y relucientes. Educada, pero sin calidez, de eso estaba seguro. Sus pestañas eran oscuras y parpadeaban rápido.

–¿Cuánto tiempo lleváis trabajando juntas? –le pregunté, señalando a Nadeen con la cabeza.

–Tres semanas –dijo Isobel.

Hizo una pausa, como si fuera a continuar; después se paró en seco y volvió a su sonrisa petrificada.

–¿Eres nueva allí? ¿Qué hacías antes? –me interesé.

Con esas preguntas tan sosas estaba construyendo el más aburrido de los muros, pero después de bromear con el diablo no se me ocurría nada más que decir.

–Otra cosa. Otra cosa –fue la respuesta de Isobel.

Asentí como si aquello significara algo. Ella parecía mirar por encima de mi hombro. La otra chica la salvó tirándole de la manga. Al hacerlo, se le subió uno de los picos del cuello de la camisa como si fuera la oreja de un spaniel; lo bajó y se sumió en un inaudible intercambio de palabras al otro lado de la mesa. Saptak se inclinó hacia delante. Su vaso estaba vacío. Más por librarme de la conversación igualmente vacía que por otra cosa, apuré mi cerveza y la dejé en la mesa.

–¿Otra cerveza? –le pregunté a Saptak.

–Sí, gracias –dijo él.

No me miró. Me levanté y recorrí el camino de vuelta a la barra. Al hacerlo, mi paciencia respecto a su empeño y al de Nadeen por organizarme la vida se esfumó. Por muy amables que fueran sus intenciones, me exasperaban. Había decidido ser agradecido, pero esa disposición estaba siendo rápidamente superada por un deseo mayor de recuperar algo de terreno propio, de demostrarles a ambos que no necesitaba su ayuda condescendiente. De todas formas, aquello era una menudencia. Ya tenía bastante en que pensar, más de lo que cualquiera de los dos pudiera imaginar, como para tener que vérmelas con obstáculos añadidos.

Puse las bebidas sobre la mesa. Saptak tomó la suya, se bebió de un trago la tercera parte y después se limpió la boca. Había dos conversaciones en marcha. Dhiren y la otra chica hablaban sobre una película –«John Malkovich sale tan... dueño de sí mismo»–, y Saptak, Nadeen e Isobel estaban animados con otro tema.

–Isobel y yo estamos trabajando en los carteles para una campaña que se va a hacer en los colegios de las zonas urbanas deprimidas –explicaba Nadeen con voz seria–. Sale un hombre en un monociclo, dando vueltas sobre el borde de un cubo de basura. Reciclar, basura, malabarismo... todavía no tienen claro el texto.

–Si no se educa a la gente, si no se les enseña lo que necesitan, no se puede esperar que lo sepan –decía Saptak–. Hay que hacérselo patente para que lo vean, y eso es algo que nos compete a nosotros, que somos quienes podemos explicar cómo hacerlo.

–Ahí es donde entra la campaña para promocionar la concienciación y lo demás –dijo Isobel, como si hiciera falta aclararlo.

–Sí –convino Nadeen.

–Tienes razón –dijo Saptak, e hizo una pausa. Noté que él andaba buscando un modo de reconducir la conversación para sacar a la luz su conciencia social, ya demostrada. Le llegó sin demasiado esfuerzo–: Pero también tenemos que conseguir que los ayuntamientos proporcionen a la comunidad suficientes servicios. Hay que ayudar a la gente realmente perjudicada hasta que pueda hablar por sí misma. Ellos son los que tienen la basura bajo la alfombra. Ahí es donde hay que llegar. Tenemos que conseguir que los ayuntamientos hagan algo.

–Claro que sí –dijo Isobel, y asintió con un gesto de la cabeza.

Saptak golpeaba el puño de una mano contra los dedos de la otra, estaba exaltado y también un poco borracho. Su tono de voz estridente me mortificaba. Claro que admiro que haga todo eso, que se moleste en hacerlo, pero en aquel momento notaba que mi admiración se estaba truncando, igual que una navaja que se cierra sobre sí misma. Sentencioso, con ínfulas; la segunda cerveza lubricaba mi antipatía. Los miré con determinación, pero las ganas de provocar crecían en mi pecho, insistían.

–Lewis, ¿qué piensas tú?

Me volví. Era Isobel quien me lo preguntaba. Sus labios curvos me sonreían. Saptak y Nadeen también aguardaban una respuesta. Era mi oportunidad, pero ¿para qué? Sin duda, los decepcionaría. Como mucho, provocaría una expectación menor, lo justo para darles pena cuando después resultara ser un callejón sin salida.

–¿De qué? ¿De la basura? –pregunté a mi vez.

No le devolví la sonrisa.

Se quedó mirándome socarronamente; después lo volvió a explicar.

–Sobre las diversas y distintas formas de hacer algo para ayudar, algo positivo. Promover una causa o hacer algo práctico por las personas.

–¿Que qué pienso? –repetí.

Lo que pensaba era que me horrorizaba a mí mismo por lo poquito que me afectaba el tema, más allá de la vergüenza que solía provocarme mi apatía e inutilidad. Dejé la bebida en la mesa y eché las palmas de las manos hacia delante con los dedos separados, giré cada mano hasta que los pulgares y los dedos se quedaron mirando hacia arriba en un gesto relajado, como si intentaran agarrar algo sólido. En fin, me andaba con rodeos. De pronto, con toda la intención, y consciente de que iba a lanzar una ola a contracorriente, lo solté:

–Para ser sincero, creo que gran parte del alboroto que la gente monta sobre este tipo de problemas es más para su propio beneficio que para apoyar la causa o ayudar a los individuos afectados. –Nadeen, que me miraba fijamente, puso los ojos en blanco, lo que me animó a seguir con mi perorata–: Eso va también por los gestos frívolos, como el de la enfermera que pone una tirita a una llaga gangrenada y purulenta para que le dé la sensación de haber ayudado, más que para curar al paciente. Creo que la gente debería empezar por ocuparse de sí misma antes de suponer que está capacitada para solucionar la vida de los demás.

Isobel cerró la boca, y los labios se le contrajeron en una delgada línea, mientras sus cejas se arqueaban a la defensiva, como diciendo: «Ah, uno de ésos». Después se volvió hacia Nadeen, que negaba con la cabeza. Estiré el brazo para alcanzar la bebida y apoyé la muñeca sobre la mesa; al levantar la cerveza, vi que la manga de la camisa estaba oscura y mojada. El ruido del bar parecía elevarse en torno a mí. Daba la sensación de que muchas espaldas se cernían sobre nuestra mesa. Me sentí encerrado, atrapado, pero a la vez expuesto y avergonzado. Tenía una necesidad casi irresistible de hundir la cara entre las manos, de cerrar los ojos y aguantar la respiración, de dejar que aquel maldito tema pasara de largo. En vez de eso, me quedé con la mirada fija, indiferente.

Saptak me observaba serio mientras Isobel y Nadeen continuaban con la conversación.

–¿Que tú crees qué? –me espetó Saptak.

Su tono apenas escondía la burla.

—¿Cómo? —reaccioné.

—¿Que qué decías?

—Ahora no te sigo. Te lo acabo de decir.

—No me has dicho nada. Sé a ciencia cierta que no piensas eso. ¿De qué vas?

—No sé a qué te refieres. —Me di la vuelta.

Sus siguientes palabras sonaron fuerte, justo detrás de mi cabeza:

—Tienes que olvidarla.

—¿Qué? —Me volví despacio hacia él.

—Ya está bien. No puedes poner siempre la excusa del trabajo de Holly en el instituto. Ya fue bastante triste que le echaras la culpa de vuestra ruptura. Ahora condenas cualquier iniciativa con fines no lucrativos sin pensártelo dos veces.

Me quedé absorto mirando la bebida sobre la mesa y, de repente, no logré quitarme de la cabeza una imagen de Holly dormida, con el pelo recogido en una coleta. El empeño de Saptak en que mi reacción tenía que ver con ella era de risa, y, sin embargo, la risotada que surgía de mi interior se apagó antes de que pudiera soltarla.

—¿Qué mosca te ha picado? —dijo cortante, entre dientes.

—¡Nada, joder! Ella me pidió mi opinión.

Hubo una pausa en la que pude oír a la otra chica charlar de nuevo con Dhiren:

—No puedes compararlo con Cusack. Trabaja en una línea completamente diferente.

Saptak siguió hablando conmigo:

—No es tu opinión, te has puesto deliberadamente agresivo. ¿Por qué no creces? ¿Qué intentas demostrar?

La verdad de sus irrefutables palabras aumentó mi rabia y me hizo callar avergonzado. Mis comentarios le habían dolido, pero el placer que esperaba encontrar en ello se diluyó con el arrepentimiento. Las luces del bar parecían más tenues, las pupilas de Saptak eran una sombra azul, el blanco de sus ojos brillaba. La ola de mi arrepentimiento pasaría a través del suyo y se apagaría, yo haría que así fuera.

–Escucha, lo he hecho sin querer. No sé qué me pasa, joder. Me temo que estoy un poco preocupado.

Se lo tomó con calma, apartó la vista. Cuando se volvió hacia mí, me di cuenta de que Saptak buscaba una excusa que me justificara.

–Ya sé que lo que estás pasando con Dan debe de ser... –comentó. Buscó una frase que encajara–. Debe de ser lo peor. Si puedo ayudarte en algo sólo tienes que decírmelo. Pero... –Calló un instante.

Y yo pensaba: «Dan no puede ser una excusa, y no voy a rebajarme a su nivel. Dile a Saptak lo que ocurre. Él entenderá la importancia del asunto, verá su contexto».

Lo intenté. Pero Saptak no habría cometido un error de ese tipo. Creería que yo había provocado la situación con UKI. Puede que me mostrara su simpatía, pero no su empatía, puesto que él nunca se habría metido en un agujero tan retorcido y tan poco profesional. Me daría algún consejo, que debería tener en cuenta, y tal vez cambiar mi plan para adaptarme a él. La simpatía y el consejo eran en sí mismos un castigo. Por un lado, Dan; por el otro, la humillación. Y no podía arriesgarme abiertamente, ante Saptak, a esta última. Ni siquiera era capaz de mirarle a los ojos.

Él continuaba en voz baja:

–Intenta aparcarlo por esta noche, te sentará bien. Sácate a Dan de la cabeza, sólo por esta noche. Dios sabe que a él le gustaría. Además, a Nadeen le caen bien estas dos, y la vas a cabrear si sigues así. A mí sabes cómo manejarme, pero te recomiendo que no la piques a ella... –Forzó una sonrisa.

–Mira, Saptak –respondí–, no es sólo Dan. Es un poco difícil de explicar, pero en el trabajo las cosas están ahora un poco delicadas. ¿Me entiendes?

Me miró con curiosidad, pero poco impresionado.

—Sí, ya lo veo. Todos pasamos por algo así de vez en cuando. A todos nos pasa.

Ahora que Saptak se había definido al respecto, estaba claro que no concebía que yo me preocupara por algo que no fuera Dan. Me hubiera gustado que tuviera razón, pero era más fácil dejar que aquella falsa idea quedara sin contrastar. Bajé la mirada hacia el suelo.

11

Alguien susurraba mi nombre. Trataba de decirme algo desde cierta distancia, pero yo no lo oía. Uno, dos, tres. Todo, incluso el cielo, era irregular hasta el menor detalle, de forma que la superficie más lisa estaba formada por una serie infinita de grietas, ondas, crestas y hendiduras. Y mi vista era tan aguda que podía distinguirlas. Eso era bueno y malo a un tiempo. Significaba que podía contar hasta la eternidad. Pero, por muy alto que fuera el número que alcanzaba, era imposible terminar siquiera el cómputo: continuaba ascendiendo sin terminar nunca; una escalera inacabable que subía desde mi cama hacia la oscuridad con el viento y la lluvia. No eran susurros, sino una lluvia que arreciaba contra la ventana de mi dormitorio. Me di cuenta al sentarme. Alargué la mano para alcanzar la lamparita de noche, ya despierto.

Eran las cinco y media. Demasiado temprano para levantarme, aunque sabía que no podría dormirme. Me obligué a quedarme en la cama, pese a que el edredón se me pegaba a las piernas. Aquello era con lo que Dan tenía que convivir. La última vez que yo había pasado un tiempo en casa, hacía dos, no, tres años, él estaba atravesando un largo periodo de hospitalización. Me senté a su lado, con un humor de perros: Holly y yo estábamos a punto de dejarlo.

–Pero tú sigues queriendo verla, ¿no? –me preguntó mi hermano.

–Supongo que sí –reconocí.

–Una de dos. O sí o no.

Habían puesto una tele en el cuarto de Dan. Una mujer con patines limpiaba con un nuevo detergente el ajedrezado suelo de su cocina. Liquidaba un hervidero de gérmenes mientras canturreaba una música de ópera.

–No es tan sencillo, ¿sabes? –dije.

–No lo sé. Dímelo tú.

–Puede que quiera verla, pero no creo que ella quiera verme a mí –expliqué.

–No lo dirás en serio, ¿no?

–No lo sé.

–Por Dios, si hace dos minutos decías que su problema es que quiere verte más, y no menos.

Se hizo un silencio. Me quedé mirando a la mujer patinadora. Me incomodaba la perspicacia de Dan. No solía hacer comentarios. La negativa de Holly a reconocer que yo no tenía otra elección no era precisamente algo que él pudiera entender. Él se ocupaba de otras cosas. Como ella, en cierta forma. Los dos vivían fuera del mundo real. La mujer hacía piruetas en torno a su fregona en una ridícula apoteosis final. Ambos se habían aislado: Holly a causa del dinero de su padre, Dan por su enfermedad. Jamás volveríamos a estar juntos en Bristol. Si yo era distinto en Londres era porque, en aquel momento, mi realidad era Londres, y eso me hacía ser diferente.

–Ten cuidado de no perderla sólo porque quieras autocastigarte –sentenció.

–Gracias, Dan.

–Si te acusa de haber cambiado, tal vez es que has cambiado.

–Pues claro que he cambiado. Ella también debería cambiar. No lo entiendes, Dan. No es por ofender, pero no tienes ni idea. ¿Por qué no es capaz de darse cuenta de que me tengo que enfrentar a una serie de presiones muy distintas? De ella depende adaptarse o no. Al menos debería ver que yo sí tengo que adaptarme. Ella es quien no me sigue el paso. Si no cambio, fracasaré. Es tan sencillo como eso.

—Ella no puede adaptarse a tus circunstancias si no sabe cuáles son. No puedes esperar que se las imagine. Me juego lo que quieras a que no tiene ni idea de que te sientes presionado. Seguro que no has querido reconocerlo ante ella, ¿verdad?

Otro silencio. En aquel momento, en el televisor la cámara recorría el público de un estudio, y se detuvo en el rostro sonriente de Ricki Lake, una conocida presentadora norteamericana.

—No lo entiendes —insistí.

—No, tienes razón. No lo entiendo en absoluto.

Yo quería ponerme en camino. Una vez que el viaje empezara ya estaría en marcha, y las posibilidades de cambiar de idea disminuirían. Mientras tanto, todavía me quedaba un intervalo de tiempo para considerar las consecuencias de lo que iba a cometer. Preferí no hacerlo. Me obligué a quedarme en la cama hasta las siete, me levanté, me duché, me afeité y repasé la bolsa para asegurarme de que no olvidaba nada. Volví a doblar la ropa de repuesto y debajo metí con cuidado el expediente equivocado de UKI. Lo usaría para comprobar por partida doble que la copia de Washington estaba completa. Había una satisfactoria intencionalidad en mis movimientos, como si, al preparar esos detalles prácticos, estuviera poniendo los cimientos sólidos de algo importante. Con la bolsa cerrada de nuevo, me vestí despacio: una vieja camisa, unos vaqueros, unos calcetines gruesos y unas zapatillas de deporte.

Lo tenía todo listo, pero llegaría exasperantemente temprano si salía en ese momento. Me preparé un café expreso; me tomé mi tiempo como manda el ritual. Mientras esperaba a que la máquina acabara, me apoyé en la encimera y miré por la ventana de la cocina. La carretera de enfrente del bloque estaba vacía, salvo por la habitual hilera de coches aparcados. De pronto, algo se movió en el parabrisas naranja de un BMW estacionado a la luz de una farola. Alguien dormía la mona de la noche del viernes.

Me senté en un sillón y me tomé el café. El ordenador portátil me mostró el logotipo de Madison & Vere desde la mesa del rincón. La empresa nos da a todos uno, y lo más apropiado es llevártelo a casa durante el fin de semana. Yo casi nunca utilizo el mío para trabajar fuera de la oficina, pero resulta práctico para los e-mails e Internet. La empresa paga una conexión ultrarrápida –otro mecanismo más para fastidiarnos– y nos bombardea con correspondencia gracias a su servicio veinticuatro horas, siete días por semana. Aunque la ventaja resulte deprimente, andar con él a cuestas es una forma de ganar puntos sin mucho esfuerzo. Se me ocurrió que podía hacer algo de trabajo durante el vuelo, tal vez empezar con esa investigación atrasada. Algo normal que tuviera un fin.

Corté la conexión de banda ancha, enrollé los cables y guardé el ordenador en su funda. Con él colgado del hombro y mi bolsa de deportes del otro, estaba listo. Me quedé de pie un momento botando sobre la punta de los pies, un tanto indeciso. Mi reloj marcaba las 7:45. No iba a retrasarlo más: hora de ponerse en marcha.

Caminé hacia el metro bajo la llovizna, que se veía en el reflejo de los esporádicos faros. Los intervalos entre los coches, que arrancaban sutiles y fugaces láminas de rocío de la carretera mojada, resaltaban la quietud en la calle. No había empleado alguno en la estación y, en el vagón en el que subí, sólo iba otra persona, una mujer mayor con el pelo enmarañado que dormía con la barbilla caída hacia delante sobre la enjuta y arrugada piel de su cuello. Tenía las rodillas separadas y una mano extendida entre ellas, con la palma hacia arriba en el valle de su falda. Unas manchas de tinta recorrían los surcos de esa palma. A medida que avanzaba el tren, su mano se mecía con él, involuntaria y equívocamente.

En la estación de Paddington cogí el Heathrow Express y cometí el error de sentarme en uno de los vagones equipados con televisión. Las pantallas, visibles desde todos los asientos, mostraban información irrelevante que acompañaban con imágenes en apariencia aleatorias. Una presentadora hablaba con una interminable sonrisa; luego, una música le tomó el relevo y en la pantalla salió un campo de trigo mecido por el viento. A continuación, un oso panda comiendo una vara de bambú. Enseguida se fundió con un videoclip de The Corrs, Texas u otro grupo parecido. Después volvió a colarse la sonrisa estúpida de la presentadora, seguida por una fotografía del Kremlin desde lejos y una voz en *off* diciendo no sé qué de los huevos Fabergé. Más tarde, Jeremy Guscott en un entrenamiento de rugby. No era capaz de desengancharme de aquel flujo dislocado de imágenes.

En el aeropuerto me concentré en el consabido y preciso ritual de embarque. Me puse pacientemente a la cola junto con los demás pasajeros de clase turista; el habitual serpenteo de izquierda a derecha por el corral de barreras acordonadas. Los empleados de los mostradores de primera clase y *business* parecían poco ocupados mientras atendían el goteo de clientes en viaje de negocios. Pantalones informales, zapatos náuticos, de vez en cuando un traje desafortunado, y maletines. Todos pasaron dando grandes zancadas, con aire serio.

En comparación, esperar en mi cola me daba la sensación de irme de vacaciones y, sin embargo, nunca había viajado con más motivo. El temor y la euforia tiraban de mí en direcciones opuestas. De alguna forma, la presión que había sentido los días precedentes empezaba a disminuir, al menos se volvía menos tangible a medida que seguía adelante con mi plan. No me parecía que fuera yo quien estaba en la cola, sino más bien una versión de mí mismo que utilizaba para mantener a mi yo verdadero a salvo.

Cuando la fila serpenteó para avanzar, la posición de los postes que la guiaban hizo que durante un rato nos dirigiéramos hacia atrás, en sentido contrario a la cola. El principio y el final de la fila se confundían en una esquina. Una mujer atravesó un hueco entre las barreras, sin duda creyendo que era el final, y se colocó justo delante de mí.

Era delgada, llevaba unos pantalones de color caqui ajustados, una cazadora corta de ante y unos zapatos de puntera abierta. Su pelo liso y oscuro, despejado detrás de las orejas, caía suelto sobre los hombros. Se puso de perfil un momento y alcancé a ver su largo y grácil cuello bronceado; el otro cuello, el de la camisa, desabrochado. La mujer hacía caso omiso de las críticas y quejas que se oían detrás de mí; examinó su billete, luego su pasaporte, metió uno dentro del otro y los introdujo en el bolsillo interior de su bolso.

La fila avanzó despacio. Ella deslizó hacia delante con la puntera el equipaje que tenía a los pies, una bolsa de deporte de cuero. La contemplé absorto. Tenía una vitalidad y una gracia naturales. Entonces se volvió y me pilló mirándola. Estuve a punto de apartar la mirada, pero me controlé y, en lugar de eso, la ajusté ligeramente, justo a un lado de su campo visual.

La mujer abrió los ojos como platos.

–Ay, vaya, lo siento de veras –se disculpó al percatarse, por encima de mis hombros, de que se había colado delante de unas veinte personas–. No me he dado cuenta, ¡qué maleducada! –Hablaba con un ligero acento norteamericano. Se agachó hacia su bolsa, y una expresión de auténtico bochorno alteró la serenidad de su rostro.

–No se preocupe –la tranquilicé–. Es fácil equivocarse. Deberían cerrar la barrera del todo si quieren evitar que la gente entre por aquí a la cola. –Señalé el hueco con un gesto excesivamente vehemente–. Olvídelo, quédese donde está. Seguro que a nadie le importa.

Se enderezó y me devolvió la sonrisa.

–Pues gracias.

La ansiedad abandonó enseguida su mirada, aunque las

mejillas se le habían sonrojado bajo su bronceado uniforme. Siguió sonriendo, y yo me quedé mirándola. Entonces pestañeó despacio y dio media vuelta para avanzar en la cola.

Esa mujer era cautivadora incluso en momentos apurados; había en ella una claridad especial, tan fascinante como ver coral brillante en un mar cristalino. Hubiera querido estirar el brazo y tocarle el hombro, decirle algo que llamara su atención, igual que ella, sin saberlo, había llamado la mía. Pero no lo hice. Me quedé en la cola, esperando, decidido a ingeniármelas para provocar una nueva oportunidad de conversar con ella.

Estaba delante de mí, de modo que facturó su equipaje antes que yo. La azafata, con la cabeza gacha, organizaba mecánicamente mi billete. Comprobó que mi nombre correspondiera con el del pasaporte, pasó los datos a la pantalla que tenía delante. Sus uñas repiqueteaban sobre las teclas. Antes de que terminara, le espeté:

–Esto le va a sonar un poco extraño, pero ¿qué asiento tiene la mujer que acaba de facturar su equipaje?

Las uñas de manicura de la empleada se detuvieron.

–¿Cómo?

–Le preguntaba dónde ha colocado a la mujer que acaba de facturar. ¿Podría darme el asiento de al lado? –Lo dije un poco más calmado, pero, al menos en mi cabeza, esas palabras sonaron demasiado alto. Me sentí descarado y transparente. Ridículo–. Viajamos juntos –añadí en un tono de voz que sonaba a reconocimiento de culpa.

–Pues... –La encargada sonrió divertida. No se lo tragaba e hizo una pausa para que yo me diera cuenta. Y prosiguió–: Da la casualidad de que ya lo había hecho. Está de suerte, caballero. –Dejó caer la palabra de tal modo que perdió todo su matiz de servilismo–. Su asiento es el 63-F, junto al pasillo. La señora tendrá que pedirle a usted que se levante para poder salir–. Me devolvió los documentos y me sonrió con complicidad–: Que tenga usted un buen vuelo.

Bajo la intensa luz del aeropuerto vi que, detrás del rímel de las pestañas y el colorete en las mejillas, había una mujer más joven que yo, de unos veintidós años como mucho. Apreté la mandíbula.

Una vez hube facturado, olvidé el bochorno y me animé. Había hecho algo positivo. Aunque probablemente no saldría nada de ahí, no había dejado escapar la oportunidad. Ese viaje me hacía sentirme intrépido. Además, el aeropuerto ofrecía una potencialidad inmensa que me levantaba la moral y me liberaba de la opresiva sensación de previsibilidad. Me alejaba de un escenario conocido para convertirme en alguien ajeno a mí mismo. Como ocurre con todos los viajes, aquél tenía tanto de «lejos de» como de «hacia dónde». Hasta ese momento había pensado en el viaje en términos prácticos, como algo necesario para mi plan, pero ahora que empezaba, mientras paseaba entre las tiendas del *duty-free,* se abrían nuevos horizontes.

En un WHSmith compré varias revistas: el *Economist,* el *Loaded,* el *Spectator,* el *What PC?* y el *NME.* No suelo comprarlas, y no tengo ni idea de por qué me pareció apropiado hacerlo entonces. Elegí ésas porque, en conjunto, se compensaban entre sí, y también porque no decían nada en absoluto de mí.

Después fui a parar a un Dixons y mantuve una conversación con uno de los dependientes basada en la premisa de que me interesaba por un *discman,* lo cual era mentira. Ya tengo uno. Sin embargo, podía comprarlo, y esa posibilidad era lo importante. ¿Cómo iba a saberlo él? Nuestra conversación se desarrolló como si yo lo mirara por encima del hombro: «Así es como se habla a un tipo que quiere venderme un *discman*». Hice preguntas cuyas respuestas ya conocía, no por causar ninguna impresión en particular, ni tampoco para desvelar lo que ocultamente sabía y desconcertar al dependiente a propósito. En realidad, me gustaba la sensación de prolongar el papel de no ser del todo yo.

Por supuesto, no lo compré. Pero una momentánea punzada de culpabilidad por haberle hecho perder el tiempo al tipo me empujó a comprar una linterna de viaje. Mientras caminaba por la terminal, imaginé que un haz de luz barría el vestíbulo en busca de la mujer de pelo oscuro, pero no volví a verla hasta que los pasajeros de nuestro vuelo se reunieron ante la puerta de embarque. Ella entró en la sala detrás de mí, eligió un asiento bastante alejado y se sentó. Esperé observando su nuca y el cabello, que brillaba bajo la luz del fluorescente. En ese instante alguien la ocultó a mi mirada y me quedé simplemente esperando.

12

Avanzó por el pasillo del avión con las asas del bolso retorcidas en el hombro. Rozó los respaldos vacíos de los asientos mientras se abría paso entre los pasajeros que luchaban con los compartimentos superiores, los abrigos y el equipaje. Cuando ya se acercaba a mí, comprobó su tarjeta de embarque. No vio que yo la estaba mirando. No había la menor pose en sus movimientos, nada afectado en su atractivo.

Al aproximarse, bajé la mirada a la revista del avión que tenía en las manos; pasé las hojas sin fijarme en su contenido. Notaba que se había parado junto a mi hombro, que levantaba las manos hacia el compartimento abierto encima, donde lanzó sin miramientos su bolso. Su estómago quedaba a unos centímetros de mi oreja.

–Disculpe –dijo ella.

Me levanté antes de alzar la cabeza para ver quién era, y cruzamos la mirada mientras me ponía de pie. Su rostro reflejó el reconocimiento. Sonrió.

–Ah, hola. Lo siento. Siempre molestándote –dijo.

–Deja que me quite yo de en medio –fue mi respuesta.

Pasó de perfil y de puntillas hasta su asiento. Yo luego me senté cuidadosamente a su lado, un poco inclinado hacia el pasillo para dejarle espacio. Parecía imprescindible que nuestros hombros no se tocaran, que mi rodilla no rozara la suya: los centímetros entre nosotros debían ser sacrosantos. Ella se contoneó hacia delante y hacia atrás para quitarse la cazadora, a una legua de mí. Después la dejó caer sobre su regazo.

Sus brazos, desnudos desde el hombro hasta abajo, eran largos y torneados.

–¿Quieres que ponga tu chaqueta arriba? –le pregunté, me volví hacia ella y señalé la chaqueta, luego hacia arriba.

La pregunta sonó impertinente nada más decirla.

–No, gracias –respondió–. Está bien aquí. –Después, a modo de explicación, añadió–: Puede que tenga frío durante el vuelo.

Mientras hablaba, dobló la chaqueta y la arrebujó debajo del brazo del asiento. Sus manos se movían con precisión: dedos largos y muñecas finas. No llevaba joyas ni reloj.

Traté de leer un artículo de la revista sobre un jugador de polo de Argentina. No, era un anuncio que promocionaba un reloj suizo. De repente, las ocho horas que nos quedaban de vuelo se dilataron en mi mente, demasiado largas para soportarlas. Los asientos eran muy incómodos, no estaban diseñados para gente de mi estatura. Mis rodillas daban en el asiento de delante. Incluso pegando los codos a los costados, tenía que separarme un poco de ella para no rozar su brazo izquierdo, que tenía extendido sobre el brazo del asiento que separaba nuestras butacas. Me pareció tenerlo demasiado cerca, como si estuviera cargado de electricidad estática y fuera a darme un calambre al tocarlo. Ella también hojeaba algo. Me volví imperceptiblemente y la examiné, forzando la vista hacia la derecha. De perfil, se le veía el rostro relajado, los labios inexpresivos. Tenía las pestañas largas y curvas. Le cayó hacia delante un mechón de pelo y se lo retiró de la frente. No lograba deducir su personalidad a partir de su aspecto. Había algo demasiado geométrico en sus rasgos. Pero su serenidad lo compensaba. Irradiaba calma.

Después de acomodar a todo el mundo, la tripulación se entregó a la mecánica rutina antes del vuelo. No soy un pasajero nervioso, pero tampoco me resulta desconocida la aprensión al despegue, que siempre me parece un momento desafiante. La superstición es lo que me hace atender a las indicaciones de seguridad. Ignorarlas es un gesto prepotente. Mientras rodábamos por la pista, los labios de las azafatas funcionaban independientes de sus ojos. Después, el avión se detuvo y retrocedió con suavidad. Cuando el ruido del motor sonó cada vez más fuerte, indicando que íbamos a despegar, miré sin querer hacia la mujer sentada a mi lado, y vi que ella también me estaba mirando. Todavía no habíamos despegado.

–¿Cómo te llamas? –le pregunté.

Sin hacer ninguna pausa, ella contestó:

–Clara.

–Yo soy Lewis –me presenté.

–Hola, Lewis.

El avión empezó a moverse, luego aceleró, ganando metros en una carrera hacia delante y, todavía en tierra, rodó sobre la pista cada vez a mayor velocidad. Justo en ese instante antes de elevarnos, ella bajó la mirada hacia su libro.

Durante las cuatro horas siguientes, eso fue todo lo que ocurrió. Leyó el libro muy concentrada, pasaba despacio las páginas. Se tomó una Coca-Cola que le ofreció la azafata y comió con una sola mano, en la otra, el libro abierto sobre el brazo del asiento. Ignoró la primera película del vuelo. Al principio me sentí tenso a su lado, incapaz de relajarme. Pensé en leer una de las revistas que había comprado, pero decidí no hacerlo: lejos de no dar ninguna pista sobre mí, tenía la impresión de que cualquiera de las revistas, por separado, sería una gran declaración. Incluso cuando era evidente que Clara no me miraba. Todo lo mío –mi ropa, mi respiración y, en especial, cualquier movimiento de mi pierna y brazo derechos– me parecía amplificado, como si gritara una intención más profunda.

Pero a medida que pasaban las horas esa sutileza se fue apagando. La novedad empezó a desgastarse. Al moverse en su asiento, la pantorrilla de Clara rozó mi espinilla y no ocurrió nada. Su codo desnudo sobre el brazo del asiento presionó el mío y se separó despacio. Vi una película norteamericana y me descubrí prestándole atención a De Niro en una trama cada vez más interesante. A ratos, logré olvidarme de ella. La proximidad se fue descomponiendo con el tiempo.

Cuando terminó la película, cerré los ojos y volví a concentrarme en lo que estaba haciendo. A ocho mil cuatrocientos metros de altura, mi plan había perdido su urgencia. Se había desinflado. El pánico que había sentido parecía ahora menos justificado, menos válido. UKI, Gorbenko, Proyecto Sebastopol, Hadzewycz: esos nombres me resultaban remotos y cada vez más lejanos. ¿Qué hacía allí, en medio del Atlántico? ¿Por qué no le había pedido a la secretaria de Anselm que me enviara de vuelta el expediente? Ella no tenía por qué comentárselo. O incluso, aunque lo hubiera hecho, ¿no era cierto que podía haber inventado cualquier excusa? Ver su nombre junto al mío en la agenda de Lovett me había vuelto paranoico. Lovett probablemente hablaba todos los días con el tipo. ¿Cómo salir del paso? Pensé: «Haz algo normal», y encendí el ordenador portátil. Como estaba en clase turista, mi búsqueda de una toma de teléfono en el brazo del asiento fue infructuosa, pero, aun así, me pareció que tenía sentido abrir mi programa de correo y repasar los mensajes que habían entrado en mi cuenta durante la noche.

Había otro. Entre el montón de basura de mi *Bandeja de entrada* había otro mensaje de la misma persona: td@tortola.linealibre.com. El texto decía:

```
Lewis, si recibes esto, por favor, responde. Sé
que eres tú. Puedo ayudarte. Debes darme la opor-
tunidad de hacerlo. Sea lo que sea. Por favor,
contesta, aunque sólo sea para decirme que es-
tás bien. T.D.
```

¿Quién era? ¿Y por qué aparecía en mi vida en ese momento? No se me ocurría nadie que pudiera firmar como

T.D., y si no sabía quién era el autor, el mensaje no tenía sentido, giraba en el vacío. Quien fuera estaba alterado, nervioso. Sin duda, el remitente quería tener noticias del Lewis Penn al que buscaba. Me decepcionó pensar que tal vez no era a mí a quien buscaba. Lo menos que podía hacer era sacar a aquella persona de su error y zanjar el asunto. Me quedé mirando la pantalla, pensé la mejor forma de responder.

Tras una pausa, me di cuenta de que habían enviado una copia del e-mail a una segunda dirección. De nuevo, no la reconocí: lp@cucoveloz.velocidadaerea.com. Decía «lp»: Lewis Penn. El hecho de que el mensaje hubiera sido enviado a más personas me llevó a pensar que estaba siendo objeto de una broma. Pero recibir un mensaje no podía comprometerme. Ni tampoco responder. Bien pensado, sería mejor hacerlo. Si los mensajes eran auténticos, me daba pena la persona que los enviaba. Las palabras del remitente daban lástima. Lo sacaría de su sufrimiento, fuera quien fuese.

Escribí algo sencillo:

Me temo que ha dado con el Lewis Penn equivocado. No sé quién es usted. Debe de estar intentando ponerse en contacto con alguien que se llama igual que yo. Siento no poder ayudarle.

No quise repetir Lewis Penn. Podría parecer estirado y con intención, como si quisiera recalcar que el nombre era mío.

Pulsé sobre la opción *Enviar*, y esperé a que el mensaje se desplazara a mi *Bandeja de salida*. Se enviaría automáticamente la siguiente vez que me conectara. Entre tanto, no debía pensar en eso. No valía la pena llamar a una puerta cerrada. A no ser que T.D. respondiera, no sabría de qué iba todo aquello. Salí de mi cuenta de correo, apagué el ordenador e hice todo lo que pude por cerrar también mi curiosidad.

–Genial.

Clara sostenía el libro frente a ella, cerrado. Lo miraba como si lo viera por primera vez. No estaba seguro de si el comentario iba dirigido a mí o de si hablaba sola, así que no dije nada. Pero se volvió hacia mí, me mostró el libro y repitió:

–Es genial.

Miré el título. *Martin el náufrago,* de William Golding. Conocía al autor, pero no lo había leído. Le conté que en el colegio estudiamos *El señor de las moscas.* Un segundo después tuve la terrible sensación de que lo estaba confundiendo con Tolkien, pero salió bien.

–Deberías leer esta novela –dijo–. Es ingeniosa y muy conmovedora. No verás venir el final, y aunque no tiene demasiado que ver, cambia la perspectiva de toda la historia.

–Entiendo. Le echaré un vistazo a ver qué tal. –Estuve a punto de quedarme ahí, pero se me ocurrió añadir–: ¿Y de qué trata?

–Bueno... –Y sonrió; era obvio que quería hablar de ello–. Va de un marinero. Su barco se hunde al principio del libro. La historia empieza con él intentando quitarse sus pesadas botas de marinero, lucha con el agua, pierde el conocimiento y luego vuelve en sí, e intenta desesperadamente inflar su chaleco salvavidas. Después consigue llegar a una isla.

–Se ve que a Golding le gusta dejar abandonada a la gente en las islas –comenté.

–En este caso es más bien una roca. No hay vegetación, ni un solo refugio, sólo ese duro promontorio en medio del mar. Ninguna compañía para el marinero. Pero él habla consigo mismo. Y comienza a delirar, le vuelven los recuerdos de su hogar, que se mezclan con los efectos de la congelación, la deshidratación y el hambre.

Las manos de Clara eran expresivas; agitó las yemas de los dedos en el aire, como si quisiera palpar la esencia de la historia. Se le sonrojó la piel del cuello. La luz que entraba por la ventanilla recayó sobre el plano escultural de su mejilla. Sus ojos negros atendían mi reacción sin inmutarse: querían que la animara a continuar. Asentí con la cabeza y siguió:

—Su mente le convence de todo tipo de cosas. Cree que está bien, que conseguirá salir de allí, y eso le da fuerzas para seguir luchando sobre la roca. Hace todo lo que puede por resistir. Entonces, muy cerca del final, hay ese cambio de perspectiva... —Se detuvo, pensando si seguir o no, y decidió no hacerlo—. Pero no voy a contarte nada más, porque te lo estropearía. Toma. —Puso el libro sobre mi regazo con total naturalidad—. Quédatelo. Yo me compraré otro. Merece la pena leerlo.

Había hablado sobre el libro con tanto entusiasmo que no podía decir que no. La historia sonaba deprimente, y era el tipo de libro que yo, más que comprar, rehuiría. Pero no se trataba de eso, sino de aquella vitalidad repentina y la oportunidad que ésta ofrecía.

—Muchas gracias —reaccioné—. Está claro que te ha impresionado.

Me sonrió, asintiendo con la cabeza, y yo le devolví la sonrisa.

—Y dime, Lewis —parecía haber tomado una decisión—, ¿vas a Washington o es una escala en tu viaje?

—Voy a Washington.

—Yo también. Soy de allí. Pero tú debes de ser británico, ¿no? ¿De Londres?

—Da esa casualidad, sí. De Londres, el Gran Humo.

—El Gran Humo —repitió aquel sobrenombre de Londres—. Me gusta, es una gran ciudad. Pero también lo es Washington, ¿sabes? ¿Has estado antes?

¿Quién debía ser yo? ¿Cuánto podía contar? No hacía ninguna falta que contestara con sinceridad. Ya fuese la verdad o una escandalosa mentira, no pasaría de ahí.

—Sí. —Opté por la verdad—. Fui una vez por motivos de trabajo. Pero no visité la ciudad, aparte del hotel.

Empezaron los detalles.

–Claro. ¿Y en qué trabajas? ¿A qué te dedicas? –Hizo una pausa; yo estuve a punto de responder–. No, espera –continuó–. Déjame adivinarlo. Trabajas y has estado antes en Washington, así que lo más probable es que esta vez también vayas por trabajo. Sin embargo, no estás sentado en clase *business*, con los directivos, los contables y los empresarios. Y tu ropa es informal y cómoda para la ocasión. Así que diría que puede que trabajes en los medios de comunicación, tal vez en el mundo del periodismo. ¿Eres periodista?

Sus labios conservaron una sonrisa mientras hablaba.

–Me temo que no. –Hice una pausa y luego–: De hecho, debería estar con los demás hombres vestidos de traje. No todos lo llevamos puesto todo el tiempo, como sabes. Soy abogado... –¿Cómo continuar?–. Nunca he entendido por qué cuesta un ojo de la cara sentarse en la parte delantera del avión. Me gusta más estar aquí atrás, con la gente de verdad.

Empecé a mentir.

Ella seguía sonriendo. Le bailaban los ojos negros. No fui capaz de distinguir si en ellos había burla o la había impresionado. Mis últimas palabras retumbaron en mi cabeza como si fueran pomposas y, a la vez, descaradamente halagadoras.

–Así que abogado –continuó–. No lo habría adivinado. Alguien con los pies en la tierra. Eso está bien.

–No está mal –dije con una sonrisa, y pregunté–: ¿Qué hay de ti?

–Soy *freelance*. Me dedico a la investigación política. De momento trabajo en la Universidad George Washington, pero no tengo un puesto a jornada completa. La tierra de nadie del postdoctorado. Por suerte, Washington es el mejor sitio para investigar sobre política. Estoy escribiendo un estudio sobre las estrategias de campaña en el Reino Unido y en Estados Unidos en los años ochenta. He estado en tu Gran Humo para investigar sobre ese tema en la London School of Economics. Me dejan utilizar sus archivos.

–Política. Yo tampoco habría dicho que fueras política –se me ocurrió decir.

–Y tienes razón. Yo nunca sería política, pero sí trabajo en investigación política, en su faceta académica –explicó ella.

–Todavía tienes menos pinta de académica –comenté, y de repente temí que lo malinterpretara.

–Supongo que no es nada malo. –Me miró sonriendo.

–Claro que no. –Le devolví la sonrisa y me recosté en el asiento.

Nos entendíamos.

–¿Y por qué quisiste ser abogado?

Le di una respuesta clara, nada en la línea de «conciencia social», y me pareció que apreciaba mi franqueza. A cambio, mantuvo mi atención un buen rato al hablarme de la ciudad de Washington, y de Santa Bárbara, donde había vivido con su madre. Y después me preguntó por mi familia y entonces solté un rollo sobre Dan.

–Ahora necesita que le cuiden –le conté–, pero lo curioso es que, en realidad, es él quien cuida de todos. Se ha convertido en la constante que nos mantiene a cada uno en nuestro sitio.

–Estoy segura de que él diría algo parecido de ti –comentó Clara.

Hubo una pausa. Inspiré y espiré despacio, mirando abajo, hacia mis manos. En ese momento una azafata llegó a nuestra fila con el carrito y se inclinó hacia mí.

–¿Quieren ustedes dos beber algo? –preguntó.

«Ustedes dos.»

–Sí. Yo tomaré otra cerveza, por favor. ¿Y tú, Clara?

–Una cerveza suena bien.

La sensación de sintonía se hizo más profunda. La cerveza era fuerte y estaba tan fría que sentí un pinchazo en la garganta. Ella echó un poco la cabeza hacia atrás para beber; la luz del techo iluminó su frente. Seguimos charlando.

–¿Así que vas a estar mucho tiempo en Washington? –se interesó.

–No, sólo unos días.

–Bueno, pues esta vez deberías ver los sitios adecuados. El Smithsoniano consta de dieciséis museos. Sólo con eso podrías pasarte un mes. Aunque si tienes que elegir, el Museo del Aire y el Espacio es uno de los mejores. También deberías visitar el Lincoln Memorial y la Casa Blanca. Y, por supuesto, pasear por la ciudad. Hay miles de sitios estupendos para salir.

–Del Aire y el Espacio. Si tengo ocasión, iré a verlo –dije.

–Hazlo.

Clara enmudeció. Yo esperaba que continuara, pero no lo hizo y me controlé para no animarla a hacerlo. Vio que empezaba la segunda película del vuelo, que cobraba vida en la pantalla que había en el pasillo.

–Tenía ganas de ver ésta –informó.

Y tomó sus auriculares. La decepción me hundió en el asiento mientras buscaba los míos.

Vi la película, aunque no con mucha atención. Me distraía la inmediata cercanía de Clara. Sólo podía pensar en las señales. La película era obvia y no hacía falta ni mirarla: predecible y tranquilizadora. Actores malos, un héroe musculoso y una trama secundaria de amor. Una escena predecible tras otra; cada una más estereotipada que la anterior. En comparación, la conversación con Clara, ahora que había terminado, me parecía ininteligible. Ella estaba absorta en la trama. Tenía una ligera sonrisa de satisfacción mientras se concentraba en la pantalla. Aunque ¿era una sonrisa o la forma de sus labios vistos de perfil? Dudé de mi capacidad de interpretar lo que había sucedido en esa última media hora. Busqué pistas hacia delante y hacia atrás entre las palabras, fijándome en los detalles, ampliando los matices hasta que su importancia se derrumbó bajo su propio peso.

Un rato después Clara reclinó su asiento. Quedó ligeramente detrás de mí, así que recosté el mío para mantenerla dentro de mi campo de visión. Colocó la almohada tras su cabeza para descansar más cómoda y su empeine topó con mi pierna. Durante un instante no lo movió. Luego se separó despacio. Veinte minutos después su mano izquierda resbaló del brazo del asiento hacia un lado, y, antes de retirarla, rozó mi rodilla izquierda. Su expresión no reflejaba esos movimientos, pero para mí cada uno de ellos era una mezcla de beso y quemadura. Estábamos suspendidos en el cielo, avanzando en silencio y quietos como una roca. Sentados muy juntos, pero, no obstante, separados. Juntos, Clara y yo luchamos con los envoltorios de comidas idénticas. Comimos sin hablar. No tenía ni idea de quién era, ni de cómo quitármela de la cabeza. Un par de horas después aterrizaríamos y nos separaríamos. Cada uno se iría por su lado, alejándonos en líneas divergentes. Aquélla podía ser la única intersección en nuestros caminos.

Cuando la película llegó a su predecible final, me sentí bloqueado por lo recalcitrante de la situación. Tenía que actuar. Ella había dejado la puerta abierta lo justo para dejarme a mí la posibilidad de que quisiera dar el paso. Pensé en ello. Los créditos habían terminado y las pantallas de los televisores se plegaban. «Ahora, ahora mismo. Pregunta.»

No fui capaz de hacerlo. Antes de que mi indecisión se desvaneciera y dejara la acción como única ruta alternativa, me dio un suave golpe con la mano en el brazo. Al volverme vi que parecía desconcertada. El bochorno de haberse colado en la fila volvió a reflejarse en su rostro.

Y entonces Clara rompió el silencio:

–Espero que esto no suene demasiado atrevido, pero, si quieres, puedo llevarte a algunos de esos lugares que te he comentado antes. Podríamos hacer algo esta tarde, si tienes tiempo. Aunque probablemente tendrás trabajo que hacer. No he pensado nada en especial, pero me sabría mal que ésta fuera otra estancia más por trabajo en Washington.

Noté cómo en ese momento era mi propio cuello el que se sonrojaba.

–Claro. Iba a preguntarte... –Me callé un momento y empecé de nuevo–: No suena demasiado atrevido. Y sí que tengo tiempo. Me parece estupendo.

13

Antes de aterrizar le di a Clara la dirección de mi hotel, y quedamos en que nos veríamos allí a las cinco de aquella misma tarde. La falta de perspectiva eclipsó lo que tenía que hacer hasta entonces, trivializó la verdadera razón de mi viaje. Noté las extremidades ligeras al caminar por el Aeropuerto Internacional de Dulles. Donde antes había luchado contra un vendaval, ahora notaba un suave viento a favor.

La funcionaria de aduanas me miró con cara de palo. Tenía unos rasgos toscos que parecían tallados en la madera clara de su rostro. Me preguntó por qué visitaba Estados Unidos.

–Por placer –dije.

Examinó mi pasaporte con la cabeza ladeada. Un yo más joven, sin traje, miraba con optimismo desde la página. Hacía muchos años que no me sentía como el chico que salía en la foto.

En el exterior, más lluvia. Arreciaba fuerte, era una lluvia fría que rebotaba sobre el asfalto para luego convertirse en una neblina que llegaba a la rodilla. En el coche de alquiler, un rugido metálico amortiguado. Me senté encorvado sobre mi abrigo y bajé unos centímetros la ventanilla porque no conseguía que funcionara el dispositivo antivaho. En el coche hacía frío y había humedad. Delante de mí, en la autopista, un chaparrón color pizarra. Las condiciones eran agotadoras; en el espejo retrovisor vi el reflejo de mis ojos enrojecidos forzando la vista. No obstante, la desorientación propia de haber cruzado varias franjas horarias todavía no me había llegado. Estaba alerta y bien despierto.

Me sorprendió que la recepcionista del hotel Duke Plaza me diera la bienvenida por mi nombre, y más aún que dijera que esperaba que disfrutara de otra agradable estancia en el hotel. Mientras decía aquel tópico, la mujer leía los datos en la pantalla de su ordenador. El registro de mi última visita guardado en alguna parte, más la referencia cruzada de mi número de pasaporte.

–¿Querrá el señor un ejemplar del *Washington Post* por la mañana? –preguntó.

–Sí, gracias.

–¿Y volverá a pagar la cuenta con American Express?

Estuve a punto de asentir otra vez, pero lo pensé mejor. Aquel viaje corría por mi cuenta.

–No. Con Visa, si puede ser.

–No hay problema, señor. Bienvenido de nuevo.

«Bienvenido de nuevo.» Una vez en mi habitación, me tendí sobre la enorme cama de matrimonio, más ancha que larga. Me quité las zapatillas, primero una y luego la otra. La habitación no decía nada. No olía a nada. Papel pintado de color beige con un estampado discreto. Una mesa baja, dos butacas marrones. Un minibar que podría abrir con mi llave magnética. Había dos cuadros colgados de las paredes. A pesar de que acababa de verlos, cuando cerré los ojos no fui capaz de recordar las imágenes. Al volver a mirar, vi dos escenas rurales en un tono amarillo. Eran parecidas pero distintas. Enfrente de la cama enorme, sobre un pie de pared giratorio, habían puesto un televisor grande. Lo encendí, le quité el sonido, y su resplandor se reflejó sobre mí desde la ventana gris. Cuatro pisos más abajo, la lluvia caía sin hacer ruido sobre la calle.

El silencio de la habitación me recordó la residencia de Dan. Fuera del contexto del avión, ahora me parecía extraño haber hablado con Clara de mi hermano de forma tan directa, y tuve unas ganas repentinas de llamarle. Quería decirle que ya estaba en el buen camino, solucionando mi pequeño problema, poniendo las cosas en su sitio. Dan estaba muy lejos. Durante un segundo, la realidad de su enfermedad quedó congelada, el tiempo suficiente para calibrar su alcance.

El teléfono de la residencia sonó un buen rato, insistente. En mi cabeza una palabra: muriendo. Un uso particular del gerundio. Después una voz sorprendentemente fuerte en mi oído:

–¿Diga?

–Hola, Dan. Soy Lewis. ¿Qué tal te va? –saludé.

–Bien. Mamá parece empeñada en hacerme un agujero en la cabeza de tanto acariciármela, pero, aparte de eso, bien. ¿Dónde estás?

–Pasando el fin de semana fuera de Londres. Estoy con más gente del trabajo –mentí.

–¿Ah, sí?

–Sí.

Ninguno de los dos hablamos durante un instante.

–Mira, Lewis, me alegro de que hayas llamado. La otra noche... He estado pensando en eso. Iba a... –empezó a decir mi hermano.

–No te preocupes. Estoy solucionando el problema –interrumpí.

Contarle los pormenores de lo que me traía entre manos me pareció inadecuado. Tal vez porque supondría tener que aclarar la mentira sobre mi paradero, o porque tenía algo más urgente que contarle. El caso es que de pronto no supe por qué salí con:

–No te lo vas a creer, pero hay alguien aquí...

–¿No será Holly? –se asustó Dan.

–No –quise tranquilizarlo.

–Conque otra persona, ¿eh?

–Sí.

–Gracias a Dios. –Su voz se iba relajando–. Por un momento pensé que ibas a contarme que te habías metido otra vez en ese callejón sin salida.

—No, he conocido a una mujer —aclaré.

—Vaya, bien hecho. Asegúrate de cepillarte los dientes. Y sé sincero. —El tono de esas últimas palabras oscilaba entre la burla fácil y la súplica.

—¿Qué quieres decir con eso? —le pregunté.

—Ya sabes —respondió él.

—No te entiendo.

—Bueno, en cualquier caso, ya me contarás qué tal va todo. —Y se rió.

La risa terminó en una tos. Luego escuché el ruido del auricular al taparlo con la mano. Esperé.

—Mira, estaré de vuelta el lunes. Hablaré contigo entonces.

—Está bien —dijo con esfuerzo.

—Sigue respirando —quise animarlo.

—Tú también —contestó Dan.

El teléfono se cortó.

Colgué el auricular y aparté la mirada del teléfono, como si me arrepintiera de un pésimo error cuyas consecuencias estaban por venir. No era culpa mía. No. Yo no podía hacer nada al respecto. Debía seguir adelante. Cuanto más caía mi hermano, con más fuerza debía aferrarme a mi postura. Esperaría para contarle dónde había estado y le diría que el problema ya había pasado, que se había terminado. Lo más que podía hacer yo por aliviar su sufrimiento era ordenar mis ideas. Ya era la primera hora de la tarde. La oficina estaría relativamente tranquila. Era el mejor momento para recuperar el expediente.

De nuevo en el coche de alquiler, hice un vano intento de encender la calefacción. Con la ayuda de los mapas que me había regalado uno de los conserjes del hotel, un hombre de lo más servicial, atravesé Georgetown hacia el distrito comercial y de negocios. Encontré la calle y aparqué cerca del bloque de oficinas. De pronto me puse nervioso, no porque hubiera surgido alguna dificultad imprevista, sino porque mis actos me reafirmaban en lo que estaba haciendo. El edificio de fachada acristalada quedaba a menos de cincuenta metros. El despacho de Macintyre estaba en la cuarta planta, donde esperaba encontrar un paquete sin abrir, de mi parte, con el expediente dentro. Tal vez la secretaria de Macintyre guardaba el correo en otra parte, pero, dado que ella también llevaba un par de días fuera de la oficina, era poco probable. En cualquier caso, lo encontraría.

Por más que intenté tranquilizarme con esas consideraciones prácticas, no me sentía a gusto. Ahora que el momento había llegado, estaba inquieto. Sentado en el coche aparcado, me quedé observando el edificio. Un gran espejo con el marco en color gris, una masa de cristales rectangulares. Cuarenta y cuatro en la fila de abajo. Quince pisos. Otra vez las cuentas. Y la escalera a la entrada del bloque. Líneas y más líneas. El parabrisas se empañó y amenazó con tapar la vista por completo. El cómputo se detuvo, me obligué a abrir la puerta.

No tenía por qué haberme preocupado. En la recepción, el guardia de seguridad apenas levantó la vista del periódico al pasar junto a él. Acerqué mi pase de Estados Unidos a la puerta de acceso. La lucecita se puso verde y ya estaba al otro lado, dentro. Caminé despreocupado hasta los ascensores, subí a la cuarta planta, pasé de nuevo mi tarjeta por el lector y recorrí tranquilamente el pasillo, comprobando los nombres en las puertas de los despachos. Había algunas personas trabajando, claro, pero no me sorprendió que no se fijaran en mí. Automáticamente, yo era uno de ellos.

El despacho de Macintyre era el último a la izquierda. Sobre la repisa de la ventana había un montón de banderitas en posición firme: muy presuntuoso, muy de abogado norteamericano, como si planeara ser el anfitrión de una convención o de una pequeña cumbre. Papeles desparramados y libros abiertos por todas partes. Al parecer, no le preocupaba guardar las cosas en un sitio concreto, lo que permitía pensar que conocía al dedillo ese aparente caos.

Me senté en su silla con cuidado y no toqué nada. Me limité a buscar una bandeja de asuntos pendientes. Aunque el despacho tenía un aspecto parecido al mío, daba una sensación muy distinta. Él se sentaba allí, día tras día, igual que yo me sentaba, hora tras hora, en el mío. Estudiando papeles y atendiendo llamadas. ¿Eso era todo? La importancia del trabajo desaparecía, reducido a unos principios tan básicos. Resultaba insólito, incluso cómico, si lo podías ver con distancia. Fuera, en Washington, continuaba la tarde lluviosa. Si yo no hubiera sido yo mismo, aquello habría sido como estar sentado ante mi propia mesa. El verdadero paisaje que nos rodeaba a Macintyre y a mí era el de los documentos, como todos los abogados de dentro y de fuera de Madison & Vere. Las vistas eran páginas y páginas de datos, compromisos y análisis.

Algo captó mi atención. Un movimiento parpadeante en el pasillo, fuera del despacho de Macintyre. Me quedé sentado muy quieto. El movimiento se repitió, vi una sombra definida justo en la pared de enfrente. El contorno de unos brazos, un tronco y una cabeza. La tercera vez lo acompañó un ruido en el que antes no había reparado. Un ritmo que establecimos juntos.

El corazón me retumbaba en los oídos, se aceleró hasta sobrepasar el compás de lo que fuera aquello. Incluso al darme cuenta de lo que era: una fotocopiadora. Justo a la izquierda de la puerta abierta. Me incliné y pude ver el borde de un traje que brillaba cada vez que salía el haz de luz. Sin hacer ruido, me levanté del asiento de Macintyre y me coloqué al otro lado de la mesa, un lugar menos visible desde el pasillo. Dando la espalda a la puerta, inspeccioné de pie las estanterías.

A la izquierda, una foto en un marco plateado donde mi colega posaba con su rubia esposa en un velero. También había un pequeño montón de papeles que coronaba una carta dirigida a Macintyre. Hacia el centro de la pila, el borde de un paquete grueso. Era correo interno en el que ponía «Londres», la referencia de nuestro caso, o sea, mi expediente. Rasgué un extremo del sobre extragrande para cerciorarme de que contenía lo que correspondía, lo metí en una bolsa que me había traído a ese efecto, me la puse bajo el brazo y me quedé allí de pie, esperando, aguantándome todo lo que pude las ganas de darme la vuelta. Conté al ritmo de la fotocopiadora, sesenta y uno, sesenta y dos, sesenta y tres, y así en adelante hasta que paró. No oí paso alguno, pero seguí con los números, deseando que quien fuese se hubiera ido. Cuando llegué al número cien, me di la vuelta, con la mandíbula agarrotada.

El pasillo estaba vacío. Nadie me paró al salir de la planta y abandonar el edificio. En la calle, la lluvia había escampado. Aunque era sólo media tarde, el cielo parecía de un color gris como el del Mar del Norte. Los escaparates iluminados de las tiendas brillaban. Un coche que había aparcado más abajo del mío arrancó y me dejó atrás. Perdí de vista sus luces traseras en el asfalto mojado de la calle.

Me senté en el asiento delantero, aliviado. Volvería a la habitación del hotel con la copia, la contrastaría con la mía y las destruiría. Haría desaparecer lo que Gorbenko y Kommissar preferían que no hubiera llegado a mis manos. Como si el error nunca hubiera ocurrido. El Proyecto Sebastopol, si es que tenía algo que ver, dejaría de ser asunto mío. Mi plan había funcionado. Me sentí bien y extrañamente anodino al mismo tiempo: como si hubiera arreglado algún electrodoméstico o el tubo de escape del coche. La satisfacción de que las cosas volvieran a la normalidad, seguida de su profunda banalidad. Encendí un cigarrillo y circulé despacio de vuelta al hotel.

Al tumbarme relajado en la cama, me invadió una sensación de alivio y triunfo que se convirtió en un gran cansancio. Cerré los ojos. Ambos expedientes estaban encima de la mesa, uno junto al otro. Los había repasado de principio a fin: eran idénticos, lo cual no me sorprendió. Tenía ante mí la perspectiva de una velada con Clara, esa mujer que, lo admitiera o no, me había propuesto salir igual que yo me había sentido atraído hacia ella. No me paré a pensar detenidamente hasta dónde llegaría aquella historia. Hasta entonces, aún tenía por delante unas cuantas horas monótonas en las que superar mi agotamiento. La oscuridad cubrió como un manto la habitación.

Allí estaban Dan y mis padres. También yo estaba allí. Éramos niños. Bajábamos en un bote de remos por un río que fluía suavemente, remábamos a contracorriente bajo unos sauces. El sol se filtraba a través de los árboles, encendiendo parches de fuego en lo que, en caso contrario, habría sido un agua marrón y oscura.

–¿Ésos qué son? –dijo Dan señalando el río.

–¿Qué? –preguntó mamá.

–Esos bichos encima del agua.

–Mosquitos, supongo. –En realidad, mamá no miraba.

–Pero si andan sobre el agua.

Papá se interesó por el asunto. Yo me incliné para ver lo que Dan señalaba. Lo vi al ondularse el bote y moverse imperceptiblemente las ramas de encima de nosotros.

–Son como las típulas, pero más pequeñas –expliqué–. Eso es lo que son.

–Pero ¿cómo hacen eso? –preguntó él.

–Ah, ya los veo –dijo papá–. ¿Hacer qué?

–Caminar sobre el agua.

–Los llaman zapateros –matizó papá–. Verás, son tan pequeños y tan ligeros que flotan en el agua.

–No lo entiendo. La mayoría de los insectos se ahogan.

–Sí, pero este tipo es un poco diferente. Éstos no atraviesan la superficie. Como sus patas son tan ligeras, no la penetran. Patinan por ella –siguió nuestro padre.

–¿Qué superficie? –Dan no lo entendía.

–La superficie del agua. Tiene una película encima como la que se forma en tu chocolate caliente cuando se enfría la leche. El agua también tiene una capa, sólo que tú no puedes verla. Es invisible. Se llama tensión superficial. –Parecía bastante orgulloso de la expresión–. Las moléculas diminutas que forman la superficie del agua se agarran unas a otras, y eso se llama tensión superficial. Las cosas muy pequeñas flotan en el agua sin romper la tensión superficial.

–¿Como el hielo? –pregunté yo.

Papá siguió:

–Más o menos, sólo que en este caso está ahí todo el tiempo. No hace falta que el agua se congele. Y tampoco importa su temperatura, dentro de lo razonable. –Su tono de voz empezaba a sonar un poco menos seguro de sí mismo. Él también lo veía, así que pasó a cerrar el tema–: Eso es la tensión superficial.

Dan seguía mirando por encima de la barca. El pelo rubio le colgaba por delante de la cabeza, como una visera. Estaba concentrado en el agua. Debido a su enfermedad, todavía no había aprendido a nadar muy bien. Mamá no le dejaba tomar clases. Pero no le asustaba el agua. Era yo quien se asustaba por él. A veces tenía pesadillas en las que él se ahogaba. Incapaz de respirar, se asfixiaba en el agua oscura. Estando en el bote, me imaginé a mí mismo intentando mantenernos a los dos a flote. Su cara se reflejaba en el agua, inmóvil. Sobre el agua y mirando hacia abajo. No, bajo el agua y mirando hacia arriba. Dan se estaba ahogando. Tenía que hacer algo. Me incliné junto a él y metí un dedo en el agua, dibujando unas ondas. Luego pasé la mano más fuerte, salpicando. Su reflejo se disolvió. Milagrosamente, los zapateros se apartaron del costado de la barca, que se balanceaba.

Dan me miró.

–Han de caminar con mucho cuidado –concluyó.

La habitación del hotel seguía oscura como boca de lobo. Tenía la cabeza embotada, la piel de la cara me pesaba. Había babeado sobre la almohada. Tanteé el camino hasta el baño y encendí una luz, después contemplé mi reflejo en el espejo. De la comisura de los labios salía una línea blanca calcificada que llegaba hasta la barbilla.

Abrí el grifo del lavabo mientras estudiaba mis rasgos hinchados, y después metí la nariz, la barbilla, las mejillas, las cejas, los ojos y la frente bajo el agua. Abrí los ojos y la boca para que la borrosa nada corriera hacia mi lengua. Cerré los ojos e imaginé a Clara; podía verla con claridad. Cuando intenté descomponer sus rasgos, uno a uno, éstos desaparecieron. Y su rostro tampoco salía como una imagen completa. No podía verla en tres dimensiones. Dominaba la imagen su perfil izquierdo, que era la vista que yo tenía sentado junto a ella en el avión. Era inútil. La cara no salía entera. Me concentré en recordar los detalles de su aspecto, pero su imagen se desvaneció por completo. En su lugar quedó la nada.

Resoplé fuerte y me erguí; el agua se precipitaba por mi cuello hasta el pecho, explotando en una lluvia de gotas contra el espejo. El cristal me devolvía la sonrisa. Por fin empezaba a andarme con cuidado.

14

Abrí la puerta y la encontré mirando el pasillo, como si se estuviera cerciorando de estar en el piso y la habitación correctas. Al volverse hacia mí, su boca se abrió en una sonrisa, bajo la mirada fija de sus ojos negros.

–Pasa, pasa –dije.

Mis palabras sonaron como las del dueño de un restaurante barato.

–Gracias. –Dio un paso exagerado para cruzar el umbral–. Espero que no te importe. Pensé que podíamos empezar la visita turística aquí. Para serte sincera, nunca había estado en este hotel. Tengo curiosidad por ver cómo es una habitación del Duke Plaza.

Moví la mano de izquierda a derecha, con la palma hacia arriba.

–Aquí la tienes. Verás que han hecho un gran esfuerzo por dar a la habitación una identidad diferenciada.

Sus ojos siguieron el recorrido de mi gesto.

–Pero es grande. Supongo que eso es lo que vende. –Fijó la mirada en la mesa–: Y te ofrecen un sitio en el que poder trabajar. Qué considerados.

–Oh, sí. Se trata del paquete completo para el viajero de negocios. Me siento como en casa –comenté con ironía.

Clara asintió con un gesto de cabeza.

–Si puedes soportar la idea de salir, he pensado que podríamos empezar con una vuelta en coche por la ciudad. No me puedo creer que hayas venido antes a Washington y no hayas visto siquiera lo que hay en el National Mall. Vámonos.

Dicho lo cual, salió de la habitación. Por lo visto, ella tomaba las riendas. Fui detrás de ella. Su confianza en la situación y su franqueza eran contagiosas. Una vez más, me sentía cómplice de esa mujer.

Su Jeep Cherokee negro estaba aparcado a un lado de la entrada del hotel. El cielo estaba oscuro y, aunque ya no llovía, nos atravesó un viento afilado al caminar.

–Iremos al Potomac, después podrás echar un vistazo a Lincoln en su templo, a la Reflecting Pool y ese tipo de cosas. La Casa Blanca es más bonita de noche. Y el Monumento a Washington. Está todo allí. Cerca también hay el Monumento a los Veteranos de Vietnam. Deberías verlo.

Me deslicé en el asiento de cuero a su lado, sin importarme adónde fuéramos. Incluso ir a ninguna parte hubiera estado bien. Sacó el coche a la calle vacía; todos sus gestos eran seguros. Esta vez iba sentado a su derecha y aproveché para estudiar el otro lado de su rostro. Unos rasgos perfectos. Llevaba el pelo recogido en una gruesa coleta que le colgaba detrás de la cabeza. Al tiempo que nos alejábamos, la luz del vestíbulo del hotel recorrió en un brillo su pelo sedoso y el contorno de su nuca. La luz cambiaba con el movimiento del coche: demasiado veloz para fijar una imagen.

Aparcó cerca. Subimos los escalones del Monumento a Lincoln, con un viento que soplaba desde detrás del monumento directo a nuestras frentes arrugadas. Normalmente me interesa oír algo sobre lo que veo. En aquella situación, apenas escuchaba la explicación aparentemente culta de Clara.

Señaló con el dedo hacia unas palabras grabadas en una de las paredes del Monumento a Lincoln y dijo:

–Los mítines políticos de hoy en día no son nada comparado con eso.

Las robustas manos de ese gran hombre descansaban por encima de nosotros. En el altísimo muro, la solemnidad del

Discurso de Gettysburg. Ella leía lo que ponía: «... los valientes, vivos aún o muertos ya, que aquí combatieron han consagrado su vida muy por encima de nuestros escasos poderes. El mundo apenas recordará lo que aquí se diga –ahí te equivocaste, Abe–, mas no podrá olvidar jamás lo que aquí ellos hicieron».

Yo observaba cómo, mientras leía, su mirada se movía segura de izquierda a derecha a lo largo de las palabras cinceladas, cómo en su voz crecía un patente entusiasmo. Cuando te gusta alguien, le muestras las cosas que significan algo para ti. Aquello significaba algo para ella, me lo estaba enseñando.

–Da media vuelta –continuó–. Ahí está la Reflecting Pool, que se extiende hasta el Monumento a Washington. Ciento sesenta y cinco metros de mármol. Se supone que es la construcción en piedra más alta del mundo. Y el reflejo, abajo. Enorme.

En la superficie rizada, la gran aguja temblaba, viva.

Bajé las escaleras detrás de ella; el frío viento me hacía llorar. Ella seguía con su explicación de guía turístico.

–A la izquierda está la Casa Blanca, naturalmente. Merece la pena entrar, se puede visitar. Pero lo que quiero enseñarte y creo que te impresionará es el Monumento a los Veteranos de Vietnam. Por aquí abajo.

Caminamos a lo largo de un muro de granito. Más grabados, más nombres de muertos. A intervalos irregulares, ramos fúnebres depositados en el suelo mojado. A cada extremo, dos sencillos bordes bajaban rectos hasta el suelo en pendiente.

–¿Ves la estatua de los tres soldados? –dijo señalando hacia arriba–. Fue un añadido, porque la gente decía que esto era demasiado abstracto. Una pena, la verdad.

Asentí con la cabeza y me esforcé por mostrar interés. Pero el monumento estaba muerto y ella estaba viva. Cuando nos alejábamos, se acercó un poco más a mi codo para protegerse del frío. El vasto espacio a nuestro alrededor acercó nuestros cuerpos. Las pocas personas que había en la columnata servían sólo para resaltar el espacio que nos rodeaba. Ella continuaba, señaló hacia donde estaba el Museo Smithsoniano, en dirección al Capitolio, y detalló los horarios de apertura, las secciones del museo que tenía que ver. Nuestros hombros se rozaron.

Después de pasear en coche, acabamos de vuelta en Georgetown, y Clara eligió un bar. Al llegar, dejó el abrigo sobre el respaldo de una silla, se soltó la coleta, se pasó los dedos por el pelo y luego volvió a recogérselo con un gesto experto. Me acomodé en el cálido bar, al abrigo del viento. Ella resplandecía.

–Mi ronda –dije.

–No, de verdad, insisto. Tú eres el que está de visita.

–Razón de más para dejarme contribuir –repliqué.

–¿Contribuir?

–Sí, tú estás haciendo todo el trabajo, me enseñas la ciudad. Como mínimo, déjame invitarte a una copa.

–Una copa –cedió–. Pero tú luego me dejarás invitarte a otra.

–Ya veremos.

Fui a pedir una botella de vino tinto, elección suya, y regresé a la mesa. Ella soltó:

–En fin, Lewis. Te he enseñado lo básico de Washington. Háblame de tu vida en Londres. ¿Quién eres allí?

Y mi respuesta:

–Comparto piso con otro abogado, se llama Saptak. Pero me pone en evidencia, la verdad. Él es un luchador nato, mientras que yo, me avergüenza decirlo, soy un poco más apático. Trabajo porque hay que trabajar. Él hace mucho más.

–Pero debes de ver cosas interesantes –comentó Clara–. Los motivos de las decisiones. ¿No te metes en eso, en descubrir qué pasa entre bastidores?

«Entre bastidores.» Si hubiera querido impresionarla, le habría seguido el juego. Habría confirmado su impresión de que me las veía con asuntos importantes, pero no parecía tener sentido alguno hacerlo. No se trataba de eso en absoluto.

–En serio, no mucho. –Y continué–: Hago lo que hago porque sí. Suena cargante, pero es la verdad. Es un buen trabajo, dependo de él, pero no me emociona.

Asintió con la cabeza, evaluándome.

–¿Y tu familia? ¿También es de Londres?

–No, de las afueras. Mis padres viven en una ciudad llamada Guildford, y Dan también. Pero ahora está en una residencia dejada de la mano de Dios.

Se quedó pensativa.

–Es evidente que estáis unidos. Debe de ser una pesadilla. Especialmente para ti –dijo.

Escudriñé su rostro. Sus ojos negros seguían imperturbables, fijos, y me mostraban una preocupación patente. Me sorprendí a mí mismo considerando si iba a aprovecharme del momento, pero me envolvió una pesadez, una sensación de culpa inminente.

–Si no te importa –seguí como si tal cosa–, preferiría no hablar de eso. Más que nada porque intento no darle demasiadas vueltas. Lo más que puedo hacer es pensar en ello a ratos. La mayor parte del tiempo evito el tema.

Me sorprendí a mí mismo con aquella sinceridad. No importa insinuar que no quieres hablar de algo doloroso, la gente lo entiende. Pero no comprende que no quieras pensar en algo grave que implica a un ser querido. Parece un acto insensible. Que yo recordara, no se lo había contado a nadie por temor a esa probable reacción.

Ella asintió a mis palabras y movió las manos desde el otro lado de la mesa para ponerlas sobre las mías. Estaban frías al tacto, tersas como el cristal. Envolvió mis nudillos, pero aquel gesto desató algo más en mí. Cuando retiró las manos, noté que las mías temblaban, después se tranquilizaron. Tomé un largo sorbo de vino, en realidad un buen trago, y seguí la copa con la mirada hasta depositarla en la mesa de madera.

–¿Tienes novia? –preguntó.

Levanté la vista. Una pregunta dirigida al quid de la cuestión, lanzada certeramente.

–No estoy con nadie –contesté.

El bar empezaba a llenarse. En la mesa más cerca de la nuestra se sentó una pareja de mediana edad. Pasaron la mayor parte del tiempo sin hablar, mirando sus bebidas y al vacío, a gusto el uno con el otro. Eran dos pájaros que compartían la misma antena.

Le hablé a Clara de Madison & Vere, de la Facultad de Derecho a la que fui y de la universidad. También le hablé de mis estudios en Bristol; de nuestra casa de estudiantes, sin calefacción, en Jacobs Wells Road; de los chicos más ricos que compartían sus casas georgianas de Clifton, en la parte alta, donde estaban los buenos pubs. Omití a Holly de momento. Le conté cómo había sido mi niñez en Guildford: mi padre enseñándole a los chicos de las afueras a aparcar el coche en paralelo y mamá cuidando de Dan. Los Range Rover que había en la calle principal adoquinada; las tiendas caras en el roñoso Friary Centre; el verde y ondulante condado de Surrey repleto de agentes de bolsa. Mientras hablaba, sus ojos permanecían fijos en los míos, como si quisiera reconstruir todo el cuadro. La atención que me brindaba resultaba halagadora. No recordaba haber hablado nunca tanto de mí. Antes de darnos cuenta, nos habíamos bebido la botella de tinto. Ella trajo otra de la barra.

–Y la política y el mundo académico... ¿por qué te decidiste por eso? –le pregunté mientras se sentaba.

Tomó la palabra:

–Supongo que siempre me ha interesado quién tiene el poder y por qué. Cómo se toman las decisiones, cómo elige el pueblo a quien debería tomarlas. Me gusta la psicología que lleva implícita. Hasta cierto punto, a todo el mundo le gusta, ¿no? Todos leemos los periódicos. Están llenos de eso. ¿Sigues las noticias?

–Lo normal –respondí–. Leo el periódico siempre que tengo ocasión, sobre todo los fines de semana.

–Yo veo lo que hago como una prolongación de eso, de ese reflejo –dijo–. Cómo llegar detrás de la noticia, y de la historia. Soy una persona curiosa. Entrometida, supongo. Simplemente me gusta saber lo que pasa y lo que pasó antes de eso. –Hizo una pausa–. Como ahora. Me interesa llenar las lagunas. Dices que no quieres hablar de tu hermano, pero ¿qué hay del resto de la gente, de tu historia con los demás?

El brillo acuoso de sus ojos parecía más pronunciado. Las líneas iban y venían de mí a ella, nos envolvían, nos atravesaban, nos sostenían juntos como figuras de un paisaje, y se acercaban cada vez más. Como campos magnéticos, cobrando fuerza, haciendo que las limaduras se alinearan. Todo aquello inspiraba sinceridad.

–En mi vida sólo ha habido una persona de este tipo –reconocí–. Una chica con la que estuve saliendo unos tres años, desde la universidad. La historia acabó en nada. Crecimos y nos distanciamos. El hecho de trabajar para ganarse la vida se interpuso entre nosotros. O, para ser más exacto, más bien fue que ella no tenía que ganársela y yo sí.

Como resumen no estaba mal, aunque estoy seguro de que Holly lo habría rebatido.

–Son cosas que pasan –contestó ella–. Cuando se tiene esa edad, es difícil pasar de que alguien te cuide a cuidar de ti mismo. Cada uno tiene sus prioridades.

–Aparte de ella –continué–, ha habido chicas que como mejor puedo catalogarlas es simplemente como chicas. Demasiadas barreras. No sé si es Londres o soy yo, o yo en Londres, o yo trabajando como trabajo en Londres. Pero en lugar de conocer a gente, me cruzo con hologramas, proyecciones, sin tiempo para que suceda nada. Es poco menos que imposible llegar a lo esencial.

Clara asintió con un gesto de la cabeza. Podía notar el vino en el pulso de las sienes. Le hablé de la última chica con la que había estado y de cómo, tras vernos un par de veces, la había llamado y, después de llevar hablando un cuarto de hora, había sufrido la ignominia de que me llamara William.

–¡William! –exclamé–. Por Dios, casi pude imaginármelo en un despacho al final del pasillo. Como mucho, en una oficina parecida a unas calles. A cierto nivel, todos somos iguales, y ése era el nivel al que ella y yo estábamos confinados. Superficial, a lo sumo. Lo gracioso es que ni siquiera la corregí. Lo dejé pasar. Después llamé a una floristería y pedí que le llevaran al trabajo un ramo de flores con un mensaje. No recuerdo las palabras exactas, pero era una disculpa, de William, diciendo que no le veía futuro a la relación. Lo envié dirigido al apellido correcto, pero no pude resistirme a escribir «Rachel» en la tarjeta, en lugar de «Rebecca».

Clara se rió, mostrando unos dientes blancos; después recuperó su sonrisa serena. Supe al instante que no eran pensamientos que ella oyera por primera vez, sino ideas que reconocía como propias y con las que se identificaba. Algo en la forma en que colocaba la cabeza –no ladeada, en gesto suplicante, sino inclinada hacia la conversación– nos puso del mismo lado.

Del bar fuimos a un restaurante cercano. En la pared que se alzaba sobre nuestra mesa había una réplica de un Lichtenstein, de seis por seis metros: un avión caía en picado sobre un barco disparando balas de píxeles gigantes. No recuerdo qué comimos. Ella estaba cautivadora, deslumbrante y por la labor.

Una duda me asaltó cuando la cena llegaba a su fin. Clara se excusó para ir al baño y yo me quedé sentado, pasándome el salero de un dedo a otro de la mano izquierda. No quería estropear aquel comienzo. Si me rechazaba, yo quedaría mal. Pero ¿ante quién? Me quedé mirando la copa de vino vacía y me lo pregunté en voz alta: «¿Ante quién?».

Se sentó de nuevo. Al apoyarse en la mesa para empujar la silla hacia dentro, las puntas de sus dedos se marcaron en el mantel blanco. Estaba sonrojada y expectante. Yo era incapaz de decir nada. Llegó la cuenta, nos peleamos por ver quién pagaba y gané yo. El tiempo nos estaba tomando la delantera. Salimos del restaurante; hacía frío. Sentí mi cuerpo tensarse al percibir la ambigüedad de la situación. La cabeza me zumbaba. Ella miraba hacia abajo, a sus pies. Yo también, a las losas de la acera: una, dos, tres, cuatro, cinco. Se alzó mi cabeza: seis, siete, ocho, nueve, diez. Estiré el brazo izquierdo hacia su cintura, la acerqué a mí con el mayor tacto. Antes de que levantara la mirada, le pregunté:

–¿Te vienes conmigo?

–¿A Inglaterra? –Vi que sonreía, pero siguió mirando al suelo–. A Inglaterra, de momento, no. Pero te acompaño al hotel. –Cruzó la mano derecha hasta alcanzar, con la punta de los dedos, la mano que yo tenía en su cintura. Se pegó más a mí–. Vámonos.

Preparó un cóctel para cada uno con las bebidas del minibar. Nuestros zapatos estaban colocados, por pares, al lado de la puerta. Resultaban extrañamente hogareños. Yo estaba sentado en la cama, moviendo los dedos de los pies dentro de los calcetines, viéndola quitarse las medias. La precisión de sus movimientos se emborronó a causa del vino que había bebido. Tiró una minibotella vacía al suelo, y el vaso que me tendió estaba mojado al tacto. Dejó un cerco junto a la lámpara. Se sentó a mi lado en la cama.

–Cuando se está en la habitación de un hotel con televisor –expliqué–, hay que encenderlo. Es algo obligado para los críos como yo, a los que no nos dejaron tener una en el cuarto mientras crecíamos.

Estiró el cuerpo por delante de mí para alcanzar el mando a distancia. Yo me acomodé sobre mis brazos, luego sentí su estómago sobre mis muslos. Se le arrugó la camisa ligeramente, dejando al descubierto unos centímetros de la parte baja de su espalda. Recorrí la curva de su espina dorsal con un dedo. Ella siguió tumbada, pasando los canales en el televisor. La moví un poco hacia delante, todavía tumbada boca abajo sobre mis rodillas, y me incliné para hundir mi cara en su pelo y respirar la dulce calidez que desprendía.

Cerré los ojos al sentir que mi cabeza bullía con palabras que no me salían de la boca. Quería decirle que el final no podría ocurrir allí, en una habitación de hotel, que tenía que volver a verla, que estaba pasando algo que no debíamos detener. Pero, en el mismo momento que se formaban, los pensamientos se depreciaban, abaratando el sentimiento del que habían surgido, y no podía, no quería hablar. De pronto, el «sé sincero» de Dan resonó en mis oídos por encima del ruido del televisor. Mis dedos se enredaron en el lento recorrido por su pelo, fueron a las mejillas, entonces escuché mi voz, no la de Dan. Pronuncié esas palabras para llamar la atención, ni siquiera las controlé, se articularon por sí solas, implorando, explicando, culminando en:

–Estás de acuerdo. –Lo repetí–: Tienes que estar de acuerdo.

Se apoyó sobre los codos, se incorporó para sentarse y se dejó caer, pegando su cuerpo al mío. Sus manos rodearon mi cuello y lo empujaron para acercar mi cara a la suya, hasta que ya no pude enfocar sus ojos. Se fundieron con los míos, que cerré para evocar la imagen de su rostro. Sin embargo, sus labios querían hablar. Noté cómo se movían contra los míos. Dijo algo apenas audible. Creo, no, estoy seguro, que la palabra fue «Sí».

15

Clara se quedó a dormir conmigo. La atraje hacia mí y nos quedamos dormidos: yo, de espaldas, con un brazo bajo su cuello y su hombro; ella, de perfil y hacia el otro lado, formó con las rodillas dobladas una curva que se encajó encima de mi cadera. Rocé el algodón de su ropa interior. Lo último que recuerdo es haberle atusado el cabello para que los mechones sueltos no me hicieran cosquillas en la nariz. En la tenue luz de la habitación, su pelo era negro como la pez.

Un amanecer en calma, y yo nadaba entre unas olas enormes más allá del rompiente. El sordo rugido del mar retrocedía. A un ritmo lento y acompasado, las olas subían y bajaban, pero yo resurgía con facilidad detrás de ellas, fuera del alcance de sus crestas catapultadoras. En el mar, unas colinas avanzaban solemnes. Y a mi espalda, el sol se abría camino por entre las copas de unos pinos altos, rasante sobre las crestas de las olas, iluminando unas vivas curvas plateadas.

Yo flotaba sin esfuerzo, batía el agua mientras nadaba al encuentro del creciente oleaje. Mis ojos, a unos centímetros de la superficie. Sobre la cresta de una ola que aún no había roto pude ver el horizonte de otra mucho mayor, dos o tres más atrás, que se aproximaba sin prisa. Un enorme arco vivo. Una ola debajo de mí; una pausa. La segunda; un intervalo. Y ahí llegaba, implacable como un tanque, extendiéndose a derecha e izquierda, más allá de mi campo de visión. Su cresta empinada nacía del abismo bajo mis pies en movimiento. Se enderezó hasta convertirse en un muro, mientras yo me elevaba en ella, con una impresionante ingravidez que me empujaba más y más arriba.

Me volví en la cresta de la ola y capté la vista: un bloque de mar, alto como un tejado extendiéndose por los flancos hasta el infinito. Una interminable y curvilínea calle escalonada instantes antes de caer. ¡La atravesé! Su parte posterior, tras la fachada, se extendía tensa como celofán y plena de la más brillante luz. Un deslumbrante sol bañó la cresta de la ola e iluminó el millón de gotitas despedidas por el rompiente. Avanzó y avanzó hasta que la curva de su estela, que bajaba con suavidad, esa enorme y vítrea comba, pareció a punto de deshacerse. Pero no lo hizo. Un plano perfecto aún desplegado, sin bordes, vivo, uno.

Hubo un ruido. Por encima del sordo batir de las olas, un estallido; después, la quietud. Creció el silencio, pero de nuevo fue roto por algo más suave: las hojas en la brisa, el susurro de la hierba que se mecía. Me estaba despertando, abrí un ojo.

En la cama, el peso había desaparecido. Sólo estaba yo, ella no: se movía por la habitación. Estiré una pierna hacia el espacio abierto; después esperé a que ella volviera.

La silueta de sus hombros se contoneaba a izquierda y derecha como si se estuviera secando la espalda con una toalla. Pero no era una toalla blanca, sino gris. Se estaba poniendo un top. Dejé de respirar y mis extremidades se volvieron de piedra.

Se agachó de nuevo, esta vez para ponerse el pantalón. Al enderezarse, dio unos pasos hacia la penumbra. Yo no conseguía distinguirla. Una mano echó el pelo por detrás de una oreja y luego fue a posarse, a la altura de la cintura, junto con la otra. Algo se deslizó, un solo barrido de escoba. Clara estaba al lado de la mesa. Levantó el bulto y se lo metió bajo el brazo, dentro de algo que colgaba.

Los pensamientos me daban vueltas en la cabeza muy despacio, como si corrieran sobre fina arena. Un inevitable y arduo «¿Por qué?». Ella se movía deprisa. Ya estaba más allá del extremo de la cama, en la puerta, yéndose. Al abrirse aquélla, quise retener su imagen congelada en la luz del pasillo, volviéndose a la derecha hacia los ascensores. La expresión fija de su rostro esculpido; las dos manos agarrando las asas del bolso; los expedientes, bien seguros.

De pronto, yo estaba en mitad de una pelea fuera de la cama. Mi ropa estaba encima de la silla. Me puse los pantalones sobre los calzoncillos, las zapatillas en los pies sin calcetines. Los dos brazos en las mangas de la camisa, la chaqueta por encima. El reloj de la mesilla marcaba las 5:14. Salí disparado por la puerta abierta, giré a la derecha, hacia los ascensores. Al llegar, el botón de la izquierda parpadeaba indicando que el ascensor bajaba.

Corrí escaleras abajo. La mano derecha sobre el pasamanos, los pies bajando tres, cuatro escalones de golpe. En el vestíbulo capté una cómica instantánea de los ojos desorbitados del calvo portero de noche.

La vi en la calle. Caminaba deprisa bajo la luz de las farolas. Luego se detuvo y rebuscó en el bolsillo trasero del pantalón con una mano. Buscaba las llaves. Se montó en el *jeep*. Yo ya tenía una mano en la chaqueta. Mi coche de alquiler estaba en una plaza del hotel. No lograría alcanzarla por mucho que corriera. Pero la decisión me superó, volé al aparcamiento, metí la llave en la cerradura del coche, abrí la puerta. ¡Pero demasiado tarde! Seguro que ya se habría ido. Me susurré a mí mismo: «¡Muévete!».

Cuando el coche giraba, eché una ojeada. El *jeep* de color negro pasó justo por delante de mi parabrisas, cruzando la fachada del hotel, sin prisa. Vi una sombra en el asiento de la izquierda. Con cuidado, salí tras su estela.

Mi pecho se movía con esfuerzo, cada respiración explotaba contra el parabrisas. Y el dichoso calefactor seguía sin funcionar, con lo cual el cristal se estaba empañando. Bajé la ventanilla del conductor. La lluvia salpicaba el reposacabezas y el lateral de mi cara, pero al menos el vaho fue desapareciendo. Seguí las luces traseras de su *jeep* desde cierta distancia.

Estaba tan horrorizado, tan absolutamente desconcertado, que al principio sólo me concentré en la cuestión práctica: no perder el *jeep* de vista. Lo seguiría hasta que llegara a su destino, y después me enfrentaría a Clara cuando saliera del *jeep*. No se me ocurrió pensar que pronto se daría cuenta de que la estaba siguiendo. Pero a las cinco y media de la mañana las calles estaban desiertas y, si no se dio cuenta inmediatamente, desde luego sí dio la sensación de haberme visto a las pocas manzanas. No es que acelerara, pero giró a la izquierda sin poner el intermitente y después pasó un semáforo en ámbar. La mujer comprobaba sus sospechas. Yo giré a la izquierda y aceleré hasta ponerme detrás del *jeep*.

El *jeep* no aceleró. Siguió adelante conmigo a la zaga, un niño intentando seguirle el paso a alguien por un Washington desconocido. Permanecí con la mirada fija en las luces traseras, cuyos halos emitían una pulsación hacia mí cada vez que Clara frenaba, antes de continuar. No tenía ni idea de qué dirección tomábamos. Intenté encajar los letreros de las calles con la imagen suelta de algún monumento que hubiera visto durante la visita turística de la tarde anterior, pero no sirvió de nada. Estábamos fuera del centro de la ciudad, en unos barrios de los que no había oído hablar. Íbamos por unos suburbios de aspecto peligroso hacia nombres desconocidos: Benning Heights y Bladensburg, Wildercroft y Carsondale.

Al doblar una esquina distinguí el movimiento de su cabeza, que se inclinaba para tomar la curva. Yo hice lo mismo. Serpenteamos fuera de la ciudad en coches separados. Pero sólo una hora antes yo la abrazaba en la cama. Un error. «Alcánzala y arréglalo.» Aquellas palabras podían sonar desesperadas si las decía en alto. Encendí la radio del coche, subí el volumen para tapar el rugido de la carretera y del viento que entraba por la ventanilla. Los altavoces baratos zumbaban al son de Kenny Rogers, que desapareció para dar paso a un corte publicitario, el anuncio de una empresa de asesoría fiscal: «Déjenos ayudarle a poner sus asuntos en orden». Apreté el botón de otra emisora, pero se oyeron interferencias.

Salimos a una carretera más abierta. El agua que despedían sus ruedas traseras salpicaba mi parabrisas con una película de suciedad húmeda. Mi coche se había quedado sin líquido limpiaparabrisas. Las escobillas extendieron un velamen de mugre. Seguimos adelante, acelerando según lo permitía la carretera. Eché un vistazo al salpicadero y vi que quedaba menos de un cuarto de depósito de combustible. ¿Qué pasaría si se agotaba antes de enfrentarme a Clara? La idea de mi coche tirado en el arcén mientras el *jeep* seguía adelante hizo que mi mente se centrara en otro defecto de mi plan. No recordaba si el depósito del *jeep* estaba lleno, y no podía limitarme a esperar que ella por fin se detuviera. Tenía que asegurarme de que los dos saldríamos de la carretera antes de quedarme sin gasolina.

Su matrícula. Busqué un bolígrafo en los bolsillos del pantalón, de modo que di un volantazo para enderezar la dirección al moverme del asiento. El único papel que pude encontrar fue un billete de diez libras que tenía en la cartera. Lo sujeté con el pulgar sobre el centro del volante e intenté anotar la matrícula del *jeep*, forzando la vista para distinguirla por encima de la barra de remolque metálica. Hice un agujero en el billete antes de conseguir que el bolígrafo escribiera. BC-3112, garabateé justo a lo largo de la frente de la Reina. Leí el número en voz alta, después lo comprobé, de atrás adelante, como si eso fuera a cambiar algo.

Nos encontrábamos fuera del perímetro de Washington, bajo la grisácea claridad del alba. En dirección a la bahía de Chesapeake, dondequiera que aquello estuviera. Vi un cartel que anunciaba que estábamos cruzando el río Patuxent. Y Clara lo dejó atrás, arrastrándome con ella. Patuxent. Mi boca trató de familiarizarse con la palabra, buscó la pronunciación correcta hasta que se dio cuenta de lo que estaba haciendo y se cerró como un cepo.

El *jeep* abandonó la carretera principal hacia la izquierda y yo fui tras él. Las ramas de los árboles restallaban por el viento contra los faros de mi automóvil. A mi espalda se alzaba un cerro, lo estábamos bordeando. Pero todavía no tenía ni idea de hacia dónde íbamos. La aguja del combustible bajaba deprisa, o al menos yo imaginaba que lo hacía. Creí recordar que, en el salpicadero del *jeep*, el indicador de combustible marcaba el máximo. Tenía que obligar a Clara a que detuviera el coche. La carretera serpenteaba hacia delante. Entre los árboles de mi izquierda, entreví una lengua de agua que se repetía a la salida de otra curva. Al final se ensanchó hasta convertirse en una franja de color estaño mate. Parecíamos estar siguiendo el curso de un río o de un lago.

Esperé a que llegara una recta. Adelantaría al *jeep* y lograría que se detuviera detrás de mí. Cuando se abrió la carretera, aceleré y cambié de carril. Pisé fuerte el acelerador hasta ponerme a su altura. Pero Clara también aceleró el *jeep*, de modo que lo único que hice fue ir más deprisa, pisándole los talones. La carretera se elevó y giró a la izquierda. Ambos coches rugieron con más fuerza, la superficie mojada lanzaba cuchilladas a nuestro paso. Miré hacia la derecha y alcancé a verla, la vista fija hacia delante, rígida como una estatua. En ese momento, la curva se me echó encima y frené, luego me colé detrás y volví a mi posición original. Saltó más agua arenosa al parabrisas desde las ruedas traseras del *jeep*.

Cuando ya desesperaba, hice ráfagas con las largas y toqué repetidamente el claxon. Todavía albergaba la patética esperanza de que ella cambiara de opinión, o de que, al menos, decidiera que yo merecía una explicación. El tono débil de la bocina parecía el ladrido agudo de un perro. En la siguiente curva, el *jeep* ganó terreno y aumentó el asfalto entre nosotros. Por un momento, las hojas caídas que levantaba el *jeep* a su paso dificultaron mi visión: restos de ensalada pegados a un plato mojado.

Tenía la cabeza vacía de toda idea. A no ser que Clara decidiera detener el coche por iniciativa propia, me quedaría atrás, aislado y sin gasolina. Llevado por la desesperación, mi boca se puso en acción y soltó improperios al aire.

El *jeep* frenó para girar. Tomó una curva cerrada a la izquierda y una carretera estrecha que conducía hacia el agua que, por lo que se podía ver, seguía bajo nosotros, a cierta distancia. Vi un letrero: CABO THREE POINTS. Ésa era una oportunidad de atajar al *jeep* en la curva y cruzarme ante ella.

Capté la idea tan rápido como las palabras del letrero, lo suficiente como para que mis nervios se tensaran, el corazón me diera una sacudida, y ya estábamos en la curva, girando. Pero yo iba demasiado deprisa, la curva giraba más rápida que el coche, que derrapó cuando, al acelerar, las ruedas traseras se adelantaron y patinaron lateralmente. Luché con el volante, los neumáticos chirriaban como un rastrillo en la grava. Me eché encima del *jeep*. Un destello negro mate giró justo delante hacia el lado equivocado. Mientras, el coche de alquiler serpenteaba y las ramas de los árboles pasaban como luces estroboscópicas, enmarcadas por un resplandor que provenía del agua. Mi coche derrapó: por un momento pareció que íbamos a chocar. Los árboles se acercaban, pero, en ese instante, echándome hacia atrás todo lo que pude y pisando el freno a fondo, logré que las ruedas recuperaran su agarre. Ella debió de frenar también de golpe para evitar el impacto, ya que los dos coches comenzaron a patinar. El mío giró por delante desviándose hacia el terraplén de la derecha y patinó hasta pararse bruscamente. El *jeep* seguía acercándose, pero ella giró más hacia la derecha y su aleta exterior se empotró contra un banco de arena. Sonó como un golpe seco, como el de un cajón de embalaje vacío golpeado por una vara de metal.

Levanté la mirada hacia Clara. Tenía la mano extendida,

como sujetándose en el parabrisas y, a la vez, manteniéndome a mí alejado. En ese instante pasó el codo libre por detrás del asiento, volvió la cabeza y dio marcha atrás. El *jeep* arrancó, derrapó en el banco de arena y se caló. Yo me quité el cinturón de seguridad y abrí la puerta del coche de un empujón. Ella puso el motor en marcha mientras yo salía, pero mi coche le bloqueaba el paso por delante y el banco de arena lo comprimía por la derecha.

Eché mano de la puerta del conductor. Cerrada.

–Clara. ¡Clara! –grité.

El motor arrancó. Intenté abrir la puerta y se abrió, con el coche ya sacudiéndose.

–¡Para, por favor!

–Vete, Lewis. ¡Que te largues, joder! –Su voz sonaba autoritaria.

–No, por favor. ¿Qué está pasando? Creí que... ¡No entiendo nada! –exclamé.

–Tienes razón, no lo entiendes. No deberías haberme seguido. –Ella se estiró hacia atrás para alcanzar el tirador de la puerta, pero yo la abrí aún más–. De verdad. Confía en mí. Vete.

–¿Que confíe en ti? ¿Estás...? Explícame qué está pasando. ¿Por qué estás metida en todo esto? No tiene sentido.

–No, Lewis. Sí tiene sentido. Lo siento, pero lo tiene. Es muy sencillo. Pero tú lo estás empeorando. Deberías haberme dejado marchar. Lo dejarán una vez que les devuelva esto. Ellos no están interesados en ti, o no lo estaban. Me creerán si les digo que no tenías ni idea, que esto está muy fuera de tu alcance. Y, a no ser que seas mejor actor de lo que creo que eres, cosa que dudo, te conviene mantenerte al margen de todo esto. Yo se lo diré. Te ayudaré. De momento, lo único que quieren es cerrar el caso.

Dijo todo aquello mirándome, y tan directa como la noche anterior, sólo que la franqueza no se correspondía con la fría indiferencia de su mirada. No era la misma persona en

150

absoluto. Había un tono profesoral en su voz. Yo estaba a un palmo de distancia.

–Pero ¿de qué cojones estás hablando? –pregunté. Mi voz sonó aguda e histérica.

–Ya sabes de lo que estoy hablando. Haz lo que te digo.

Algo superior a mí estaba sucediendo, como si la carretera en la que estaba plantado fuese, en realidad, un río congelado, y el asfalto, hielo resquebrajado. Me vine abajo.

–Eres la última persona que puede decirme lo que tengo que hacer. Yo te diré lo que vas a hacer tú. Vas a devolverme los documentos de mis clientes ahora mismo y... –Me quedé callado. Mis palabras eran patéticas.

–No, no lo voy a hacer –contestó ella.

Subió el pestillo de su puerta y la abrió, salió a la carretera y se cuadró ante mí.

–Por favor, Lewis. Esto ya es suficientemente difícil. No debería haberte ocurrido a ti, créeme. Pero ahora ya es todo más sencillo. Van a detener el proyecto por ti. Creen que estás a punto de extorsionarles, y ellos jamás te pagarán. Te has metido en un buen lío.

El viento racheado hacía que el cabello le viniera a la cara, y ella se lo apartaba con una mano. Oí un coche a lo lejos. Su sonido fue creciendo hasta que incluso creí que giraría en la curva y se echaría sobre nosotros. Pero no fue así. En lugar de eso, el ruido aumentó y se perdió. No estábamos muy lejos de la carretera general. Mi mente intentaba, sin éxito, hallar algo a lo que aferrarse; todo fue inútil, como una mano dormida.

–¿Extorsionarles con qué? –grité–. ¿Que ellos piensan qué? ¿Quiénes son ellos? ¿Qué creen que tengo?

–Saben lo que tienes. Nos hicieron conseguir los vídeos del banco. Tú sencillamente te lo llevaste, tan claro como el día. Y ahora te pillo con copias. Ya están cerrando el Proyecto Sebastopol por esto. Es mucho peor de lo que parece, por eso debes irte. Déjame explicárselo y tal vez...

–No. –Algo en mi interior me estaba poseyendo–. ¿Quién coño sois? ¿Y quién eres tú, Clara? ¿Por qué yo? ¿Por qué estás involucrada en esto?

Se limitaba a negar con la cabeza. Otra vez el estribillo: «No me está ocurriendo a mí. No puede ser que esté aquí». Podía ver el bulto cuadrado de los expedientes en una bolsa de plástico a los pies del asiento del copiloto: seis lados. Justo allí estaban las pruebas que podían estropearlo todo y devolverme al punto de donde no hubiera querido salir.

–Clara, entrégamelos. –Se puso tensa. Continué–: Me has robado mi material, el material de mi cliente, ¡y tengo que llevármelo!

–No hagas eso –dijo con calma. Retrocedió hacia la puerta abierta del *jeep*–. Esta gente se lo ha tomado muy en serio.

«Muy en serio.» Esas palabras me crisparon. Yo también iba muy en serio.

Di un paso hacia delante y me colé por el hueco entre Clara y la puerta abierta del *jeep*. Se movió para cerrarme el paso, pero fue demasiado lenta. Con una rodilla sobre el asiento, me estiré en el suelo del coche y tiré de la bolsa que contenía los papeles. Ella salió del *jeep* y cerró la puerta de una fuerte patada. Ésta pasó rozándome la cara y todo su peso me golpeó en la parte superior del brazo derecho, que tenía aún extendido. Se me cayó la bolsa a los pies del asiento, la vi caer cuando la puerta rebotó. Antes de asimilar el susto, me incliné hacia delante y la rescaté. Al echarme hacia atrás, Clara me puso una mano sobre el hombro, sujetándome. Salí a trompicones a la carretera y me incorporé ante ella, los dos agarrando la bolsa. La ira se apoderó de mí. Su mirada seguía inexpresiva. Mirado desde fuera, luchábamos como niños por un paquete. Aquello era ridículo.

–¡Por amor de Dios, suéltalo! –bramé.

En silencio, me retorció la muñeca. Una tortura china de patio de colegio. Nos tambaleamos juntos, golpeándonos contra la húmeda y resbaladiza pintura del *jeep,* y fui rodando por encima de éste. Ella era fuerte, me hacía perder el equilibrio, casi me arrancaba la bolsa de los dedos de la mano derecha, mientras con la otra mano me arañaba la piel de la muñeca. Me daba cuenta de que ella iba ganando. Intentó darme una patada en la ingle, pero su pie rebotó en mi rodilla. Tenía el rostro contraído por una energía salvaje. Mi mano izquierda, libre, se apretó formando un puño. Yo seguía gritando como un poseso. Mi puño contenía una ira desesperada. Lo solté. Un gancho cruzado; su trayectoria emulaba la cuchilla de un hacha al abatirse. Al cargar todo mi peso en el golpe, ella se dio la vuelta y cayó hacia atrás agitando los brazos.

Yo caí con ella, enredado en mis propios pies. Ella intentó volverse y estiró un brazo hacia atrás a la desesperada para frenar su caída.

Acabé con una rodilla dislocada en la dura carretera.

Su cabeza se golpeó con la barra del remolque con todo su peso muerto. Un sonido rápido como el de la madera seca al partirse. Me vi gritando una sarta de incoherencias al asfalto, que tapó cualquier otro ruido. Ella yacía malherida. Tumbada de espaldas con la cara retorcida, mirando hacia otro lado y con un brazo doblado sobre sí mismo, como si intentara ir a alguna parte. Mis gritos habían cesado. Al mirarla, vi que su preciosa boca estaba abierta.

16

Me arrodillé, sujeté la bolsa contra mi pecho y mantuve la mano izquierda separada del cuerpo. En el silencio, los latidos de mi corazón resonaban, y luego el viento lanzó una racha de lluvia impetuosa contra los coches aparcados. Me quedé paralizado durante lo que parecieron siglos, totalmente incapaz de moverme. La rodilla izquierda me ardía.

Pero su brazo retorcido parecía tan fuera de sitio, tan dislocado, que me obligué a levantarme y acercarme a ella. A continuación, me incliné para liberárselo. Antes incluso de decir nada ni de que se me ocurriera comprobar su pulso, la giré un poco sobre su costado y le coloqué bien el brazo sobre su estómago.

–¡Clara! –grité–. ¡Clara!

Mi voz se la llevaba el viento.

No se inmutó. Tenía los párpados de oscuras pestañas ligeramente entreabiertos. El blanco de los ojos parecía amarillo y las hendiduras de las pupilas eran tubos vacíos. De repente aquello me recordó los primeros auxilios de mi época de colegial. Tenía que asegurarme de que respiraba. Sujeté su mandíbula con una mano y le separé los labios con los dedos de la otra. Tenía la dentadura entreabierta y brillante de humedad. Metí el dedo dentro y la mandíbula se separó con facilidad. Tendida en el lecho de su boca estaba su lengua marrón rosáceo, un poco curvada hacia atrás, pero perfectamente bien, me dio la impresión. Acerqué una oreja para escuchar y me pareció sentir calor en mi mejilla. Muy superficial, apenas, pero respiraba.

ABC: Aireación, Boca a boca, pero ¿a qué correspondía la C? ¿Congestión? ¿Color? ¿Corazón? La posición de defensa llenó esa laguna. Ponerla de lado. Me arrodillé junto a ella otra vez e, inmediatamente, contuve la respiración por el pinchazo de dolor que sentí en la rodilla. El frío y la humedad de la carretera me calaron los pantalones, y la arenilla del asfalto me obligó a moverme. Era sorprendentemente pesada, inerte, pero me las arreglé para levantarla a pulso y ponerla de costado. Después le estiré las piernas flexionadas, en la misma dirección de su aplastado brazo izquierdo.

¡El pulso! C de Circulación sanguínea. Puse en su cuello dos dedos de la misma mano izquierda que antes la había golpeado. Pero no sabía dónde tenía que colocarlos. Mis dedos resbalaron hacia delante y hacia atrás, desde sus suaves mejillas al calor de su garganta. No fui capaz de notar nada. Le sujeté la muñeca y puse el pulgar sobre su parte inferior. ¿Era eso? Notaba algo, pero no estaba del todo seguro. ¿Era yo que deseaba que así fuera? ¿Respiraba todavía? ¿Era aquello su pecho moviéndose? La imagen comenzó a perderse. Su pálido rostro todavía estaba allí, mientras a nuestro alrededor la oscuridad se iba cerrando.

Santo cielo, ¿qué había hecho?

En ese instante vi moverse algo detrás de su oreja. Era sangre. Un rojo bermellón tan vivo como el de los dibujos animados, que se extendía despacio por su negro pelo mojado. Lo taponé con la manga y sujeté su cabeza entre mi rodilla buena y el antebrazo. Tenía que conseguir ayuda.

Pero ¿cómo? No había pasado ni un solo coche por la carretera. Correría hasta la general y esperaría a que alguien pasara. Sin embargo, junto a esa idea me llegó el primer aguijonazo. No debía ser yo. De alguna forma, tenía que desvincularme de las consecuencias. Hiciera lo que hiciera, la ayuda no debía apuntar hacia mí, ni debían verme, ni... Miré de nuevo a Clara. De repente, me pareció mucho más joven, casi una niña. Pero me aferré a lo más sencillo y más básico: «Ayúdala y sálvate».

Ella debía de tener un teléfono. Claro que sí, tendría un móvil. Le palpé los bolsillos de la chaqueta buscando un bulto, pero no había nada. Con cuidado, volví a recostarle la cabeza en la calzada y me dirigí al *jeep*. En un hueco del salpicadero, milagrosamente, había un teléfono. Estaba encendido.

Volví junto a ella, mi mente todavía dando vueltas, pensando «caliente», debía mantenerla caliente. Saqué un grueso impermeable amarillo de la parte trasera del *jeep*, remetí la capucha bajo su cabeza ensangrentada y la arropé con el cuerpo de la prenda. Marcar. Limpié la carátula del teléfono y marqué 999. Un pitido largo. «¡Piensa, por Dios! Piensa.» 911. Sonó dos veces, después respondió una voz firme:

–Nueve uno uno. ¿Qué emergencia tiene?

–Una ambulancia. Necesito una ambulancia.

–¿Dónde está usted, señor?

–No estoy del todo seguro. Cabo Three Points. En una carretera a la izquierda, quiero decir, con agua más abajo, a la izquierda, y ella necesita ayuda.

–Necesito una localización concreta. ¿Puede ser más preciso?

–¡No! Sólo cabo Three Points. Saliendo de Washington. En Chesapeake, creo. Hay un gran lago. Mire, está sangrando por la cabeza y no se mueve.

–¿Quién, señor? ¿Cuál es la naturaleza del accidente?

–No..., no estoy seguro. Ella está aquí, su coche está en el terraplén, pero ella está fuera, en la carretera. Necesita un médico.

–¿Ha habido un choque? ¿Hay alguien más implicado?

–No tengo ni idea. Yo sólo... pasaba con el coche.

–¿Y cómo se llama usted?

–¿Que cómo me llamo? Eso no importa, ¿no cree? Por

favor, envíe una ambulancia a la carretera del cabo Three Points. Por Dios, ella está mal. Está sangrando. Le sale sangre de la parte de atrás de la cabeza.

–Muy bien, señor; muy bien. Le enviaremos una ambulancia enseguida. Pero necesito que siga al teléfono y me describa con más detalle lo que está pasando. Y también que se identifique.

–¿Qué está pasando? ¡No está pasando nada! Estamos en medio de la nada y ella está tendida de espaldas sangrando por detrás de la oreja.

–¿Qué edad tiene? Descríbame a la mujer.

–No lo sé. Mire, es mi... Es joven, veinticinco o treinta años. Creo que ha tenido un accidente. No tiene nada que ver conmigo.

–Muy bien, señor, tengo el cabo Three Points localizado. Ya va una ambulancia de camino. ¿La chica respira? Dice usted que está inconsciente. Recuéstela sobre su lado izquierdo y compruebe si respira.

–Ya lo he comprobado. Creo que respira.

–Muy bien. Pronto le llegará ayuda. Pero, señor, ¿podría decirme, por favor, su nombre? Debería...

Colgué. La conversación había terminado muy deprisa y no estaba seguro de mis palabras. Simplemente surgían, se me podía haber escapado algo. Se acercaba una ambulancia, que era lo que hacía falta. Intenté justificármelo a mí mismo, y pensé a qué podría parecerse aquella escena.

Vistos desde encima del terraplén, dos vehículos sospechosos en la carretera mojada. En primer plano, sobresaliendo, las fustigadas ramas; a la izquierda, unos pinos negros. Y, más abajo, la fría superficie plana del agua, cortada por troncos, curvándose a lo lejos, en dirección a un grisáceo cabo emergente. A través de la niebla y de la lluvia, el lago era un cristal esmerilado. En mitad de la escena, yo, agachado junto a su cuerpo tendido, el teléfono todavía en mi mano mojada, el pelo ya pegado a la frente. A punto de irme.

Más importante que lo que le pareciera esa escena a un hipotético observador era que nadie me viera. Aquello había sido un terrible accidente. No era culpa mía, ¿verdad? Mi puño y la fría barra del remolque se habían aliado contra mí, ¿no era así? No, fue mi puño, fui yo quien le pegó a propósito. Pero ahora iba a hacer todo lo que estuviera en mi mano por arreglar las cosas, no había necesidad alguna de, encima, sacrificarme. ¿Qué conseguiría con ello? ¿En qué ayudaría a aquella mujer? A Clara. Es decir, probablemente ni siquiera sabía su verdadero nombre. Sin duda eso me exculpaba, ¿no?

A su lado, en la carretera, estaba la bolsa con los malditos expedientes. Por su superficie resbalaban frías gotitas. Cogí una manga del impermeable para taparle la cara a Clara. Seguía con los ojos semiabiertos, pero, aparte de eso, parecía increíblemente serena. De pronto recordé la imagen de ella acercándose por el pasillo del avión, mi corazón palpitando con cada paso que daba. Pensar que aquel momento se hubiera convertido en éste me hizo desfallecer de repente, convirtió el viento en un eco en torno a mis oídos. Me incliné sobre ella, observé su pecho. Durante demasiado tiempo no ocurrió nada, y después volvió a subir lentamente. Puse la palma de la mano delante de su boca y su nariz para notar, debió de ser para eso, el fugaz calor cuando exhalaba aire.

Los aspectos prácticos no acababan de tomar forma. La situación tenía su propia lógica. Yo circulaba sobre un raíl, empujado por un único impulso: nadie debía verme allí. No me convencía la breve explicación de Clara de que UKI sabía que me había llevado el expediente de Sebastopol. Yo suponía que, de alguna manera, podía neutralizar aquella información deshaciéndome de las dos copias. El hecho de que hubieran decidido utilizar a una espía industrial, si era eso lo que era, no me disuadió, ni tampoco la alusión de Clara al vídeo de las cámaras de seguridad. Las imágenes pueden inducir a error y, con el tiempo, hasta las más claras se desvanecen. La esencia misma de las pruebas es su fiabilidad. Y al no haber pruebas de que hubiera cometido una infracción, seguía pensando que podía superar cualquier intento de UKI de difamarme ante Madison & Vere.

Me agaché, cogí la bolsa de los expedientes y le reajusté a Clara el impermeable. Todavía sin perder de vista su sereno rostro, di dos pasos hacia atrás, un tercero, un cuarto. Después me volví y seguí caminando hasta el coche de alquiler: cinco, seis, siete, ocho, nueve, diez.

17

La rodilla izquierda se me agarrotó mientras conducía con el ruido de fondo de las ruedas sobre el asfalto mojado. El dolor me sacó del desconcierto y me obligó a cambiar de posición en el asiento.

Durante un rato, ni siquiera me paré a pensar hacia dónde conducía. Seguí la carretera y la pendiente a mi derecha, hasta que ésta descendió a la orilla de un gran lago. Tuve la horrible premonición de que la carretera, cada vez más estrecha, acabaría allí abajo, lo que me obligaría a dar marcha atrás y volver a pasar por el escenario de los hechos. Pero seguí adelante, bordeando el contorno del lago, a través de bosquecillos cada vez más espesos de oscuros y empapados árboles. Pero, de repente, volvió a unirse con lo que creo que era la misma carretera principal de donde nos habíamos salido en un principio. Continué por ella sin parar, hasta que desembocó en otra aún mayor, siempre con la esperanza de encontrar finalmente una señal que indicara algún sitio que yo reconociera. No se me ocurrió buscar un mapa en el coche.

No dejaba de venirme a la cabeza su rostro dentro de la capucha amarilla. Y, con él, punzantes y evidentes cosas que debería haber hecho. La había dejado a un lado de la carretera, no muy lejos de una curva. ¿Y si alguien más apuraba esa curva? Había cada vez más luz, aunque no mucha; delante de mí todo era oscuro. Clara estaba más o menos resguardada detrás del *jeep*, pero ¿por qué no había puesto yo algo en la carretera para alertar a los demás conductores? Una rama, algo del coche. Ni siquiera se me había ocurrido encender las luces de emergencia.

Y la hemorragia. ¿No debería haber intentado contenerla de alguna manera? No había... Por Dios, no había comprobado cuán deprisa salía la sangre. Las sombras de la capucha amarilla se volvieron rojas en mi memoria. Compresión. Debía haberle envuelto bien fuerte la cabeza para que la sangre dejara de salir. La palidez de su rostro en contraste con la carretera oscura, la capucha amarilla, el halo de cabello de Dan. Debía haberle vendado la cabeza, haberla metido en el *jeep,* encendido las luces y la calefacción, eso es lo que debería haber hecho. La había dejado tumbada en la semioscuridad, sangrando, barrida por la lluvia, tirada en el maldito asfalto, en medio de una maldita carretera, envuelta de mala manera con un maldito impermeable. Pisé más fuerte el acelerador, forcé el coche a ir más deprisa en la misma dirección: lejos.

¿Qué era ella para mí? Era mi enemiga, eso es lo que era. Me había engañado deliberadamente todo el tiempo. Desde el mismo momento en que había aparecido ante mí en la cola de Heathrow, Clara había estado observándome. Había sido premeditado. ¡Y yo también había ayudado! Había sumado mis esfuerzos para empujarme en la dirección que ella había elegido. ¡Incluso llegué a pedir un asiento junto a ella en el avión! El pie pisaba a fondo, los árboles pasaban borrosos.

Pero no funcionó. La imagen de ella allí tirada persistía en mi cabeza. Dejé que el coche volviera a una velocidad de crucero. Incluso le perdonaba el hecho de haberme engañado. Pero podría habérselas ingeniado para robar los documentos sin necesidad de dar a cambio esa imagen de sí misma. No podía aceptar que lo que había visto en ella fuera completamente falso.

Mis nudillos estaban amarillos e inmóviles sobre el volante. El puño no se me iba de la cabeza. No logré distinguir entre mi intención y lo que realmente había pretendido con el golpe. Las dos manos se deslizaron bordeando el volante, hacia mi regazo.

Gasolina. La aguja se estaba aproximando al rojo. Capucha. Para entonces ya estaba en una carretera importante, de camino hacia una ciudad llamada Richmond, y no tardé mucho en llegar a una gasolinera. Acerqué el coche a los surtidores y abrí la puerta de un codazo. Tenía la pierna entumecida. Me dolía cuando intentaba doblar la rodilla, y aunque podía apoyarme en ella para ponerme de pie, eso también dolía. Caminé con cuidado hasta el surtidor y después fui cojeando hasta la tienda.

Un viejo de erizada barba blanca levantó la cabeza desde detrás del mostrador. Sus ojos se entrecerraron, aparentemente desconfiados, pero se relajaron al acercarme: había forzado la vista para enfocarme.

–¿Sólo la gasolina? –Hablaba despacio, estirando las palabras con un acento arrastrado.

–Y un paquete de Camel, gracias.

Saqué la cartera para pagar. Al hacerlo, me percaté de la mancha oscura en la manga izquierda, desde el codo hasta la muñeca: sangre de Clara. Bajé rápido el brazo hasta ocultarlo tras el mostrador y saqué la primera tarjeta de crédito que encontraron mis dedos ciegos. Se la entregué y me crucé con la mirada fija y acuosa del encargado. La pasó por el lector magnético y se puso a teclear despacio. Los recibos le dieron problemas.

–¿Podría ayudarme? –dije sonriendo–. Estoy un poco perdido. ¿Cuál es el camino más rápido a Washington?

–¿Washington? Bueno, verá usted... –Se lo pensó bastante, como si estuviéramos a muchos kilómetros de distancia–. Para llegar allí, en realidad tiene usted que volver por el camino por donde me figuro que habrá venido. –Señaló con la cabeza hacia la derecha–. A no ser que quiera atajar usted por Fredericksburg. Pero, claro, eso está más adelante, unos cuantos kilómetros más allá por este mismo camino.

Curiosamente, su rostro seguía inexpresivo mientras soltaba con lentitud esas pocas frases. Un ataque de apoplejía.

—Muchas gracias. —Firmé el recibo de la gasolina y tomé los cigarrillos—. Me imagino que a partir de Fredericksburg estará indicado, ¿no?

—Eso creo —asintió.

Volví cojeando al coche.

Conduje hasta Fredericksburg y seguí la Ruta 95 en dirección a Washington. Sentía la piel de mi rodilla izquierda más tirante a medida que la articulación se hinchaba bajo los pantalones húmedos. También me dolía el brazo derecho del golpe que ella me había dado al cerrar la puerta. El zumbido de las ruedas al avanzar quedó absorbido por el silencio del coche. Encendí un cigarrillo y aguanté la primera calada en lo más hondo de los pulmones, mirando fijamente hacia delante, intentando pensar qué hacer a continuación. Pero no di en el blanco: todo parecía agitarse como puños alzados contra el aire inmóvil.

En ese instante sonó el teléfono de Clara. Al principio no sabía lo que era, una vibración en el bolsillo de mi chaqueta acompañada de un tono creciente. Mi ridícula reacción inicial fue pensar que había algún tipo de radiobaliza en el coche. Ellos lo sabían. Pero al tercer timbrazo ya lo tenía fuera, sobre el asiento contiguo. ¿Debería descolgarlo? No, sería la operadora del 911, que habría rastreado la llamada. Pero, incluso en el caso de que contestara, no sabrían quién era yo, a no ser que se lo dijera. Y sin embargo, ¿qué ganaba con arriesgarme? Tal vez me dirían que ella estaba bien, que la habían atendido y que se estaba recuperando. Aunque, también, ¿por qué iba a ser el 911? Podía ser cualquiera. El sonido del móvil se convirtió en un chillido casi humano. ¿Quién, quién? Podían ser ellos, que llamaban para saber si Clara había recuperado el expediente Sebastopol. Pero ¿por qué ellos? También podía ser un familiar, un amigo, un novio. Podía ser un marido. Siguió sonando, insistente: era a la vez una advertencia y un grito de socorro, un interminable «lo sabemos» y una exasperante pregunta: «¿Quién?».

Agarré el teléfono. Bajé la mirada y comprobé que no hubiera nadie en la carretera. Después intenté averiguar cómo apagar el sonido. Pero no tuve éxito. Temía contestar a la llamada sin querer si le daba a los botones al azar. El teléfono estaba vivo en mi mano, gritaba, vibraba. Me incliné hacia el asiento del copiloto, solté el cierre de la guantera y, vigilando a través del hueco del volante que no me desviara de la carretera, eché el teléfono dentro.

Continuó sonando, aunque más apagado. Sintonicé la radio para ahogar el sonido y seguí conduciendo.

Llegué a las afueras de Washington, pero, una vez allí, me encontré con un problema de tipo práctico. No sabía cómo llegar al hotel. Me dirigí al centro de la ciudad, pero incluso así, me las arreglé para perderme. Quedé atrapado en los nudos de carreteras, arrastrado en direcciones opuestas a las que quería tomar, y luché en vano por orientarme. Me llevó más de dos horas encontrar el camino hasta los monumentos que conocía, y otra frenética hora y media cruzar las calles relativamente vacías de una mañana de domingo, antes de dar con el Duke Plaza. Mi sentido de la orientación se había evaporado. Estuve a punto de dejar el coche donde fuera e ir en taxi. Mi avión salía a media mañana y, en el momento de cruzar la recepción para recoger mis cosas, tenía menos de una hora para llegar al aeropuerto. Por una vez, perder un avión era la menor de mis preocupaciones. Un problema técnico que apenas embravecía el ya de por sí tormentoso mar. Con la bolsa de documentos apretada contra mi pecho, fui tambaleándome hasta mi habitación.

Había perdido el avión. Debía ahora enfrentarme al problema añadido de conseguir un asiento en el siguiente vuelo. En realidad, me consoló dedicarme a una tarea de ese tipo: algo corriente que era capaz de hacer. Me senté en la cama todavía deshecha y llamé a la compañía aérea. Mi voz, que resonó en el auricular, hizo solicitudes en tono autoritario. Eso me dio cierta confianza, pero en la oficina de venta de billetes no podían hacer nada por ayudarme. No había ninguna plaza disponible en los vuelos de ese mismo día, tenía que comprar un billete en lista de espera para la tarde siguiente.

–¿Y no habrá sitio en *business?* –pregunté.

–Voy a ver, señor. –Una pausa–. Me temo que sólo tenemos disponibilidad en los asientos de primera clase. ¿Quiere hacer una reserva?

Por un momento tuve el impulso de decir que sí, simplemente para dejar claro el hecho de que podía, si quería, gastarme más de cuatro mil dólares en un billete de avión. Pero, a pesar de mi angustia por irme ya, la cantidad me echó para atrás. Pensé que, por una vez, podía llamar a la oficina y decir que estaba enfermo. Regresar al trabajo me resultaba algo muy, muy lejano.

–No, no se preocupe. Esperaré a mañana.

Hallada una solución insatisfactoria, solventé sus consecuencias. Notifiqué primero a recepción que iba a necesitar la habitación una noche más, y después decidí a qué hora debía llamar a Paula para que dijera en el trabajo que aquel día no iba a ir. Me quedé sentado en la habitación, pensando cuál era la mejor hora para llamar y decir que estaba enfermo, con el telón de fondo de la imagen de Clara tendida en la anegada carretera. Cinco horas de diferencia horaria: llamaría a las cuatro de la mañana.

Al final, me quedé sin cosas que resolver. Hice la cama con esmero. Froté durante veinte minutos la manga de la camisa con agua y jabón, enturbiando y luego rellenando el lavabo, hasta que logré quitar prácticamente toda la sangre de Clara. Sólo quedaba una tenue sombra. Pensé en ducharme pero en mitad de la ducha cambié de opinión y decidí prepararme un baño. Me sumergí en el agua, aguanté la respiración y dejé que la quemazón de los pulmones creciera y creciera, que borrara todo lo demás. Enseguida me impulsé hacia arriba para respirar y, nada más llenar de aire mis pulmones, las imágenes y la incertidumbre volvieron de golpe. Permanecí sentado, me miré las pálidas piernas bajo el agua y me palpé la rodilla izquierda con las dos manos. No es que tuviera mal aspecto, pero al apretar fuerte la hinchazón me estremecí de dolor. Una línea roja me cruzaba la parte superior del brazo, donde me había impactado la puerta, pero no era más que una contusión. Tras secarme con una toalla y vestirme, caminé cojeando por la habitación y repasé si había cualquier cosa de utilidad, cualquier cosa, que pudiera hacer para tapar las grietas.

Los expedientes. Aún tenía que destruirlos, y cuanto antes mejor: la advertencia de Clara de que ellos se lo estaban «tomando muy en serio» resonó en mi cabeza, con todas sus implicaciones melodramáticas. Pero ¿qué era lo que se tomaban en serio? Era evidente que creían que yo intentaría extorsionarles. «Jamás te pagarán.» Desvelaran lo que desvelaran los documentos sobre el Proyecto Sebastopol –y para entonces ya tenía el firme presentimiento de que ponían en evidencia un blanqueo de dinero a gran escala–, UKI no quería que cayeran en manos poco apropiadas. Hasta el punto de que estaban dispuestos a llegar tan increíblemente lejos como habían llegado para recuperarlos. Si me deshacía de los documentos, le estaría haciendo un favor a UKI.

Pensé una vez más en la mejor forma de librarme de los expedientes. Tan lejos como fuera posible. Me detuve ante la puerta. Si habían mandado a una persona para localizarme y seguirme, ¿quién me decía a mí que no enviarían a otra? Apoyé la frente sobre la puerta, me estremecí. Un frío plano de pintura. Uno. Una respiración honda me forzó a pensar con lógica: era poco probable que, en el tiempo transcurrido desde el intento fallido de Clara, hubieran encontrado un sustituto.

En el pasillo, una empleada del hotel arrastraba con desgana una aspiradora. Asintió con la cabeza en respuesta a mi sonrisa forzada. Cuando la sobrepasé, apreté los dientes para luchar contra la rigidez de mi pierna, y me obligué a caminar lo más normal que pude. Entré en el ascensor y bajé al vestíbulo. Desde allí, me forcé a caminar despacio hasta la calle.

Mi reflejo en un escaparate parecía sospechoso. Me bajé la bolsa del pecho e intenté balancearla a un costado con aire despreocupado. Me sentía observado. Debía comprobar si alguien me seguía, pero no sabía cuál era la mejor forma de hacerlo. Si me detenía y me daba la vuelta con descaro, mostraría a las claras mi inquietud a quien me estuviera siguiendo. Pero si me metía en una tienda sin antes darme la vuelta para ver quién había detrás de mí, ¿cómo iba a saber, cuando saliera, si esa persona seguía todavía allí? Esa sensación fue creciendo mientras caminaba: estaba seguro de que me perseguían. Hundí el cuello en la camisa para protegerme la nuca, que quedaba al descubierto. Las miradas me traspasaban. ¿O era sólo que me asustaba la posibilidad de que me estuvieran siguiendo? Al final, no sin sentirme ridículo, me detuve como para atarme los zapatos e intenté inspeccionar la acera, mirando por debajo del brazo. Todo lo que vi fueron vaqueros y zapatillas circulando hacia mí. Resultó ser un grupo de turistas adolescentes.

Si no podía estar seguro de si me estaban siguiendo, ¿dónde podía deshacerme de los documentos con la seguridad de que nadie los recuperara después? Pasé con la bolsa junto a unos contenedores de basura, pero me contuve y no quise tirarla dentro. Alguien podía llevársela. Lo que buscaba era una trituradora de papel. Jugué con la idea de volver a Madison & Vere y destruir los documentos allí, pero me parecía idiota cargar con la maldita bolsa hasta el lugar de donde la había sacado. Pensé en prenderle fuego. Pero, en el centro de Washington, las únicas llamas que había visto eran las de las velas del Monumento a los Veteranos de Vietnam. Si al menos hubiera un camión de basura cerca, en cuyas mandíbulas trituradoras pudiera tirar los documentos... Me puse ojo avizor en busca de uno, pero me di cuenta de que, al ser domingo, perdería el tiempo.

Continué mi camino, girando siempre hacia la izquierda en dirección al hotel. Aunque la rodilla se desentumeció, tenía que andar ligeramente tieso, moviéndola hacia delante lo más recta posible para reducir la molestia. Se me ocurrió que tal vez habría sido mejor romper los papeles a trocitos en mi habitación, o empaparlos en la ducha o la bañera, y reducirlos a una pulpa ilegible antes de tirar el revoltijo en una papelera del hotel.

El Potomac. No podrían sacarlos del fondo del río. Así que cambié el rumbo y bajé por una zona llamada Foggy Bottom, en dirección a Theodore Roosevelt Island. Cerca del agua, el viento soplaba más fuerte, más húmedo, más penetrante y frío. Seguí la curva del río hasta que encontré un camino por el que bajar a la orilla. Como para entonces ya estaba fuera de Georgetown y lejos de las calles principales, pensé que nadie me estaba siguiendo. La poca gente con la que me había cruzado iba sin duda alguna a lo suyo. Caminé hasta un pontón de cemento. Debajo, el fuerte viento arremetía contra el agua. Esperé a que pasara una pareja que caminaba encorvada, después me recliné sobre mi agarrotada rodilla izquierda y dejé caer la bolsa en el agua.

Flotaba. O al menos pareció que iba a hacerlo. Justo debajo de mí, se enderezó un poco y luego subió con lentitud y se quedó cabeceando a unos treinta centímetros de la superficie. Por una vez pensé rápido, me incliné y volví a sacar la bolsa antes de que tuviera ocasión de alejarse del pontón. Ahí estaba, goteando sobre las vigas de cemento. Aquello era ridículo. Miré alrededor buscando algo con lo que hundir la bolsa, pero de pronto vi una cara que me observaba desde arriba de la pasarela. Respiré aliviado al ver que esa espalda retrocedía. Por supuesto que nadie miraba. Me estaba comportando como un idiota. En cuanto los papeles se mojaran, sin duda se hundirían en el agua. Y, de todas formas, no había nadie cerca para sacarlos, porque nadie estaba mirando, joder. Di un paso atrás, balanceé la bolsa de atrás adelante y la lancé al río. Cayó con un ¡plaf! y desapareció de mi vista.

18

A medida que las ondas producidas por la bolsa en el agua se extendían y se diluían, noté que mis hombros se aligeraban, pero la sensación de alivio fue pasajera; para cuando volví cojeando a Georgetown, ya buscaba algún sitio donde relajarme del todo. Necesitaba beber algo. Empezaba a no sentir la rodilla. O, más bien, la molestia era algo que ya no me afectaba. Me estaba aclimatando al dolor, adaptándome para aceptarlo, de la misma forma que estaba acostumbrándome a la realidad de mi nueva situación. Aquella dolorosa cojera se convirtió en mi forma de andar: yo era ahora el Lewis Penn que había dejado a una mujer a punto de morirse junto a una carretera. Esos reajustes en mi vida encajaron con tanta perfección que, en unas pocas horas, las reflexiones sobre mi reciente contratiempo, ya solucionado, rivalizaban con otras mucho más corrientes y molientes. Quería beber algo y fumarme un cigarrillo, de modo que busqué un bar en condiciones, igual que hubiera hecho una semana antes.

Acabé en un pub con ambiente deportivo. La iluminación era tenue y había televisores en todos los ángulos, incluidas dos pantallas gigantes de tamaño proyector a ambos lados de la sala. El sitio me pareció bien. Me llevé una cerveza a una mesa en un rincón y allí me senté a observar. Sólo el temblor de mis dedos al acercar el mechero a mi cigarrillo me traicionó.

Me interesé por un partido de béisbol que daban en la televisión entre dos equipos que no conocía, pero no presté atención alguna al resultado ni me preocupó siquiera intentar comprender las reglas básicas del juego. No importaba, estaba absorto. Era como observar peces en un acuario: lo hacía por distraerme, no para lograr averiguar el porqué. Terminé la cerveza y fui a pedir otra, después volví a la misma mesa del rincón y encendí otro cigarrillo, con las manos ya más serenas.

Lo que quería era consejo. Alguien que escuchara mi explicación y me aconsejara. No había nadie. Miré a mi alrededor. Los demás clientes estaban todos agrupados, en parejas o grupos de amigos. Incluso los dos camareros hablaban entre ellos cuando no estaban sirviendo. Me encontré solo. Nadie conocía mi paradero. Las únicas personas que sabían que estaba en Washington eran justo aquellas que hubiera preferido que no lo supieran. La sensación de anonimato de aquel viaje se había evaporado hacía tiempo. En su lugar había quedado la más pura soledad.

Incluso suponiendo que hubiera vuelto ya a Londres, y que pudiera contactar con mi familia, amigos y colegas, ¿a quién habría acudido? Sólo a Dan. La idea básica era conservar la fachada, y pedir consejo implicaría renunciar a ella. Eso significaba que sólo podía confiar en Dan, quien comprendía la fachada de la misma forma que veía a través de ella. En Dan o en un completo extraño.

Apoyé el posavasos en el borde del cenicero y lo presioné hasta que se partió. No había extraños, Clara había acabado con ellos. Llamar a Dan. Apagué la colilla de mi cigarrillo aplastándola con pausados dedos y regresé al hotel.

El teléfono de la residencia sonó durante un rato largo. Lo imaginé resonando en el pasillo desierto del St. Aloysius, mientras la enfermera de guardia atendía a un paciente o consolaba a unos familiares destrozados. Lo dejé sonar, el tono se iba volviendo monótono en mi oído, y esperé a que éste insistiera en la residencia. Allí debía de ser tarde. ¿Y qué? Una voz de mujer que no reconocí contestó casi en un susurro.

–Me gustaría hablar con Daniel Penn. Soy su hermano, Lewis –dije.

–¿Daniel, dice?

–Sí, Dan. Está en la residencia. Tiene fibrosis quística.

–Déjeme ver. ¿Puede esperar un segundo?

–Esperaré.

Hubo una larga pausa. Noté mi respiración muy bajito; me aparté del auricular, escuchando. Creció un ruido distante, luego oí unas voces, que se cortaron de golpe. Enseguida, la misma voz callada surgió de la nada.

–Me temo que no puedo pasarle con la habitación de Dan en este momento –informó.

–¿Por qué no?

–Sus padres están aquí. ¿Quiere hablar con ellos?

–La verdad es que no, gracias. Quiero hablar con Dan. ¿Por qué no puede pasarme con él? ¿Qué ocurre? –me alarmé.

–Como le digo, me temo que no puedo. Lo siento, pero por teléfono no puedo darle detalles sobre un paciente –dijo con firmeza–. Pero puedo avisar a su madre o a su padre, y ellos le explicarán la situación.

No podía enfrentarme a aquello. Una conversación con mamá o papá era lo más diametralmente opuesto a lo que deseaba. No me vi con fuerzas.

–¿Puede decirme qué tal está? –insistí.

–Me temo que por teléfono, no.

–¡Pero si soy su hermano!

–Sí, lo comprendo, pero, aun así, me temo que su palabra no basta. Tenemos unas normas. ¿Por qué no habla con sus padres o, si no, por qué no viene personalmente?

–No puedo... –dije–. Seguro, seguro...

Intentaba encontrar una salida. Normalmente, si uno la

busca bien, acaba por aparecer. Pero no había forma de seguir la conversación.

–¿Puedo pedirle...? –continué–, sé que tal vez le sonará un poco inusual, pero ¿puedo pedirle que no le diga a mis padres que he llamado?

Otra pausa. No esperé la respuesta.

Me tumbé sobre la colcha. Una minibotella vacía me miraba desde encima del televisor. Fuera, el cielo estaba oscureciendo. Las cortinas descorridas me permitían ver el edificio de fachada acristalada de enfrente, que se había vuelto de un tono morado sucio, salvo un puñado de ventanas iluminadas. Las conté, del uno al catorce.

En el pasillo se cerró una puerta de un portazo furioso. Escuché el silencio que le siguió, y algo en la confluencia de la quietud, el golpe y mi estado de ánimo volvió a despejarme la mente.

Me quedé tumbado en medio del silencio. Sobre mí, los mismos tonos oscuros en el techo. Aunando el ruido del piso inferior y mis pensamientos. Imaginé a Dan en el hospital, sometiéndose a las mismas pruebas que habían confirmado su enfermedad justo el día anterior. Aquel día que transformó de la noche a la mañana a mi enfermizo, escuálido y *hacker* hermano pequeño en un ser extraño y reservado. En la penumbra, palpé esa quietud nueva en el ambiente de nuestra casa de las afueras. Abajo, papá, debía de ser él, se movía por la cocina, abriendo un ruidoso grifo. Luego se fue al garaje.

Oí que abría las puertas del coche. Algo cayó, o le dieron una patada, en el vacío del garaje. Papá hablaba con alguien, o tal vez tenía la radio puesta. Permanecí muy quieto, con la piel acalorada bajo el pijama, escuchando impávido los silencios que rodeaban los ruidos. Noté picores en la espalda. La presión de las acartonadas sábanas creció; el ambiente enrarecido de mi casa me oprimía el pecho cada vez más. Al final, en lo que en ese momento me pareció un acto de valentía, me saqué a mí mismo a empujones de la cama y clavé las piernas en el suelo.

Mis pies desnudos se dirigieron hasta la puerta del dormitorio. La gruesa y barata moqueta lo cubría todo, continuaba a la vuelta del tabique, y sus remolinos marrones se plegaban escaleras abajo. Todo se mantuvo en silencio hasta que mi pie abandonó el último escalón. De pronto me pareció oír un breve y apagado gemido. Me quedé quieto. Algo raspó el suelo de cemento del garaje, un sonido a plástico en la quietud atravesó la puerta de servicio y llegó hasta la cocina. Tenía que ser papá, pero aunque estaba seguro de ello, cada paso que daba me resultaba más difícil que el anterior. Yo respiraba con la boca entreabierta.

La moqueta se convirtió en frío linóleo al cruzar la cocina. Mis pies calientes se encogían en cada pisada. Entonces lo oí de nuevo, un gemido, unas palabras, la voz de papá murmurando para sí mismo. El sonido del agua que caía en un cubo. Apoyé una mano en el marco de la puerta y miré hacia el garaje desde el escalón de borde metálico.

Olía mal. El coche de la autoescuela ocupaba la plaza de aparcamiento. Tenía todas las puertas abiertas. El olor era acre, como el de los hospitales, y encubría algo amarillo y más cálido: vómito. Al principio no vi a papá, pero luego distinguí su espalda curvada y el culo en pompa estirados sobre el asiento delantero del conductor. Estaba inclinado de rodillas, con la cabeza agachada en el hueco para las piernas. Se le oía raspar y frotar dentro del coche. Después se incorporó y dejó una esponja amarilla en el cubo, su mano roja palpitando.

Rodeé la parte posterior del coche para verle mejor. A mitad de camino dijo: «Por favor», pero no se dirigía a mí. Cuando llegué al otro lado, tenía la cabeza hundida delante del asiento, pero pude ver que, bajo la montura de sus gafas chapada en oro, su rostro tenía un aspecto sombrío, y enrojecido, como la mano. «Por favor», repitió.

–¿Papá?

Alzó la vista muy despacio, como si mi voz le hubiera llegado a través de un desfiladero. Cuando vio que era yo, todo lo que dijo fue:

–Oh.

Después siguió frotando.

–Papá, ¿qué pasa?

Él se rió a mandíbula batiente y gateó hacia delante para salir del coche mientras la esponja caía de su mano a un lado del cubo.

–¿Que qué pasa, Lewis? ¿Y qué importa? No podemos hacer nada –balbuceó.

Yo estaba perplejo, pero entendí que se refería a Dan. Todo lo incomprensible tenía que ver con él de una forma u otra. En ese momento papá me atrajo hacia su pecho. Tenía la camisa mojada y olía a desinfectante.

–Sabes lo que siempre he dicho, ¿verdad, Lewis?, que Daniel se pondría bien, que mejoraría, que se pondría fuerte como tú cuando aprendiera a comer como tú. –Papá volvió a reírse–. Bueno, pues estaba equivocado de cabo a rabo, hijo, muy equivocado; nunca lo he estado tanto...

Le siguió un silencio, y atrajo mi cabeza más fuerte contra sí, apretándola como si fuera una parte de su propio pecho. Inspiró silenciosa y agitadamente, y el resto de las palabras salieron de él como si se derramaran.

–¿Y sabes qué?, vamos a apoyarle y a animarle. Lo cebaremos con todos esos asquerosos medicamentos para que esté tan bien como... No vamos a dejarle solo. –Me costaba respirar y empujé con todas mis fuerzas contra sus brazos, que me apretaban–. Pero es inútil. Ya se ha ido, Lewis. Se ha terminado. Y la verdad es que sería mucho mejor para él, para ti, para todos, que pudiera irse sin el dolor y el esfuerzo que implica todo esto. –Papá temblaba. Aflojó el abrazo y yo respiré superficialmente–. Sin esta pesadilla. ¿Cómo puedo ayudarle? Ayer era un chico corriente, vosotros dos, dos críos normales. Y ahora... no puedo hacer nada.

En verdad yo tampoco podía hacer nada. La nada del hotel se reafirmó y, con ella, comprendí que, por el momento, no había nada que yo pudiera hacer.

19

Me desperté antes de que sonara la llamada del servicio despertador del hotel. La conserje, o recepcionista, o quien la hiciera, tenía esa misma voz veinticuatro horas. Mientras hablaba pude oír su sonrisa condicionada:

–Servicio despertador del Duke Plaza... Señor Penn, me complace comunicarle que son las cuatro. ¿Hay algo más que podamos hacer por usted?

No había comido nada desde el día anterior, así que pedí el desayuno; ni que decir tiene que el servicio de habitaciones de aquella jaula funcionaba toda la noche. Pero no tenía demasiado apetito. Bastante tenía mi estómago con revolverse sobre sí mismo. Debía llamar a la oficina.

–Madison & Vere, despacho de Lewis Penn, le habla Paula.

A diferencia de la voz del personal del hotel, Paula sí demostraba que era un lunes por la mañana.

–Hola, Paula, soy yo, Lewis. ¿Qué tal estás? –le pregunté.

–Oh, Lewis, mucho mejor, gracias. Se me pasó durante el fin de semana.

Me había olvidado de que Paula había estado unos días de baja la semana anterior. Su respuesta a mi pregunta automática me facilitó el asunto.

–Bien, bien. Me alegro –dije con voz monocorde–. Aunque me temo que yo no puedo decir lo mismo. Me siento fatal.

–No te lo habré pegado, ¿verdad? Oh, cuánto lo siento. De todas formas, está todo el mundo igual. Michelle también ha llamado esta mañana. ¿Lo tuyo no será del estómago?

–Pues sí. No he podido dormir en toda la noche. Llevo desde el sábado con molestias. Escucha, tengo mi ordenador portátil y llamaré más tarde para escuchar los mensajes de voz. ¿Puedes decírselo a la gente? Con un poco de suerte, iré esta tarde a última hora.

–Oh, no deberías. Sólo conseguirás ponerte peor. Yo de ti descansaría. Descansa.

Su verdadera motivación se dejó intuir por encima de aquellas palabras amables. Conmigo fuera, lo tenía mucho mejor para alargar la comida y tomar un asiento en el primer tren de vuelta a Maidstone. En fin, de acuerdo.

–Gracias, Paula, pero tengo una montaña de trabajo por hacer.

–Siempre la hay. Tu voz no me suena demasiado bien. Pareces muy débil.

Tosí.

–Ya veremos. Volveré a llamar.

Colgué el auricular y me recosté sobre la almohada.

Poco después llamaron a la puerta y se oyó una voz anunciando el servicio de habitaciones. Una vez que me puse la bata del hotel, descorrí el pestillo y abrí la puerta, quien había llamado ya había desaparecido. En ángulo con el umbral vi un sólido carrito de acero cubierto con una gruesa servilleta blanca cuadrada y, por encima de ella, una bandeja plateada con suficiente desayuno para cuatro personas. Un estrecho florero de porcelana me ofrecía una rosa blanca en señal de rendición.

A un lado de la bandeja, muy bien doblado, estaba el *Washington Post*.

Entré la bandeja en mi habitación y cerré la puerta con fuerza. Con un café al alcance de la mano, pasé las páginas leyéndolas por encima, obligándome a ir despacio para no saltarme lo que esperaba no ver. Pero, encabezando una columna, hacia el final de la sección de noticias locales, leí las siguientes palabras:

«LA POLICÍA BUSCA LAS CLAVES DE UNA AGRESIÓN TRAS UN ACCIDENTE DE TRÁFICO EN CHESAPEAKE

Por Benjamin Gowen, redactor

»La policía está investigando un accidente ocurrido al borde de la carretera cerca de la bahía de Chesapeake, que ayer llevó a una mujer al servicio de cuidados intensivos del hospital.

»La víctima, no identificada, de unos treinta años, fue atendida por el personal sanitario en el cabo Three Points, Chesapeake, después de que una llamada anónima avisara a los servicios de emergencia.

»La mujer ha sufrido graves contusiones en la cabeza y el cuello, respecto a las cuales la policía ha afirmado que no encajan con la levedad del choque de un Jeep Cherokee de color negro en el que se cree que viajaba. Fue trasladada en ambulancia al Mary Washington Hospital, en Fredericksburg, donde anoche confirmaron que su estado era crítico.

»Al parecer, la persona que dio aviso declinó identificarse ante los requerimientos que en tal sentido le hizo la operadora del 911.

»El incidente está siendo investigado, declaró una fuente, y se baraja la posibilidad de que un accidente de tráfico provocara la supuesta agresión.

»La policía solicita que toda persona que tenga información sobre el caso se ponga en contacto con el sargento Shakir Muhl en el teléfono 202-555-4289.»

Las palabras sobresalían de la página como clavos a través de un tablón. «Investigando, intensivos, graves, no encajan, crítico, declinó, investigado...» Durante un buen rato sólo acerté a quedarme allí sentado. La letra impresa hacía la situación a la vez más y menos real. Por una parte, me traía de nuevo la imagen de su cara, su peso inerte en mis manos mientras intentaba colocarla de lado. Pero, por otra, aquello era ya un hecho genérico, descrito en el lenguaje común a otros innumerables delitos anónimos sobre los que había leído antes. Una llamada anónima, una víctima no identificada, el incidente en vías de investigación. Aquellas frases hechas no podían referirse a mí, a mi propia experiencia en la oscura carretera. Sin embargo, aquel horror ya existía más allá de ella y de mí, había más gente implicada y surgían las preguntas prácticas de causa y efecto: ¿cómo había llegado ella allí y quién tenía la culpa?

Lo peor de todo era que Clara estaba mal, gravemente herida. ¿Qué significaba «estado crítico»? ¿Dónde ponía «estacionario», dónde «satisfactorio»? No había recuperado el conocimiento. Si hubieran podido hablar con ella, habrían conocido más detalles, fueran o no intrascendentes; ella habría tomado el control de la historia. No, aún no habían hablado con ella. Yo la había dejado hecha un ovillo sobre su costado, con un signo de interrogación garabateado en su rostro contra la oscuridad, y el proceso de hallar respuestas a ese interrogante estaba en marcha.

La página estaba dividida en varias partes, como suelen estarlo todas las páginas de los periódicos, en columnas, grandes titulares y fotos. Rectángulos. Empezando con mi historia, un único fragmento de texto, uno. Después, contando a su alrededor, la firma superior, dos; el título, tres. Las columnas a izquierda y derecha, del cuatro al nueve. Un anuncio, abajo a la izquierda, diez. Me volví a fijar en la firma, contándola también sin querer: B-e-n-j-a-m-i-n-G-o-w-e-n. Del uno al trece. Levanté la vista de la página y miré el reloj.

Eran las cinco menos cuarto de la mañana. Tomé un sorbo de café templado. Después pelé un plátano, que comí despacio. Su piel resaltaba sobre el plato blanco, parecía cobrar vida junto a los pesados cubiertos, igualmente definidos sobre la tela. Demarcados. Todo más real que la vida misma: los bordes de acero del carrito recortaban sus desnudos ángulos rectos sobre la colcha. Sí, todo estaba delimitado por su contorno; bordes definidos del problema, que mantenían sus componentes separados. Diáfano. Podía entregarme a la policía o seguir como hasta entonces. Si me entregaba, eso contaría a mi favor. Incluso si la cosa acababa mal, el hecho de que me hubiera entregado ayudaría a paliar las consecuencias. Aunque no lo suficiente. Y las pruebas no estaban a mi favor. Había huido de la escena del accidente, lo cual permitía suponer que tenía algo que esconder. Presentarme, negarlo y esperar que me creyeran sería luchar teniéndolo todo en contra. Si entrecerraba los ojos, todas las líneas divisorias se mezclaban, la colcha resbalaba y el carrito se bamboleaba. En cualquier caso, sí tenía algo que ocultar. No sólo en relación al accidente, sino al contexto en el que éste había sucedido. Una declaración llevaría a otra, y yo tendría las de perder, empezaría a hundirme. La situación era ya demasiado enrevesada para explicarla con medias verdades. La única explicación factible, llegados a este punto, sería toda la verdad, y eso no era posible. No era viable. Recogí mis pocas pertenencias, las guardé en la bolsa, pagué la cuenta en recepción y me fui.

Aunque había ido a devolver el coche de alquiler, llegué al Aeropuerto Internacional de Dulles demasiado temprano. Al facturar mi equipaje, la sonrisa de la azafata se escondió más de lo normal, era más cómplice. Clara me había seguido el rastro en Heathrow, lo que, por alguna razón, hacía parecer más probable que pudiera ser interceptado o descubierto también allí. La empleada comprobaba mi pasaporte con una atención poco corriente; sus pupilas, dos puntos en la uniforme claridad, parecieron contraerse al examinar con sumo cuidado mis datos. Abrí la boca para confirmar que me había hecho el equipaje yo mismo, pero no me salió la voz de inmediato. Noté una repentina y estranguladora sequedad en la garganta. Por una vez, la sensación de culpa involuntaria que suele acompañar a la réplica ante esas preguntas estaba justificada. Intenté aguantar su mirada, con los dedos anclados a través de la tela de los bolsillos del pantalón en las delgadas canillas de mis muslos. Clavé mis pies en el suelo, tragué saliva, contesté una segunda vez y sonreí.

–Sí, yo mismo, por supuesto –dije.

Eché a andar en busca de una de las cafeterías repartidas por entre las tiendas de la zona de salidas. Pasé a través del gentío de turistas ansiosos, viajeros de negocios resignados y otros que no eran ni lo uno ni lo otro. Sin darme apenas cuenta, me fijé en las semiesferas de cristal ahumado del techo, que, sin duda, ocultaban cámaras de vigilancia: lo rastreaban todo de lado a lado, hacia delante y hacia atrás. A lo lejos, más abajo del amplio vestíbulo, alcancé a ver a dos policías del aeropuerto que hablaban con alguien. Seguí mirando hacia allí, y cuando la multitud se abrió y me dejó verlos de nuevo, observé que se encaminaban con calma hacia delante, en dirección a mí. Aunque su presencia debía de ser rutinaria y, sin duda, aquello era un recorrido habitual, mi pecho se tensó al ver sus uniformes. Me metí en un Starbucks que quedaba a la izquierda y me puse a la cola, sin dejar de mirar hacia el pasillo por encima de las cabezas de los clientes que había delante de mí.

Mientras esperaba a que la bebida lograra atravesar la excesivamente complicada cadena de mando y llegara a la bandeja, aparecieron los dos agentes, a paso lento, en la entrada abierta de la cafetería. Se pararon a hablar. Yo clavé los ojos en el brillante agujero negro de mi café exprés, que se estremeció en mi mano. No pude evitar mirar hacia arriba.

Seguían hablando. Uno de ellos tiró de la correa de la metralleta que llevaba colgada del hombro, levantando el cañón inquisitivamente por detrás de él hacia el techo. Después la echó hacia delante para acunar la culata y el cañón ante el pecho. Como quien sostiene un gato entre los brazos. El otro le sonreía; el momento se alargaba. Por fin, continuaron su recorrido. Levanté mi vaso de cartón para tomar un sorbo y miré hacia abajo para ver su óvalo ribeteado antes de aflojar un poco la mano que lo sujetaba.

Para evitar castigar innecesariamente mi maltrecha rodilla, me quedé en un rincón de la cafetería, deseando que pasaran deprisa los minutos. La gente iba y venía a mi alrededor mientras yo permanecía sentado en medio de ellos, como una boya anclada entre las olas. Fumé un cigarrillo tras otro y me tomé un segundo café. Quedarme quieto en la silla me supuso un tremendo esfuerzo físico. Mis dedos se mordían entre sí sobre la mesa. Presioné las yemas unas contra otras hasta que, hundidas por su propio peso, resultó imposible saber dónde acababa una y empezaba la otra. Los datos de mi vuelo seguían atrincherados en el fondo del panel de salidas. A lo lejos, bajo los monitores suspendidos, había unas cabinas telefónicas. Un segundo después ya estaba marcando de memoria el número del St. Aloysius.

En la residencia era por la tarde, y esta vez me pasaron directamente con la habitación de Dan. Pero su «¿Qué hay?» me llegó desde muy lejos. Era yo quien estaba muy lejos, y entonces me di cuenta del bullicio en el aeropuerto. Mi «¿Qué tal estás?» fue seguido por una autojustificación, o una mentira:

–Estoy de camino a ver a un cliente, apenas te oigo, el tren está a punto de salir.

–¿Por aquí cerca? –preguntó Dan.

–No estoy demasiado lejos.

–Lo digo porque necesito hablar contigo...

Su voz sonaba débil. El aviso de megafonía rogó, con una pronunciación arrastrada y un tono aflautado, mantener el equipaje cerca. Logró también sobrevolar las palabras de mi hermano. Pillé lo último que dijo:

–Así que ven a verme, ¿eh?

–Claro.

–¿Hoy?

–Lo intentaré. Tal vez tenga que ser mañana. Ahora mismo estoy muy liado.

–Ya, liado. A ver cómo te suena esto, Lewis: esta vez... mándales a... la... mierda.

Me reí.

–Por mí... –Hubo una pausa. Traté de contárselo–: La chica, Dan... –fue todo lo que pude decir.

–Sí. Quiero que me cuentes... ¿Por qué no... la traes? ... a conocerme... ella... te diré.

Un ruido de fondo, de *su* fondo, saltó a primer plano mientras Dan se iba apagando: «¿Cómo? ¿Ahora sí se puede hablar con él? Dame eso». Era la voz de mamá.

–Me alegro de que os conocierais –susurró Dan–. Adiós.

Y le siguió un:

–¿Lewis? ¿Dónde demonios estás?

No tuve tiempo de colgar el teléfono. Busqué a la desesperada algo que sonara convincente.

–En Basingstoke. Justo a punto de entrar en la oficina de un cliente. Mamá, ¿puedo llamarte luego?

–Te he estado llamando al móvil todo el fin de semana.

–Lo siento. No funciona. He estado fuera. Pero, escucha, volveré a llamarte en cuanto...

–Él no está bien, Lewis. Está a punto de...

De nuevo la megafonía del aeropuerto tapó todo lo demás. Esta vez exhortaba a los que llegaban vergonzosamente tarde. Oí a mi madre decir las palabras «vaso de plástico» y «habla en sueños»; mientras, yo intentaba averiguar de dónde provenía el mensaje del altavoz. Una mujer muy trajeada me fulminó nerviosa con la mirada a menos de metro y medio de mí, y después dio unos concluyentes golpecitos en su reloj.

–Mamá, de verdad, ahora no puedo hablar.

–Por favor –rogó.

–Luego.

Esta vez colgué el teléfono.

Pasé esquivando a la mujer, que se precipitó hacia delante, resoplando, y tomó el recalentado teléfono. De pie en el vestíbulo, me sentí de pronto al descubierto, y así seguí sintiéndome en la puerta de embarque, el rostro tras la pantalla apagada de mi ordenador portátil. La inquietud que sentí no se me quitó del todo hasta que despegamos, ya lejos de Washington. Y el alivio que me invadió cuando el avión atravesó las nubes bajas hacia un cielo inesperadamente despejado me trajo sólo un breve respiro. Volví el cuerpo hacia la ventana y observé el extremo del ala estabilizarse en el aire cristalino. Sin dejar que la vista se fijara en nada, de repente allí estaba una imagen de los dos.

Dos camas de hospital, dos formas inmóviles, dos juegos de maquinaria, ventiladores, tubos, fluidos, monitores, sensores, gráficas y estadísticas. En cada una, Clara y Dan, en suspenso; ambos estaban mal, en un trance cuyos detalles concretos desconocía. Pensé en mi llamada a la residencia y en el escueto artículo del periódico. Pero no me revelaban nada de lo que realmente quería saber, las dos cosas carecían de la información tranquilizadora que necesitaba. En blanco.

Clara. Dado que había transcurrido tan poco tiempo, la noche que habíamos pasado juntos proyectó una sombra más profunda que su calculada traición. Y, eclipsando a ambas, estaba el daño que yo le había causado, el hecho de que la había dejado tirada en la carretera. Carretera negra, capucha amarilla, sangre roja: el sonido de mis pisadas alejándose.

Rechacé malhumorado el ofrecimiento de una bebida. Mi asiento era insoportablemente estrecho. El vuelo hacía escala en Boston, así que pasé otra tensa espera en suelo estadounidense. En la etapa matutina de vuelta a Heathrow, a mi lado, una delicada mujer china parecía inclinarse a propósito hacia mí, me encerraba cada vez más en mi asiento. En un momento dado se quedó dormida recostada sobre mi brazo, roncando contra mi manga, y tuve que apartarla con suavidad. La misma manga con la que había limpiado la sangre de Clara. Me dolía la pierna y no podía estirarla para aliviarme.

Me quedé mirando el ala hasta que empezaron a llorarme los ojos al tratar de mantener la imagen estable. Cada remache del ala resplandecía a un ritmo marcado por sus luces parpadeantes. Las imágenes se sucedieron fugaces en la oscuridad. Ni siquiera cerrando los ojos cesaron: simplemente, la película viró al rojo. Ala, remaches, camas, capucha y carretera. Dan y Clara flotando en el aire. Unos rayos abrasadores me atravesaron mientras a mi alrededor giraban las imágenes, lenta e inexorablemente.

20

A las ocho y media ya estaba de vuelta en mi apartamento. Fuera, el cielo tenía el color del cemento mojado. Me miré el rostro en el espejo del baño. Salvo por unas ojeras más pronunciadas que de costumbre y una barba que ensombrecía mi inerte mandíbula, era el mismo de siempre. En mis ojos no quedaba rastro de lo que había pasado. Simplemente parecía cansado. Me duché y me vestí para ir a trabajar, llevando a cabo el familiar proceso de empezar otro día más. Me senté al piano, con otra taza de café, y bajé la mirada hacia las teclas. Saptak, cosa rara en él, todavía no se había levantado, así que no me puse a tocar. Aunque sí conté las teclas, del uno al cincuenta y dos, blancas; del uno al treinta y seis, negras. Negras y blancas, pensé mientras daba sorbos al café, del uno al ochenta y ocho. Me puse de pie, salí del vestíbulo y me detuve junto a la ventana del salón. En la calle el tráfico era intenso.

Al cabo de un rato recargué la batería del ordenador portátil; de paso, podía también comprobar mis e-mails, asegurarme de que el día anterior no había recibido ninguna sorpresa. Me conecté a la línea telefónica, marqué, y cuando estaba esperando a que se descargaran los mensajes, Saptak apareció en la puerta, ya vestido. Se colocó los gemelos en los puños de la camisa con determinación. El olor de la loción para después del afeitado, Kouros, penetró en la habitación.

–¿Qué, fiesta nocturna? –preguntó.

Una suposición comprensible.

–Sí, duró hasta tarde.

–Ni te he oído llegar... –Y con media sonrisa–: Tienes una pinta horrible.

Nada de «¿Dónde has estado este fin de semana?», cada uno hace su vida.

Saptak miró el ordenador sobre la mesa y continuó:

–Dios, debes de estar hasta arriba de trabajo para seguir con eso. ¿Quieres que te enseñe cómo funciona?

–Me las apañaré. –Forcé una sonrisa como respuesta.

–Como quieras –prosiguió–. Tengo que irme ya. –Pero se detuvo, pensativo–. Ah, sí; anoche recibiste una llamada y te dejaron un mensaje. Era tarde, hacia las once y media. Creo que tenía algo que ver con el trabajo. Espera.

Me fijé en sus pies, que arrastraba por el suelo, tomó un periódico, lo giró y leyó una nota escrita en el borde:

–Viktor Hadzewycz o algo así; da igual, lo deletreó. Preguntó si podías devolverle la llamada. Apunté el número aquí, debajo del nombre.

Me acercó el periódico.

Masculle las gracias sin cruzarme con su mirada y se fue. Yo leí su nota: «Viktor Hadzewycz. 020 7115 3331». Un número del centro de Londres.

No esperaba otra cosa. Por supuesto, sabía de antemano que tendría noticias de UKI. Pero ¿tan pronto? ¿Antes siquiera de que hubiera vuelto al país? Desde luego, no había previsto un ritmo tan despiadado. A pesar de que me hubieran interceptado de camino a Estados Unidos, me sorprendió que hubieran averiguado el teléfono de mi casa. Patético. Sin embargo, no cambié los planes. Esperaría a que volvieran a llamar. No haría nada mientras no tuviera otra alternativa, y, llegado el momento, me aferraría a la historia más sencilla. Tampoco me planteé cómo iba a tratar el tema de Clara, en el caso de que lo sacaran a relucir. Me limité a no pensar en esa posibilidad.

En lugar de eso, miré la pantalla del ordenador. Había un montón de mensajes nuevos, y repasé la lista por si alguno era de interés. Nada, nada, nada, hasta que mis ojos se detuvieron en un mensaje de Dan. Algo fuera de lo normal, ya que podía contar con los dedos de una mano los e-mails que él me había enviado. Nunca nos hemos comunicado de esa forma. Lo abrí:

```
Lewis: Intenté devolverte la llamada pero me
dijeron que estabas enfermo (ja, ja), y parece
ser que no estás tampoco en tu casa y que tu
móvil está apagado... Necesito hablar contigo
sobre lo que me dijiste el jueves. O sobre lo
que no te he dicho hoy. Tengo que contarte algo.
No puedo esperar. Así que, cuando leas esto, llá-
mame, por favor. Tengo algo importante que ex-
plicarte. Dan.
```

Había recibido el mensaje a las dos de aquella misma mañana. Respiré hondo y me apreté las palmas de las manos contra los ojos; después volví a leerlo. Para ser Dan, el tono parecía desesperado. En ese instante me di cuenta: un par de líneas en blanco más abajo de su nombre, una dirección de e-mail subrayada. En el campo *De* no figuraba el habitual Dan Penn, sino algo distinto: dp@cucoveloz.velocidadaerea.com.

Volví a la *Bandeja de entrada* para comprobar lo que ya sabía. La dirección era la misma. El e-mail que había recibido de esa «tortola» iba con copia a una dirección electrónica de «cucoveloz»: lp@cucoveloz.velocidadaerea.com. Era casi idéntica: l en lugar de d. Lewis en lugar de Dan. Por lo que yo recordaba, Dan tenía una dirección en Hotmail. Y ahora me escribía desde un e-mail que se diferenciaba en una letra de la dirección con la que el misterioso T.D. había intentado contactar conmigo.

De entrada, no tenía sentido. Las direcciones eran las fichas del rompecabezas, pero no se quedaban quietas sobre el tablero. ¿Seguro que ese e-mail era de Dan? El tono me desconcertaba, y aquella dirección electrónica destapaba una inexplicable coincidencia. Sin embargo, por lo que decía era imposible que aquéllas no fueran sus palabras. Nadie había escuchado nuestra conversación del jueves, cuando le conté que me había metido en un lío. «Tengo algo importante que explicarte.» En realidad, era yo quien había hablado. Hice memoria y recordé que él había divagado, como si buscara las palabras que encajaran con algo difícil de explicar. «No te lo estoy contando todo», me había dicho, «si te lo contara, no me creerías.» Y por teléfono en el aeropuerto Dan también me había dicho que tenía algo que contarme.

No lograba entenderlo. El número de teléfono de Hadzewycz, el mensaje de Dan, el subterfugio de Clara, el Proyecto Sebastopol de UKI y la ayuda que me prestaba T.D. formaban un todo; juntos parecían indicar una serie de conexiones. ¿O tal vez era yo quien produciría el cortocircuito? Hadzewycz no tenía nada que ver con Dan. La coincidencia de las direcciones electrónicas no tenía nada que ver conmigo ni con UKI. Me dio un ataque de paranoia: agarré el borde metálico de la mesa de centro para tranquilizarme. Mientras yo luchaba por salir a flote, aparecía Dan con un nuevo problema, algo más que explicar, y necesitaba mi ayuda.

Pero antes de visitar a Dan en la residencia tenía que ir al trabajo. No podía llamar otra vez y decir que seguía enfermo. Tenía que aparecer, aunque sólo fuera para delegar en otros los temas pendientes. Esa última semana había sido especialmente improductiva, por mucho que mi mesa no estuviera atestada de papeles. Pero, en el fondo de mi mente, el peso de los trabajos en curso me abrumaba: repasar la documentación pertinente sobre una negociación, hacer un listado de los datos necesarios para empezar con la siguiente, cerrar dos adquisiciones que perseguía un cliente. Si no atendía algunas de aquellas cuestiones, en la oficina se darían cuenta de que iba con retraso. Por supuesto, debía evitar atraer ese tipo de atención. Ese y cualquier otro tipo. Aunque sólo me esforzara por dar la impresión de que estaba haciendo todo lo que podía a pesar de estar enfermo, eso me haría ganar tiempo. Llamaría a la residencia desde el trabajo, y si aun así no conseguía nada, me largaría temprano, en algún momento de la tarde, e iría a ver a Dan. Llegué a esa conclusión provisional; mis manos tantearon un muro oscuro, ladrillo a ladrillo.

No me costó fingir que estaba enfermo. Al llegar a mi mesa, el vacío de mi estómago me retumbaba en la cabeza. La sujeté con las dos manos, de modo que las palmas húmedas se reunieron con las sienes sudorosas. El dolor de la rodilla parecía llegar hasta el hueso; por más que cambiara la pierna de postura, la sorda quemazón no cesaba. Busqué en el cajón superior de la mesa los analgésicos que guardo ahí para los dolores de cabeza y me tragué dos a palo seco. Rasparon la garganta en su lento avance; justo entonces Paula entró por la puerta.

–Has vuelto. ¿Estás mejor? No estarás haciéndote el fuerte, ¿no? –preguntó.

Me miraba con la cabeza ladeada en gesto inquisitivo, los hombros ligeramente alzados, los brazos cruzados por debajo del pecho. Amable, aunque un tanto maternal. Tiene veintidós años.

–No, estoy bien. Gracias.

Vi que me examinaba.

–No tienes muy buena pinta...

–Sobreviviré.

–Si quieres que te traiga algo, una aspirina o un tónico, dímelo. Yo me tomé uno de esos compuestos energéticos y la verdad es que me fue muy bien.

–No me hace falta ningún reconstituyente –dije sonriendo.

–A mí me funcionó. Si no te importa que te lo diga, tienes pinta de necesitarlo.

Su amabilidad era interesada: llegaba al fin la oportunidad de hacerse valer, se saltaba la burocracia y se ocupaba de una situación humana. Habría sido una buena enfermera.

–No lo dudo. Pero de momento ya me he medicado suficiente –aclaré–. ¿Ha habido algún mensaje, aparte de lo que veo encima de la mesa?

Un destello de decepción en sus ojos. Vuelta al trabajo.

–No, está todo ahí. A Kent Beazley le cabreó que no estuvieras localizable. Tenéis pendiente el trato con los japoneses, creo. Yo le llamaría más bien pronto que tarde.

Sus hombros se relajaron al darse la vuelta para marcharse.

No me había vuelto a acordar del rollo macabeo de los japoneses. Con un poco de suerte, Beazley habría delegado el trabajo a otra persona en mi ausencia. Le llamé y se me cayó el alma a los pies con sus primeras palabras:

–Luke, gracias a Dios que has vuelto.

–Soy Lewis.

–Lewis, claro. Lo que decía, gracias a Dios. Hemos conseguido el trabajo y quieren que lo tengamos listo en nueve días. Debe de haber unas cuarenta y tantas cajas de material que repasar y archivar. Está todo apilado arriba, en la sala de documentación, en P11. ¿Cuándo puedes venir para que te dé las instrucciones?

–Pues... –Intenté mantener la voz tranquila; sabía que aquello me arrastraría hacia interminables días con jornadas de veinte horas laborales y, dadas las circunstancias, no podía asumirlo. No en aquel momento–. La verdad es que me he encontrado con una avalancha de trabajo sobre la mesa. Voy a estar liado por lo menos hasta mañana.

Hubo un silencio. Una pausa para la incredulidad. Lo imaginé levantando la vista de lo que hojeaba mientras estábamos hablando, por encima de sus gafas de diseño. Sin duda, tomaría nota de que no se podía contar conmigo para nada.

Había infringido la regla tácita que impide a los abogados *junior* de Madison & Vere admitir que no pueden asumir más trabajo. Kent Beazley se había labrado el camino para llegar a ser socio sin romper esa regla y no iba a dejarme a mí hacerlo impunemente.

–Lewis, ya sé que estás ocupado. Todos estamos jodidamente ocupados. Lo cierto es que he reservado esto para ti, porque requiere a alguien competente y he oído hablar bien de ti. Además, les causaste muy buena impresión a los clientes.

–Como halago era poco entusiasta. Él apenas recordaba mi nombre, y los clientes japoneses menos todavía–. Será una experiencia positiva. Lo que estés haciendo tendrá que esperar. El plazo son nueve días. El trabajo es tuyo. Quiero que empieces antes de la comida. Tengo una reunión a las doce, así que te espero en mi despacho a las once y media.

Abrí la boca para soltar una respuesta, pero él colgó antes de tener la oportunidad. Fue una estupidez intentar siquiera esquivarlo. Maldije en el acto no haberme resistido. Si mi objetivo al regresar a la oficina era dar sensación de eficiencia y de trabajo duro, lo que, en definitiva, era no dar pista alguna de que me encontraba en una situación delicada, había comenzado muy mal.

La mañana se me pasó volando. Para cuando hube devuelto las llamadas pertinentes, repasado mi bandeja de asuntos pendientes y hecho una lista de qué trabajos tenían que estar terminados y para cuándo, ya llegaba tarde a la reunión con Beazley. Al echar un vistazo a los despachos ante los que pasaba, vi a los compañeros muy metidos en el trabajo. Estaban todos recostados en sus sillas, con los ojos cerrados en actitud concentrada y los teléfonos pegados a las orejas. O bien reclinados sobre libros, abstraídos en las pantallas de los ordenadores resolviendo problemas. Pensé en la hilera de banderitas del despacho de Macintyre en Washington. Cada loco con su tema. Era todo tan normal y corriente, tan reconocible y, sin embargo, inaccesible... Tan claro como que el mundo de Dan consistía en su extraña lucha, y el mío debería consistir en aquella previsibilidad. Pero yo aquel día lo observaba todo desde el otro lado del cristal. Tenía que encontrar como fuera un camino de vuelta a la sombra protectora de Madison & Vere, y de vuelta también a mi piel.

Para ganarle terreno a Beazley, le di a entender que había sobrestimado la avalancha y que la iría salvando en mi tiempo libre. Pero vi que no me escuchaba. Sólo quería que le quitara un peso de encima y olvidarse del asunto. No tardó ni diez minutos en explicar lo que había que hacer, y mi premonición se cumplió: al examinar las cajas que atestaban la sala de documentación, supe que la primera fase del trabajo me llevaría más de cien horas. Saqué mi dictáfono del bolsillo interior de la chaqueta, leí el primer expediente y empecé a describir los contratos que contenía: eran las primeras notas de una lista interminable.

Tres horas después, aún seguía encerrado en la mal ventilada sala de documentación. Tenía la pierna estirada sobre una silla; el expediente número dos, abierto sobre mi rodilla; la barbilla sobre el pecho, la cabeza caída, y el dictáfono encima de los recuadros de la moqueta. Me estaba quedando dormido. La cabeza me cayó hacia un lado y me desperté sobresaltado, sin saber dónde me encontraba. Un cansancio aplastante me mantenía pegado a la silla. La necesidad de descansar era tal que temí quedarme otra vez inconsciente en la silla. No servía de nada intentar resistirme. Pero no podía dormirme allí; alguien podía entrar en cualquier momento y descubrirme. Aquél era un dilema habitual en mí, en aquella ocasión más exagerado, para el que contaba con una solución rutinaria.

Me levanté dando tumbos y me dirigí por el pasillo hacia el servicio de caballeros. Pasé de largo los urinarios, andando como por control remoto, y me encerré en el váter más alejado de la puerta. Bajé la tapa del retrete, me senté y a continuación me desplomé sobre la pared de la izquierda, con la cabeza apoyada sobre un rollo de papel higiénico.

Me vinieron a la cabeza unas imágenes. Dan, mamá, papá y yo estábamos en una playa de Cornualles. Yo debía de tener unos quince años, y ya había pasado la etapa en que disfrutas de las vacaciones familiares, o al menos admites que lo haces. Dan, que debía de tener unos doce, todavía no había llegado a ese punto. Hacía un día espléndido, con un cielo azul maravilloso; la arena tenía un color amarillo intenso hasta la marca que dejaba la marea alta. Luego se oscurecía y cobraba el color de la madera mojada. En el mar, el viento arrancaba la espuma de las encrespadas olas, cuya blancura hacía daño a la vista.

Dan jugaba en la arena. Mi padre lo había retado a que construyera una presa para un riachuelo que atravesaba la playa. Yo los observaba desde lejos mientras papá le ayudaba a señalar la curva en la que tenía que apilar la arena, donde debía colocar unas piedras planas que había más allá.

–Échanos una mano –dijo papá al pasar junto a mí–, si quieres.

Me encogí de hombros. Mi sombra, proyectada en la arena por el sol, era compacta, a diferencia de mi cuerpo desgarbado.

Durante un rato, lo que había comenzado como un modo de mantener a Dan callado se convirtió en un apasionante juego también para papá.

Yo me abstuve de su entusiasmo embarazoso; lancé unas pocas piedras a las crestas de las olas. Después papá se cansó y dejó que Dan jugara solo. Me acerqué despacio, alcancé una pala y señalé con ella hacia las olas.

–Allí –dije.

Era un riesgo. Ya me esperaba un «vete a la porra» por respuesta, pero había malinterpretado lo seriamente que se estaba tomando el desafío. Aunque también subestimé el placer que sentí cuando él se encaminó obediente hacia donde yo le indicaba.

Éramos ingenieros. La pala con la que yo trabajaba no servía de mucho. Tenía que utilizarla hacia atrás y después de nuevo hacia delante, ya que se deformaba con facilidad. Mi cuerpo era demasiado grande para el juguete, pero eso no importaba, puesto que sólo jugaba con mi hermano pequeño. La arena se iba amontonando desde los lados hacia el centro, y habíamos logrado encerrar el pobre riachuelo, el cual ahora retrocedía unos nueve metros en la playa y nos cubría las rodillas. La idea era hacerlo lo suficientemente profundo para que Dan pudiera nadar dentro.

A medida que el agua del riachuelo iba subiendo en la presa, se hacía más difícil aprisionarla. Dan se ocupaba de la base con una tremenda concentración. Cuando amenazaba con aparecer una grieta, cavábamos los dos juntos y añadíamos capas de arena mojada a cada punto flaco. La media luna creció por los bordes. Las manos, que tenía enrojecidas por el roce con el mango de la pala, me escocían también por la arena y la sal. El agua turbia subía en silencio.

Un grupo de niños de la misma edad que Dan nos observaba desde lejos. En medio de ellos había una chica alta que parecía mayor; tenía los hombros quemados por el sol y llevaba unas sandalias de plástico transparente. Un pendiente brilló al sol. He ahí el dilema: alejarme, hacer ver que el juego no iba conmigo, o cavar todavía más fuerte. ¿Les impresionaba nuestra obra o era una sonrisita de suficiencia lo que había en sus caras? Daba igual, se marcharon. Dan resoplaba al acercarme los cubos de arena, y yo me aparté un momento, dirigiendo la operación como un capataz.

–Esa parte baja de ahí. –Y señalé con un dedo.

Corrió hacia donde le había indicado y vació los dos cubos en la parte de atrás del muro.

–Tienes que apelmazarlo con la mano –ordené–. Ahora

nos hace falta más arena seca. Casi llega hasta arriba en el otro lado.

—Es que pesa...

—No seas quejica. Funciona. Cambiamos los papeles si quieres. Palméalo tú. Yo iré por más arena.

Llené deprisa los cubos. Al volver, Dan tenía la vista fija hacia otro lado. Me acerqué despacio y volqué la arena donde nos hacía falta.

—Toma, construye con esto —dije.

Él seguía mirando por encima de mi hombro. El grupo de niños volvió cargado con cubos que llevaban colgados de los brazos. Los dirigía la chica, que me sonrió con complicidad; presumiblemente, se encargaba de mantener a los más pequeños ocupados. Sus ojos se confabularon con los míos al cruzarse nuestras miradas. Venían a ayudarnos. Le devolví la sonrisa antes de mirar a Dan, quien tenía la mandíbula agarrotada.

—Usa tu pala. —Y después, más alto—: Levántala o le saldrá una grieta a tu presa.

Le quité la pala, coloqué la arena en su sitio con tres sacudidas y me alejé sin prisas e impertérrito ante la concurrencia que se acercaba. Nuestras sombras se cruzaron. Ella era casi tan alta como yo. Tenía las piernas largas y bronceadas. Visto de cerca, el tatuaje de su pantorrilla se convirtió en una costra.

Cuando regresé, se había apartado unos pasos del muro y permanecía a un lado de pie. La chica tenía los brazos en jarras, un cubo vuelto hacia arriba apoyado en su cadera, el asa de plástico doblada. Definitivamente, la suya era una sonrisita de suficiencia. Los demás llevaban cubos vacíos y se reían de ella. Aunque me parecía mal, les ignoré. Ya no podía echarme atrás.

—Dan, muévete, el agua está subiendo. ¿No querías que te ayudara?

Forcé una risa, vacié el cubo de arena seca y me hice

con la pala. Un hilo de agua se escapaba por la parte de abajo de la presa. Me puse a cavar con empeño, echando arena en el punto débil de la barrera. Dan no se agachó para ayudarme.

–¡Venga, Dan!

–No vale la pena –murmuró.

Ni siquiera lo miré. No podía dejar de cavar. Estaba congestionado por el esfuerzo y la vergüenza, y, para colmo, ella seguía observándome.

–Claro que sí. Enseguida vas a poder nadar, ya casi es lo suficientemente honda.

–Ya no. –Se acercó a mí y, en un tono de voz todavía más bajo, dijo–: Han tirado medusas dentro.

–¿Qué?

Le había oído, pero seguí cavando. El agua de uno de los bordes, el más cercano al grupo de niños, llegaba al tope. Fui corriendo hacia allí y excavé más arena de la base, que después eché encima. Vi por el rabillo del ojo que se iban.

–Las llevaban en los cubos y las han arrojado dentro –añadió Dan con total naturalidad.

Continué sacando palas de arena absorbente que amontoné sobre la presa. Miré la poza de color oscuro. Pálidas, translúcidas, suspendidas. Las medusas parecían muertas. Muertas y del mismo tono que las zapatillas de la chica. Una se dio la vuelta en el agua encharcada y se sumergió. El grupo ya estaba lejos; ni siquiera volvieron la vista atrás.

–No importa –reaccioné–. Podemos sacarlas.

Eso no era cierto: ni en broma iba yo a meterme en una poza llena de medusas. Pero había un asunto más importante que tenía que ver con contrarrestar la humillación. Le tiré el cubo a Dan y seguí adelante.

–Necesitamos más arena, Dan.

–¿Por qué? ¿Para qué?

–Para evitar que reviente, idiota –respondí.

Me miró como con burla.

–La única forma de sacar las medusas es que salgan con el agua –explicó.

Se había adaptado a la nueva situación. Se encogió de hombros. Su cara decía a las claras que no le importaba demasiado. Aquello no puso a prueba sus reservas de estoicismo. Yo me emperré con los cubos. Me importaba mucho más a mí. Unos hilos de agua plateada asomaban por la base del muro. En el extremo derecho de la presa, el nivel había subido casi hasta el borde.

–Muy bien. Lo haré yo solo. –Y me fui corriendo por más arena seca.

Alguien tiró de la cadena en el váter de al lado. Mi cabeza había aplastado el rollo de papel higiénico, pero, al incorporarme, volvió a hincharse. A la mierda el trabajo. De momento, tendría que esperar. Volví corriendo a la sala de documentación para recoger mi chaqueta antes de irme a ver a Dan.

Al abrir la puerta, me di de bruces con Beazley, que estaba de pie en medio de la habitación, con los brazos en jarras.

–Ah. Me preguntaba dónde estabas.

Dije entre dientes algo así como que había tenido que atender una llamada telefónica.

–Bueno, pensé en venir a darte un poco de apoyo moral. A darle un impulso al asunto.

O bien estaba preocupado por el plazo de entrega o, lo que era menos probable, arrepentido por haberme pasado el marrón de aquel trabajo. En cualquier caso, hacía crujir los dedos de forma histriónica al tiempo que se acercaba una silla. En fin, se disponía a acompañarme en la revisión. Y yo se lo agradecí con una sonrisa e intenté que mi voz no reflejara incredulidad. Pero no me quedaba más remedio que sentarme con él y seguir trabajando. Beazley alcanzó un expediente, abrió el primer contrato que vio y se puso manos a la obra.

Pasaron dos horas. Beazley dictaba como un robot; yo me esforzaba por hacer que mi voz sonara mínimamente profesional. Seguro que pronto perdería interés, se marcharía para seguir con algo más importante. No lograba concentrarme en lo que decía, pues estaba desesperado por salir del edificio. Todo sucedía al revés de lo previsto, y yo estaba malgastando mi precioso tiempo. Al final se levantó, se estiró y dijo:

–No hay nada como estar en el tajo, pero tengo que tomar el avión para Zurich a las ocho. Estaré de vuelta mañana por la noche. Tú sigue trabajando, y ya hablaremos.

Me levanté de la silla antes de que la puerta se hubiera cerrado.

21

El cielo aplastaba el taxi mientras serpenteábamos hacia las afueras de la ciudad. Contento por tan lucrativa carrera, el taxista probó a entablar conversación con un par de temas, como si se sintiera obligado a entretenerme, pero yo no estaba por la labor. Me recosté en el asiento e intenté no pensar en qué estado encontraría a Dan a mi llegada.

Al cruzar la segunda puerta automática, una enfermera se detuvo ante mí. Era más o menos de la edad de mi madre; dobló sus manos, con las venas marcadas, en gesto piadoso. Llevaba una pequeña placa con su nombre: hermana María. Junto a la placa, un broche de madera. La cara de un búho. Me miró de arriba abajo, poco convencida de mi arrugado traje.

–¿Puedo ayudarle en algo? –me abordó con aire suspicaz.

Quería decir: «¿Quién es usted?».

–Vengo a ver a mi hermano Dan.

–¿Daniel Penn?

–Sí.

–Ya veo. Y dice que es su hermano.

No se tomó la molestia de preguntarlo. ¿Acaso quería pruebas?

–Sí. Quiero verle. ¿Qué tal está?

–En fin... –Hizo una pausa. Se me revolvió el estómago–. Me temo que no está bien. A primera hora parecía mejor, pero ha vuelto a recaer. Está muy sedado. Tengo entendido que ha preguntado varias veces por usted. Se pondrá contento de verle.

Algo en ella emanaba una hostilidad apenas velada. En el contexto de la residencia, de su uniforme, de su pose piadosa, su voz era un bramido.

–¿Dónde está? –quise saber.

–En su habitación. ¿Sabe cómo llegar?

No le contesté; me limité a esquivarla.

La puerta estaba entornada. Entré y la cerré detrás de mí. La luz era tenue, del mismo naranja apagado que la lámpara situada en la mesa del rincón, que proyectaba sombras oblicuas. Habían retirado parte de la maquinaria, de modo que la habitación estaba menos abarrotada. Le quitaban los pilares, uno a uno.

Dan yacía en la cama con varias almohadas aplastadas bajo su cabeza. Una de ellas, tirada en el suelo. Las sábanas arrugadas se retorcían entre las rodillas y el pecho de mi hermano. Parecía enredado e incómodo, lo cual me irritó inútilmente. ¿Por qué no se había ocupado nadie de arreglarle la cama? ¿Por qué no lo atendían?

No se movía. Tenía la cabeza echada hacia un lado y la boca abierta. Sus mejillas estaban demacradas. Su pecho subía y bajaba despacio. Un eco de Clara. Aunque no había ruido alguno en la habitación, no le oía respirar. Me quedé quieto. Luego me acerqué a la cama e hice lo que pude para retirar la manta y la sábana hasta los pies. Tenía las piernas encogidas, como si estuviera corriendo con su pijama azul liso. Estiré una mano, descansé la palma sobre el hueso de su cadera y seguí el trazo de su muslo, delgado como un riel. Se estaba quedando en nada. Volví a subir la sábana y la manta hasta su pecho, y después las ahuequé un poco hacia atrás. El aire atrapado dentro hinchó la manta como un globo, hasta que, al irse escapando, dibujó la silueta de Dan. Era una efigie.

–Dan –susurré–. Dan, despierta. –No se movió ni un ápice–. Dan, ¿puedes oírme? –Mi voz tronó en el espacio en silencio. Probé con otro susurro–: Soy Lewis. –No hubo reacción–. Siento llegar tarde. Quería venir antes.

Si no podía oírme, ¿por qué insistía en hablarle? Continué:

–Querías contarme algo. Recibí tu e-mail. La arpía de la enfermera me ha dicho que has preguntado por mí. Habría venido antes, pero estaba fuera. Me fui a Estados Unidos a solucionar el problema. Siento no haber estado aquí contigo.

Salvo por el leve sube y baja de su respiración, permanecía inerte. Me senté en la silla junto a la cabecera de la cama y acerqué mi cara a la suya. Él seguía con la boca abierta en forma de O. A diferencia de Clara, tenía los ojos cerrados.

–Dan, me equivoqué por completo. Estoy metido en un lío. –Aquellas palabras salieron solas de mi boca. Estaba metido en un lío. Sólo decirlo en voz alta ya era un alivio–. No sé qué hacer. No sé si voy a poder con todo esto. Es horrible. Ya te dije que conocí a una chica muy guapa y extrovertida. Una chica increíble, Dan, ¡y yo confié en ella! Pero no debía haberlo hecho, porque ellos la enviaron para que me siguiera hasta Washington y recuperara los documentos. Ella me los robó. Y después ocurrió el accidente. Le hice daño. Tenía que recuperar el expediente como fuera. La herí de gravedad junto a una carretera. La golpeé y se cayó al suelo. Pero fue sin querer. Y lo peor de todo es que la dejé allí. No me quedé con ella. No podía, porque lo habría estropeado todo y yo habría fracasado. Les habría entregado las pruebas de mi error, las pruebas de que yo había robado los documentos. Van a por mí. Y no sé qué va a pasar con la chica. No puedo hacer nada por ella.

Me quedé mirándole. Deseé con todas mis fuerzas que sus ojos parpadearan, que se inmutaran. Inspiró y espiró con mayor dificultad, inmerso como estaba en un sueño profundo de morfina. De pronto me di cuenta de que la quietud de la habitación emanaba de Dan. No era sólo el silencio de fondo, sino su silencio. Y yo sentí la necesidad de contarle con la mayor sinceridad posible por qué había hecho lo que había hecho. Más que nada, me importaba explicarme ante él.

Pero no me venían las palabras. Una cosa era exponer los hechos, y otra muy distinta sacar a la luz los verdaderos motivos.

¿Qué tenía que decirme él a mí? Me incliné hacia delante y le tomé la mano. Los huesos eran angulosos; tenía la piel fría. La apreté con suavidad hasta que sentí que sus engranajes se comprimían bajo mi palma. Los dedos montaron unos sobre otros como un puñado de lápices de colores. Dan no estaba allí, sino en alguna parte de sí mismo. Soportando. Tal vez eso era todo lo que importaba.

Le coloqué la mano sobre el estómago: una pieza de marfil sobre la colcha de color crema. Esperaría a que se despertara, y entonces él podría contarme lo que fuera y yo podría explicarle lo de Clara. Sólo era cuestión de tiempo.

Miré hacia el colorido dibujo del caballo, el ordenador portátil cerrado de Dan, los libros y las revistas apilados en el armario auxiliar junto a su cama. Vi unas fotografías colgadas de la puerta.

Había una de nuestros padres. Era una toma de noche durante unas recientes vacaciones en España. Papá llevaba un sombrero mexicano con una cinta roja en su pequeña cabeza. Tenía los ojos medio cerrados por el crudo destello del flash. Los hombros de mamá parecían quemados en contraste con los pálidos tirantes de su top.

En las otras dos imágenes salíamos Dan y yo.

La primera era de hacía unos años. Aún recordaba a papá sacando la foto el día en que aprobé el examen de conducir. Se me ve sentado en el asiento delantero del Ford Fiesta que nos compraron: sonrío contento, inclinado hacia la ventanilla del conductor, en el centro del encuadre de la foto. Otro hito superado, el examen, aunque, para desesperación de papá, me costó tres intentos.

Dan está en el asiento de al lado, en la sombra, listo para ir a dar una vuelta. Recuerdo que al arrancar el coche me sentí un poco estúpido. Yo me había imaginado que le apetecería que diéramos una vuelta solos, sin nuestros padres. Pero, de hecho, la emoción era sólo mía, y noté que él únicamente se alegraba por mí. La fotografía lo confirma. Al ver la imagen en la puerta del armario auxiliar, comprendí la compasión en su sonrisa de quinceañero. Y una pizca de desconcierto. No le importaba quién llevara el coche y, llegado el momento, ni siquiera se molestó en aprender a conducir.

La otra fotografía era más reciente. Había sido tomada hacía ocho meses, durante el último cumpleaños de Dan. Los dos estábamos a punto de irnos al pub. Mamá insistió en que posáramos al salir por la puerta. Era un jueves por la noche y yo había ido a casa directamente desde el trabajo, así que en la fotografía salgo con traje y corbata. Sonrío a la cámara como un hombre de mundo que vuelve de la ciudad con su ropa elegante. Dan aparece a mi lado vestido con un jersey de cuello vuelto negro y una cazadora de cuero, unos centímetros más bajo y aún más delgado que yo. Su pelo rubio remetido detrás de las orejas. Y también sonríe. Su cara está bien centrada en el encuadre de la foto. La mía está a un lado.

Me incliné sobre su cama y despegué la fotografía del armario auxiliar para verla de cerca. Una vez más, noté que su sonrisa no iba dirigida a mamá. En realidad me miraba a mí, mientras yo posaba para la cámara. La expresión de su cara era serena, contento por mí, disfrutando de mi satisfacción. No era una mirada de orgullo, sino más bien de complacencia.

Entró un coche en el aparcamiento de la residencia. Vi el destello de sus luces por debajo de la persiana de la ventana de Dan. «Autoescuela», escrito en un lateral. No me sentía capaz de verles en ese momento. Las puertas se cerraron de golpe. Mamá buscaba algo en el asiento trasero. El rostro de Dan seguía esculpido en madera pálida. Tendría que volver cuando no estuviera tan sedado, hablar con él entonces. Ya estaban cruzando el aparcamiento, papá pasó el brazo sobre el hombro de mamá, que sujetaba una almohada más.

Me levanté y deslicé la fotografía en el bolsillo interior de mi chaqueta. Le susurré que se la devolvería más tarde. Recorrí el pasillo a zancadas y me metí en una habitación vacía. Cerré la puerta justo cuando la voz de papá sonaba a la vuelta de la esquina.

–Estará bien –le oí decir–, sólo es cuestión de tiempo.

La respuesta de mamá fue demasiado apagada como para oírla.

El tren arrancó cuando yo acababa de llegar a la estación. El siguiente tardaría en pasar más de una hora. Había otro más lento al cabo de media hora, pero llegaba a Waterloo después que el siguiente. Para empezar, decidí esperar la hora y subir al tren más rápido, ya que el traqueteo del otro más lento me enloquecía. Pero la calefacción en la sala de espera estaba estropeada y olía a tufo de gasóleo y a vómito. Encendí un cigarrillo y me aferré a él con ansia para tapar la peste. En el otro extremo de la sala, dos borrachos discutían sin ningún género de coherencia. Permanecí encorvado dentro de mi traje, sentado en un asiento fijo de plástico cercano a la puerta. Temblaba. Frente a mí, un tipo de mi edad leía el periódico. Fuera soplaba el viento. Unos trocitos de papel volaron por el tramo descubierto de la vía. Cuando el tren más lento entró en la estación, mis objeciones se habían esfumado; me frotaba los dedos entumecidos, ya de color gris azulado, para entrar en calor. Lo único que quería era marcharme de allí.

El tipo del periódico se levantó después que yo. Me metí en el vagón más cercano y él entró detrás. Lo recorrí y volví a salir al andén por el otro extremo. Él también bajó los escalones, aunque por la puerta más cercana a la sala de espera, y me pareció verle mirar en dirección a mí. El frío abandonó mi cuerpo. La salida estaba al final del vestíbulo, más allá de aquel hombre. Me quedé paralizado sin saber qué hacer, y entonces, mientras yo seguía en el andén, él dio media vuelta y se fue tranquilamente hacia otro compartimento del tren.

Solté un largo suspiro y luego tomé asiento en el primer vagón. Aparte de mí, sólo viajaban una madre joven y sus tres hijos. Se pasaron todo el viaje hasta Waterloo montando un barullo insoportable. Ella me dio pena. El niño más pequeño, un bebé, berreaba a pleno pulmón, y los dos mayores se enfrascaron en una pelea que ella no lograba sosegar. Cada descanso tras sus amenazas duraba menos que el anterior, hasta que la mujer acabó por rendirse.

Tendría más o menos mi edad, y sus ojos parecían cansados, a juzgar por sus ojeras enrojecidas. Al cabo de un cuarto de hora, cuando vi que la bulla no iba a parar, pensé en cambiarme otra vez de vagón en la siguiente estación, pero la mujer me echó una mirada tan contrita, desesperada y exhausta que no tuve valor de abandonarla y desertar. Así que me aguanté, en penitencia, contando el traqueteo regular de la marcha del tren, del uno al cien, y más.

22

En cuanto entré por la puerta de mi apartamento supe que algo iba mal. Resultaba obvio a simple vista, como el olor de un escape de gas o a algo muerto.

Había abrigos tirados en el suelo, a la entrada del vestíbulo, y el perchero estaba vacío. La tapa del piano estaba hecha trizas también en el suelo, de forma que bloqueaba el acceso a las escaleras. El piano ocupaba ahora parte del vestíbulo.

Entré primero en el salón, que quedaba justo enfrente. Todo estaba hecho pedazos. El sofá volcado y todos sus almohadones por el suelo. Habían rajado la tela de la parte de atrás con un solo corte curvo. Y habían echado abajo todos los libros de las estanterías, que estaban vacías. Habían descolgado de la pared el grabado de Warhol. Al caminar por entre el caos, un trozo de cristal se tensó y se partió al instante bajo mis pies.

Fui hasta la ventana, que, abierta de par en par, dejaba entrar la lluvia. Ésta fue dejando una mancha marrón sobre la moqueta beige hasta que la cerré. Detrás de donde debería estar el sofá, en el rincón, habían levantado la moqueta y el fieltro de debajo, de tal forma que las dos capas estaban dobladas una sobre otra, como sábanas con el embozo vuelto hacia atrás, y dejaban al descubierto las pálidas tablas del suelo. En la habitación, el televisor ya no estaba en su mueble, y habían sacado el vídeo de su hueco. Los cables se habían enredado en la repisa vacía. La mesa baja estaba volcada sobre uno de sus lados, como un velero escorado. Por si acaso, habían doblado una de sus patas metálicas hacia arriba, un mástil partido.

Me quedé en medio de la habitación, atontado, pensando una y otra vez la misma frase: «Por favor, que esto sea una coincidencia».

En ese momento se me ocurrió que quien fuera el autor de aquel desastre podía seguir en el piso. Volví al vestíbulo por entre el revoltijo de cosas, esquivé el piano y subí las escaleras sin hacer ruido. Allí también habían levantado la moqueta. En el piso de arriba, las dos puertas de los dormitorios estaban entornadas. Se oía el ruido de los coches en la calle, así que comprendí que había más ventanas abiertas. Primero miré en mi cuarto. La cama puesta en vertical, el armario vacío por completo, la ropa amontonada en el suelo junto con más libros de las estanterías, sábanas y almohadas. Todo el contenido de mi cómoda también en el suelo, cajones incluidos. Los palos de golf, que sólo había usado dos veces en mi vida, sobresalían de la pila de objetos. El armazón vacío de la cómoda estaba boca abajo, retirado de la pared. En efecto, la ventana que daba al balcón metálico de la salida de incendios estaba abierta. Las cortinas restallaron con fuerza hasta que la cerré.

La habitación de Saptak estaba aún peor. Él tiene más cosas, así que el montón del centro era más grande. Incluía algunas prendas de Nadeen que, como las de Saptak, habían sido violentamente sacadas del armario de enfrente de su cama de matrimonio, ahora apoyada de lado contra la pared. Habían retirado todo lo que tenía encima de la mesa para ponerlo en un rincón, incluidos su ordenador y su impresora. Y habían roto un frasco de su empalagoso Kouros; la habitación apestaba a su olor, a pesar de la ventana abierta. También habían volcado un tarro de monedas sueltas: las de cobre, esparcidas por la moqueta como mil manchas; las de plata, centelleando alegremente entre ellas. Trajes de diseño, un álbum de sellos, camisas, revistas, abrigos, un talonario de cheques, corbatas, fotografías, zapatos, libros, vaqueros, una taza rota, camisetas, disquetes, jerséis, un tubo de pelotas de tenis, las blusas y faldas de Nadeen, una alfombra arrugada, ropa interior surtida: todo ello en el suelo, en abigarrada orgía.

Me sujeté contra el marco de la ventana y asimilé el desorden de la habitación. Algo más no iba bien. Había polvo por todas partes; una película calcárea cubría la escena. Miré hacia arriba. Habían quitado la trampilla del desván. A un lado del agujero cuadrado, un trozo de techo colgaba tímido como una boca encajada, algo pesado se había caído o alguien había metido el pie entre las vigas.

Pasé por encima de todo el caos despacio y con cuidado. Deshice con tiento mi camino escaleras abajo hacia el vestíbulo y entré resignado en la cocina. Tal como esperaba, había sido igualmente destrozada. Todas las puertas de los armarios y de los electrodomésticos estaban abiertas, dándole al lugar, desde el suelo hacia arriba, el aspecto de un calendario de Adviento con todas sus ventanitas desplegadas. Debían de haber abierto la puerta del microondas de un golpe, porque el cristal estaba rajado. Platos, fuentes, cacerolas, cubertería, latas, tarros, cajas de cereales e incluso el escaso contenido de nuestra nevera se apilaban en una charca de deshechos en el centro de la cocina. Un reguero de zumo de naranja salía serpenteando desde debajo del montón, un arroyo dejando atrás la montaña. Me puse de cuclillas, tomé el hervidor, lo llevé hasta el fregadero y abrí el grifo; a continuación enchufé el cable que colgaba de él y lo apoyé con cuidado. Cuando empezó a sonar, me volví para buscar una taza y tomé una bolsita de té. La leche seguía en la puerta abierta de la nevera. Saqué el cartón de su hueco, di media vuelta y cerré la puerta.

Alguien había garabateado tres palabras en la puerta de la nevera con un rotulador azul: «Cabo Three Points».

Cerré los ojos, pero las palabras seguían ahí, y al abrirlos de nuevo, bajé la mirada hacia el fregadero para ver si encontraba un trapo. En efecto, la bayeta estaba allí. La empapé en agua hirviendo y empecé a frotar las palabras de la puerta de la nevera. Pero la cosa no funcionó. Fui por el limpiador multiusos y la lejía, los mezclé bien y froté con brío en pequeños círculos, hasta lograr borrar el mensaje, letra a letra. La lejía me salpicó la chaqueta y la camisa. No se me había ocurrido quitármela. No me paré a hacerlo. Sólo cuando reduje las palabras a una nube apenas visible, me eché hacia atrás e intenté que mis manos se calmaran.

Alguien lo sabía. Saqué un cigarrillo del bolsillo interior de la chaqueta y llevé a cabo el proceso automático de encenderlo. Lo sabían. Volví a calentar el hervidor y me quedé observando cómo el vapor salía con fuerza hacia el aire frío. Después terminé el ritual de prepararme una taza de té.

Una vez borrado el mensaje de la puerta de la nevera, mi primer impulso fue ocultarle a Saptak la razón de aquel registro. Se me pasó por la mente fingir que el caos pareciera obra de unos ladrones. Si hacía desaparecer el televisor, el vídeo, el ordenador de Saptak y otros objetos de valor, aquello parecería la secuela de un robo especialmente brutal. Tal vez poco práctico, incluso inverosímil; sacudí la cabeza: me repugnaba esa idea. No tenía coche, ni tampoco ningún medio para desplazar objetos grandes como el televisor. Además, aunque consiguiera librarme de las cosas valiosas, los ladrones no habrían mirado en el desván, ni habrían rajado la moqueta, ni volcado los muebles de una forma tan sistemática. No tendría sentido.

No, lo más que podía esperar era que el desastre pareciera lo bastante aleatorio, violento y destructivo como para ser considerado un trabajo de vándalos. Los vándalos rompen cosas. Pensándolo bien, salvo por la puerta del microondas, la tapa del piano, algunas piezas de la vajilla, la tapicería del sofá y una o dos cosas más, no había tantos desperfectos como para que cuadrara esa historia. Quizá porque yo sabía qué buscaban, supuse que todo aquel desbarajuste parecería lo que era: el producto derivado de un riguroso registro.

Pero podía hacer más trágica la imagen. Subí al piso de arriba tan rápido como me permitió la rodilla, fui a mi habitación y agarré un palo de golf. Lo descargué contra la puerta del armario, y la cabeza del palo atravesó la delgada puerta con un sonido hueco. La madera se rajó cuando lo retorcí para sacarlo de donde se había quedado encajado. Al dar la sacudida me volví en un limpio arco de ciento ochenta grados. Un segundo antes dio unos tumbos sobre la pared del tabique, donde dejó un enorme desconchón. Golpeé dos veces más sobre las paredes: una furia desesperada brotaba con el esfuerzo.

En el rellano, justo donde desembocan las escaleras, desencajé un barrote de una patada con la pierna buena. Di un paso hacia el cuarto de Saptak, pero no fui capaz de entrar. El techo ya estaba dañado y no podía tocar su ordenador. En lugar de eso, bajé al piso inferior y, con dos golpes intencionados, destrocé el vídeo y la pantalla del televisor. La cabeza del palo de golf quedó encajada dentro y pisoteé la caña hasta doblarla. Era el turno de la pared del salón. Intenté hacer un agujero en el techo pero no pude sin subirme a nada, y era incapaz de impulsarme lo suficiente hacia arriba y causar un verdadero destrozo. Ciego de rabia, fui tropezando hasta la cocina y me ensañé con la nevera. Aporreé una y otra vez la puerta y los laterales, llenándolos de marcas, hasta que, con los brazos ya sin fuerzas, me vi obligado a parar. El palo se me escurrió de las manos y luego me senté sobre uno de los montones, con los pulmones doloridos. Una sensación de vacío me invadió de las piernas hacia la cabeza. Subí la rodilla buena hasta la barbilla y apoyé la frente en ella.

Allí seguía sentado cuando oí el ruido de una llave metiéndose en la cerradura de la puerta de entrada y después unas voces que se acercaban. Nadeen debió de entrar primero, ya que la escuché gritar:

–¡Dios mío!

–¿Qué pasa? ¡Joder! –Oí los pasos de Saptak entrando en

el salón. Luego continuó–: No puede ser. Lewis se va a volver loco.

–Estoy aquí. –Reuní todas mis facultades y me repetí a mí mismo: «Compórtate como es debido».

Nadeen se agachó a mi lado. Notaba la manga húmeda de su abrigo de lana beige en mi nuca. Creo que al principio pensó que podía estar herido.

–Lewis, ¿qué demonios ha pasado?

–No lo sé. –Fue lo único que se me ocurrió decir.

Desvié la mirada hacia Saptak, que examinaba incrédulo la habitación.

–Al llegar me he encontrado con este desastre. Han destrozado la casa.

Él también se agachó y preguntó:

–¿Estás bien?

–Sí, bien –dije–, estoy bien. Sólo impresionado. ¡Es que ni siquiera se han llevado nada! Parece como si nos hubieran elegido. El daño es tan intencionado...

–¿Qué ha pasado arriba? –Saptak formuló la pregunta con cuidado.

–Lo mismo, pero no te asustes, tu ordenador está intacto. Se han conformado con hacer un agujero en el techo. No tiene sentido.

Me puse de pie.

Saptak se pasó una mano por el negro y mojado flequillo. Tenía los ojos serios, activos, todavía asimilando la escena. Estaría dándole vueltas a los aspectos prácticos. Y no me equivocaba.

–¿Has llamado a la policía? –preguntó.

–No. No hace mucho que he llegado. ¿Serviría de algo?

–¿Qué quieres decir?

–La verdad, ¿qué suele conseguir la policía en estos casos? No estarán interesados y, aunque lo estén, no podrán deshacer lo que ha pasado. No nos han robado nada.

–Necesitarás un informe para el seguro –señaló.

No había pensado en ello.

–¿Tú crees que merece la pena? Si los del seguro primero lo cubren todo, y luego buscan una forma de resarcirse, tal vez habrá que pagar un recargo enorme. Las primas serán el triple y perderé la reducción de tarifa por falta de siniestros.

Aquello tenía visos de credibilidad, pero sólo para mis oídos.

–¿No lo dirás en serio? Hay miles de libras en daños. Has pagado las primas y haremos que nos resarzan. ¡Somos abogados, por Dios! –Y añadió–: Aparte, es cuestión de principios. Tenemos que llamar a la policía para que den parte del delito, para que nuestro caso se sume a las estadísticas y nos aseguremos de que no van a retirar a más policías de las calles. Es una cuestión de principios, Lewis.

Me retó con la mirada a contradecirle; sus ojos negros llameaban. Si daba en ese instante un paso en falso, si parecía que no quería que llamara a la policía, Saptak se daría cuenta. Ésa no sería mi reacción en otras circunstancias. Como si lo viera. No había salida. Así que no dije nada. De hecho, asentí a sus palabras con la cabeza. Él salió de la habitación y subió deprisa las escaleras; nos dejó a Nadeen y a mí mirándonos el uno al otro mientras le oíamos soltar improperios en su cuarto.

–Pobre –se apiadó ella–. Vaya susto. ¿Quién querría hacer algo así? Nunca se sabe, puede que la policía lo averigüe. Si quieres, ya los llamo yo.

No se me ocurrió nada que objetarle. No era lógico retrasarlo.

Ante la insistencia de Saptak, nos sentamos sin recoger nada hasta que dos policías uniformados llegaron, media hora más tarde. Entre tanto, yo sólo pude concentrarme en parecer lo suficientemente enfadado. En realidad lo que hacía era ocultar mi verdadero terror. Fui un par de veces a la cocina para comprobar que las palabras de la nevera estaban bien borradas y no habían reaparecido. No pensé en nada constructivo. Aunque sí me sorprendió la primera pregunta del policía más joven.

–¿Cómo consiguieron pasar por dos puertas cerradas sin arañarlas siquiera?

–No lo sé. Puede que forzaran la cerradura.

El agente tenía como mucho treinta años y era por lo menos una cabeza más bajo que yo. Tenía el pelo rubio y fino, como el de un niño, y un rostro frágil. Su compañera, una mujer que parecía mayor que él, y desde luego más robusta, se mantenía al margen. Permanecían de pie delante de nosotros, con sus tiesos chaquetones reflectantes y unas gotas de lluvia en las solapas, en los hombros y en las enfáticas rayas que recorrían cada brazo. El equipo que llevaban bajo los chaquetones les daba a ambos una rigidez que, junto con la humedad y el frío que habían traído a la habitación, aumentaba el antipático ambiente burocrático que generaban a su alrededor. Parecían tan severos... El joven agente rubio se tomó un tiempo para considerar mi respuesta. Todo en él y en su compañera, incluida aquella pausa, conspiraba para hacerme sentir más incómodo y culpable.

–Eso sería extraño. ¿Por qué hacer todo este destrozo aquí dentro y contenerse a la hora de echar abajo un par de puertas?

–¿Y qué más da? –preguntó Saptak impaciente–. Como comprenderán, nosotros no los invitamos a entrar.

–Simplemente quiero aclarar que el piso estaba cerrado.

–¡Por supuesto que estaba cerrado, maldita sea! –gritó Saptak.

Como yo había sido el último en salir de casa aquella mañana, él confiaba en que hubiera echado la llave, como de costumbre. Tenía razón.

–En ese caso, señor, ¿hay alguien más que tenga una llave? ¿Alguien que les guarde un especial rencor?

–No –intervine–. Sólo hay estas dos llaves. Y no se me ocurre quién pudiera querer hacernos esto.

218

—¿Qué hay de usted? —le preguntó la agente a Saptak.

—No... —Saptak tuvo una idea—, a no ser que alguien de la clínica esté cabreado por algún pronóstico que yo haya dado, o algo así.

—¿Es usted médico?

—No, abogado. Entre otras cosas, hago labores de voluntariado. Ya sabe, asesoramiento gratuito. En los últimos dos años he ayudado a algunas personas que estaban bien fastidiadas. Pero no se me ocurre nadie que pudiera guardarme algún tipo de rencor. No. Y, en cualquier caso, no sabrían dónde vivo. No doy nunca mi dirección.

La agente se quedó pensando en esa posibilidad. Su silencio me convenció cada vez más: por muy irracional que fuera, empecé a pensar que ella y su colega con cara de niño sabían mucho más acerca del incidente de lo que demostraban. Parecían desconfiar. Yo me quedé muy callado fingiendo estar horrorizado. Pero deseaba que la conversación tomara un curso diferente. La agente tomaba notas en una libreta muy pequeña. Torcía la boca de forma extraña al escribir, tenía los labios fruncidos y apretados en gesto de concentración.

Afortunadamente, el otro policía no parecía interesado en aquellos detalles. Se alejó de nuestro círculo y, sin que nadie se lo pidiera, empezó a repasar los objetos amontonados en el suelo de la cocina. Una vez hubo terminado, se quedó de pie, miró alrededor y detuvo los ojos sobre la puerta abollada de la nevera. Después dio media vuelta y recorrió en silencio las otras habitaciones. Yo le pisaba los talones. Dedicó un buen rato a mirar la trampilla del desván y el agujero del techo, y mientras lo hacía ignoró el chisporroteo intermitente de la radio sobre su hombro. Estaba interesado en el agujero. Los demás se reunieron con nosotros en la habitación de Saptak.

—Esto es muy raro —observó—. Dicen ustedes que no se han llevado nada. Sin embargo, el alcance de los daños es considerable. Mucho peor de lo habitual en estos casos. A mí me

219

da la impresión de que quien haya hecho esto ha actuado de forma metódica. No es el destrozo aleatorio que haría una panda de gamberros. Es sistemático, violento, como he dicho, metódico. –Esa última palabra flotó en el aire como una presencia física, para mí, dolorosa. Se encogió de hombros y continuó–: Al menos lo parece.

–¿Y qué sucederá ahora? –pregunté.

–Valdría la pena que vinieran a espolvorear el piso, por las huellas, ¿comprende?

Aquel «¿comprende?» sonaba mal viniendo de él; no era el tipo de frase que habría utilizado de forma natural. Algo me decía, otra vez de forma irracional, que tenía la intención de subrayar lo poco que de hecho yo entendía de lo que estaba ocurriendo.

–Después presentaremos un informe y estudiaremos si todo encaja. Habrá que ver si los detalles coinciden con cualquier otro incidente que hayan denunciado en esta misma zona. –Hizo una pausa–. Supongo que se considerarán afortunados, porque la mayor parte de los daños son menores.

Nadeen, que había estado callada hasta ese momento, apenas ocultó un bufido exasperado, que, a pesar de la situación, mejoró mi concepto de ella.

–Una cosa más –continuó el joven oficial–, ¿cuál de ustedes fue el último en salir del piso esta mañana?

–Yo –contesté–. Pero, tal como le ha dicho Saptak, y como ya le he dicho, estoy absolutamente seguro de que cerré las dos puertas.

La agente frunció los labios y escribió algo en la libreta. Aquella pregunta, que habían formulado justo antes de irse, me puso nervioso. Parecía albergar una duda.

Cerré la puerta tras ellos, con la mano temblándome al retirarla del picaporte. Saptak y Nadeen hablaban arriba, en su habitación. El blanco marco de la puerta se abría liso ante mí: uno. Pero, a su alrededor, como si los observara a través de un objetivo, estaban el zócalo, la cornisa y el techo, el felpudo con folletos publicitarios que anunciaban pizzas y el servicio de taxis para el aeropuerto. Todo entremezclado sin orden ni concierto: Dios sabe cuántos.

Por supuesto, sabía que no había nada en particular que dependiera de mis respuestas, así como tampoco de la investigación que la policía dirigiera sobre aquel allanamiento de morada. Pero la forma en que el agente había vuelto sobre una cuestión que ya se había visto antes me dejó con un temor acuciante. Escudriñarían todos los detalles, los analizarían mal que me pesara, estarían fuera de mi control. La policía de Washington estaría estudiando lo ocurrido en el accidente del cabo Three Points. Lo presentía. Si prestaban atención, verían que todo encajaba en una imagen. Yo mismo comenzaría a revelar cosas que no debía.

23

Era más de medianoche cuando la policía científica terminó su registro. Los tres nos sentamos en el salón mientras ellos trabajaban en la cocina y las habitaciones de arriba. Saptak se dio cuenta de que yo estaba muy mal. Intentó tranquilizarme diciéndome que las técnicas de detección de huellas solían dar con alguna pista, pero, claro, aquello sólo empeoraba las cosas. En lo único en que yo podía pensar, mientras arriba seguían espolvoreando para buscar huellas, era que, sin duda, también habrían espolvoreado el *jeep*. Me quedé observando las puntas de mis dedos.

Y todo fue de mal en peor. Después de terminar con el registro, uno de los agentes sugirió que deberían tomar muestras de nuestras huellas, de las de los residentes, para descartarlas de sus investigaciones. Tuve que luchar para no espetarle que me negaba en rotundo. Tal como estaban las cosas, me retiré al baño y me apoyé contra el lavabo, con el fin de devanarme los sesos para encontrar alguna razón verosímil que objetar. No me venía ninguna a la cabeza. Sólo una persona que ocultara algo se negaría a que le tomaran las huellas. Una negativa de ese calibre le convertiría en sospechoso de inmediato. Y, sin embargo, no se me escapaba el hecho de que cualquier huella que tomaran del *jeep* en Estados Unidos no serviría de nada, salvo que encajara con otra ya registrada.

Me senté en el borde de la bañera y abrí el grifo; intenté calmarme y pensar con sensatez. Algo le pasaba a mi cabeza.

No podía pensar en línea recta. Todo eran rieles retorcidos en mi mente. Al final me rendí. Simplemente, me dije a mí mismo que me estaba dejando llevar por el pánico ante un peligro lejano. Además, Clara ya debía de estar recuperándose, y yo seguía creyendo que, tan pronto como volviera en sí, pondría fin al asunto.

De todas formas, las autoridades de Estados Unidos no tenían nada en qué basarse. Era imposible que unas huellas registradas en el Reino Unido después del suceso llegaran a manos de una investigación remota en Estados Unidos. Por lo que yo sabía, aquellas huellas que estaban a punto de tomarme serían guardadas completamente aparte de las de los criminales o, aún más probable, no las guardarían en absoluto. La policía las destruiría una vez que aquello se hubiera aclarado.

Digo «las huellas que estaban a punto de tomarme» porque, tan pronto como comprendí que no tenía ninguna razón que objetar, dejé de plantearme la posibilidad de negarme. Mi reacción instintiva, dado que no había subterfugio posible, era no desobedecer a la autoridad. Salí del baño resignado a colaborar con tan buena disposición como fuera capaz de aparentar.

Sin embargo, una vez que todo hubo terminado y nos quedamos los tres solos, me vino el agotamiento y apenas tuve energías para empezar a recoger. Se me apagó el rostro. Saptak se desplomó en el sofá e intentó consolarme:

–Mira, en cuanto recojamos las cosas, no creo que los daños parezcan tan graves. Más que nada es el desorden. Podríamos empezar a colocarlo todo.

Me sentía demasiado pesado para levantarme, y no digamos ya para empezar con el trajín de agacharme, cargar cosas y organizarlas. Pero tenía que asegurarme de que Saptak no pensara que estaba reaccionando de forma exagerada. Así que me puse de pie e hice lo que pude por ayudar.

–¿Qué te ha pasado en la pierna? –preguntó Nadeen.

–Tropecé y me la torcí cuando volvía de la residencia –respondí.

–Si es que no hay dos sin tres... –soltó, comprensiva.

En cuanto lo dijo se dio la vuelta y se fue, algo turbada. Uno, el piso. Dos, mi rodilla. Pero ¿y el tres? ¿Se refería a Dan? No creo que lo hiciera a propósito, pero una vez restablecido el orden en el piso, ya en mi cuarto, oí que Saptak y Nadeen hablaban.

–Pobrecito –decía ella–, es lo último que le faltaba. Ya tiene bastante con lo de su hermano.

Saptak no respondió: supuse que él asentiría con un gesto de la cabeza mientras encajaba mi actitud afligida aquella noche en una perspectiva más amplia. Me reí para mis adentros, tumbado en la cama, y pensé en lo acertadas y equivocadas que eran, al mismo tiempo, las palabras de Nadeen.

Aunque estaba agotado, o tal vez precisamente por eso, no logré dormirme. Bajo las sábanas tenía un calor fuera de lo normal. Los pensamientos cruzaban mi cabeza sin darme tiempo a razonar. Sin embargo, tampoco podía despejarla y descansar. Estaba atrapado en una puerta giratoria que iba cada vez más deprisa, incapaz de calcular cuándo podría salir ni qué sentido tenía todo aquello.

Alguien había entrado en mi piso, lo había registrado violentamente, no había encontrado lo que buscaba y me había dejado un mensaje, una severa advertencia. No, más que eso, era una amenaza escrita en la nevera. Algo así sólo pasaba fuera del mundo en el que yo vivía. Al pensarlo, por un momento me pareció todo tan inverosímil que empecé a dudar de su realidad. Entonces me vino a la mente la imagen de una figura de pie en mi habitación, volcando las cosas. Allí mismo donde yo seguía tumbado. Me levanté de la cama y encendí la luz. Ser la pieza clave de todo aquello era tan espeluznante como si yo tuviera un poder sobrenatural o hubiera visto un fantasma.

Pero había ocurrido. Era un hecho. Tan real como que

había viajado a Estados Unidos, había recuperado el maldito expediente, que había perdido al quitármelo Clara, a quien había perseguido y abatido en la carretera. Una carretera negra, una capucha amarilla, sangre roja. Sí, eso también era un hecho. Un periódico había difundido sus consecuencias, ¿no? Pero no logré visualizar el periódico al cerrar los ojos. Empecé a dudar de que jamás lo hubiera visto.

Incluso mi visita a la residencia y mi presencia junto a la cama de Dan parecían falsas. Aquello no era el final que yo había imaginado. Ni por asomo. Teníamos asuntos importantes que resolver el uno con el otro, cosas que decirnos. Ya no me resignaba a lo que viniera.

Las figuras me acechaban: se multiplicaban y se dividían como sombras en un bosque. No había sentido de la proporción. Estaba tan preocupado por el retraso que llevaba en el trabajo como por todo lo demás. De hecho, dado que sí había algo que podía hacer en ese terreno, me puse a calcular cuánto tiempo necesitaría para ponerme al día con mis tareas. Decidí darle la espalda a lo que había ocurrido y determinar cuántos expedientes tenía que revisar en los días siguientes para asegurarme de cumplir el plazo de entrega de Beazley.

El reloj de la mesilla pasó de las 2:00 a las 4:15. Llegué a la conclusión de que tenía que llamar a Hadzewycz. Que hubieran entrado en mi casa significaba que ya no podía eludirlo por más tiempo. Lewis Penn, oriundo de Guildford, abogado *junior* de Madison & Vere. Jamás había intentado siquiera escaquearme de pagar una multa y, en ese momento, planeaba vérmelas cara a cara con la mafia ucraniana, con un equipo de espías industriales, con Dios sabía quién. Sin yo quererlo, me encontraba sentado a la mesa de juego, había desperdiciado ya mi baza y debía enfrentarme a ellos sin cartas. Inútil del todo.

Pero también era lo único que podía hacer. No sabían lo poco que yo comprendía. De hecho, ellos actuaban partiendo de la suposición de que lo entendía todo. Tendría que convencerles de que no era así. Si aquéllas eran las nuevas reglas, sencillamente tendría que adaptarme y seguir jugando. Pensé en las palabras «adaptar» y «accidente». Dieron vueltas y vueltas en mi cabeza, se transformaron en «adepto», «adoptar» e «incidente», y finalmente en «accidepto»: un remolino girando en la piscina de los Mosley.

Los Mosley fueron amigos íntimos de mis padres durante un tiempo. Creo que se conocieron cuando papá enseñó a la señora Mosley a conducir. Recuerdo que un verano pasamos varias tardes soleadas en su casa; aunque no estaba lejos de la nuestra, parecía tan diferente como si vivieran en otra ciudad. Para empezar, no estaba situada en nuestra urbanización, sino que tenía un diseño mucho más antiguo. Sin embargo, todo en su interior parecía más nuevo. Como ellos no tenían niños, las habitaciones estaban siempre decoradas con más esmero. Instintivamente, sabía que era el tipo de casa donde yo debía andar sin tocar nada, y no correr.

La gran atracción para Dan y para mí era la piscina de los Mosley, que dominaba su jardín como una mesa de billar en medio de un salón. La señora Mosley, que iba vestida en colores vivos y se pintaba los labios, se enorgullecía de su piscina. A menudo invitaba a mamá a que nos llevara a darnos un baño después del colegio. Las dos charlaban en las tumbonas de plástico, tomando pequeños sorbos de SodaStream helada, mucho mejor que los refrescos que tomábamos en casa.

Dan debía de tener unos diez años. Todavía era un nadador inseguro, así que era perfecto disponer de una piscina pequeña como aquélla para nosotros solos. Mientras nosotros jugábamos, ellas hablaban. De alguna manera, mamá era menos frívola que la señora Mosley, que solía terminar sus frases con una risa sonora. En comparación, mamá parecía más contenida, más comedida, tenía mejores modales.

No sé cómo terminó aquella amistad. Nos invitaron a una barbacoa un fin de semana, aunque a media tarde nos enviaron a Dan y a mí a uno de los cuartos de invitados para que durmiéramos hasta que los mayores terminaran su fiesta particular. Al cabo de una hora, unas voces subidas de tono provenientes del jardín me sacaron de mi modorra. Oí al señor Mosley intentando calmar a su mujer, pero apenas se oían sus palabras. Sólo capté algunas frases sueltas. Una se me quedó grabada en la mente, porque, en aquel momento, no la entendí en absoluto: «Puñetero *Liebfraumilk*».* A continuación, mi padre contestó algo que no parecía guardar relación: «En ese caso», dijo, «será mejor que nos vayamos». Nadie dijo nada más mientras nos metían a empujones, y con nuestros sacos de dormir, en el coche.

Y punto. Cuando, unos días más tarde, pregunté si podíamos ir a casa de los Mosley después del colegio, mamá dejó bien claro que era imposible. «Ellos son diferentes», fue todo lo que añadió cuando le insistí en que me explicara por qué.

A Dan y a mí no nos hizo gracia aquello. Dan no nadaba a gusto en la piscina municipal, más grande, sí, pero que también para mí había perdido su atractivo. Nos habíamos acostumbrado a tener una para nosotros solos. Así que decidimos ir a casa de los Mosley por nuestra cuenta. En las horas que habíamos pasado correteando por su jardín, me había dado cuenta de que se podía saltar por la valla de atrás sin problema. Suponiendo que no hubiera nadie en el jardín, podríamos bañarnos sin que se enteraran.

Dan estaba tan entusiasmado con la idea como yo; no era que yo lo estuviera llevando por el mal camino. La pri-

---

* *Liebfraumilch* (literalmente, «leche de la virgen») es un vino alemán, dulzón y de bajo precio. En Gran Bretaña se conoció como *Liebfraumilk*. *(N. de la T.)*

228

mera vez que nos acercamos, vimos por una ranura en la valla a la señora Mosley inmóvil en su tumbona. Leía una revista de moda cuya portada me lanzó un destello al darle el sol, así que nos fuimos a hacer otra cosa. Sin embargo, en una segunda ocasión, el jardín parecía desierto. Ayudé a Dan a saltar la valla barnizada con creosota y después escalé por los puntales de apoyo y caí sobre el arriate de flores chillonas del otro lado. Nos quedamos en ropa interior y nos tiramos al agua de cabeza.

Dado el riesgo de que alguien volviera a la casa, no teníamos pensado quedarnos mucho tiempo. Chapoteamos, nos metimos y salimos varias veces del agua y nos tiramos de bomba otras tantas. Aquello, como de costumbre, acabó en intentos de bombardearnos el uno al otro, al son de la marcha de los *dam busters*.* Dan daba brazadas partiéndose de risa y calculando cuándo lanzarse sobre mí; de pronto, se resbaló sobre las baldosas mojadas y cayó mal contra el borde junto a las escaleras, mitad dentro, mitad fuera del agua.

Supe al instante que se había hecho algo más grave que los simples rasguños de la rodilla y el codo. No lloró ni empezó a saltar a la pata coja, sino que palideció y se sujetó el brazo izquierdo pegado al pecho. Como el doctor explicó más tarde, Dan se había fracturado el cúbito. Lo consolé lo mejor que pude e intenté ayudarle, todavía mojado, a vestirse, pero dio un grito agudo de dolor cuando le toqué el brazo.

Me sentí responsable del accidente. Debía hacer algo. Me pareció oír apagarse el ruido de un motor. Luego una pausa, el portazo de la puerta de un coche en la entrada de la casa de los Mosley.

En ese instante Dan empezó a gimotear:

* En principio, sobrenombre (traducible como «Reventadores de Dique») del 617 Escuadrón de la Fuerza Aérea británica (RAF), sobre cuyas hazañas durante la segunda guerra mundial se rodó una película en 1954; las escenas más celebradas eran las de los bombardeos al son de una marcha militar, muy popular entre los niños británicos. *(N. de la T.)*

–¡Mi brazo! Que venga mamá o papá. Tienes que encontrar a alguien que nos lleve a casa.

–Yo te llevaré –reaccioné–. Rápido, sígueme.

Se negó a hacerme caso:

–¡No! Debe ayudarnos un adulto.

–Yo te llevaré con mamá. Te ayudaré a saltar la valla otra vez.

–¡Pero si no puedo! –gritó.

–Claro que puedes –respondí.

En cualquier momento aparecería uno de los Mosley en el ventanal del jardín. Pero no podía meter prisa a Dan. Tenía que convencerle con tacto. Le rodeé el hombro con el brazo y lo llevé hasta la valla.

–Pon tu mano buena ahí –señalé el sitio–, luego apoya un pie en mis manos y yo te impulsaré hacia arriba. Después pasa la otra pierna por encima hasta quedarte sentado arriba. Yo saltaré al otro lado y te ayudaré a bajar.

Dan hizo lo que le pedí a regañadientes, y nos las apañamos para saltar la valla. Una vez en el otro lado, me invadió el júbilo. Pese al contratiempo, lo habíamos conseguido. Pero Dan parecía asustado, además de dolorido. Sus hombros temblaban bajo mi brazo mientras caminábamos.

–Nos van a matar –dijo.

–¿Quién?

–Mamá y papá. Les va a dar un ataque cuando se enteren de que hemos estado en la piscina de los Mosley.

–No se enterarán.

–Claro que se enterarán. –Se estremeció de dolor–. Tendré que enseñarles el brazo y me preguntarán cómo me lo he hecho.

–Pues diles que te caíste de un árbol o algo así –dije.

–Pero ¿cómo?

Me miró de forma extraña y me dio la impresión de que no se le había ocurrido que pudiéramos tergiversar la historia. Su brazo requería una explicación y, por lo que a él se refería, eso significaba que teníamos que contar la verdad. Yo me sentía muy aliviado por haber logrado escapar y tuve que contenerme para no reírme de él. La simple idea de empeorar la situación por iniciativa propia me resultaba cómica. Sabía que colarnos en la piscina de los Mosley era algo mucho más grave que, por ejemplo, nadar en el río, que también estaba prohibido. Además de ponernos en peligro al nadar sin que nadie nos vigilara, sin duda habríamos avergonzado a nuestros padres. Estaba tan claro como la luz del día y, dada su reciente ruptura con los Mosley, la vergüenza era mucho peor que habernos puesto en peligro. Pero sería muy fácil adaptar lo que había sucedido, cambiarlo y evitar el bochorno.

–¿Que cómo? –repetí–. Diremos que fuimos al bosque de al lado de la oficina de correos y que intentamos subirnos a un árbol. Una rama se partió y tú te caíste hacia atrás y pusiste el brazo para amortiguar la caída.

Planteé los detalles sin esfuerzo alguno. Pero Dan no parecía convencido. Así que continué:

–Diremos que yo ya estaba subido al árbol. Y que tú me seguías, y que pensaste que la rama te aguantaría, porque yo peso más. Pero, en realidad, yo había subido por el otro lado.

Al llegar a casa había vencido la renuencia de Dan y él se había pasado a mi forma de ver las cosas. Expliqué la historia de camino a urgencias y mamá creyó cada palabra. Estaba tan preocupada por Dan que apenas escuchaba. Su única respuesta fue una frase que repetía para tranquilizar a Dan, y a sí misma:

–Los accidentes ocurren.

Eso fue todo lo que dijo.

24

A las nueve de la mañana siguiente crucé la puerta giratoria de Madison & Vere con el pelo bien peinado y un café del Starbucks en la mano. Quería llegar pronto a la oficina: cuanto antes comenzara, antes podría salir a ver a Dan. Pero al final me entró el sueño, que enterró mi propósito bajo arena mojada. Pese a mi despertador, me llevó una eternidad salir del letargo.

En el metro había pensado varias frases que usaría con Hadzewycz. Dependía de su reacción a cada instante. Por muy desalentadora que pareciera la llamada, era inevitable. Si todo iba bien, podría esperar salir del apuro. Pero las variantes del diálogo no dejaban de multiplicarse en mi cabeza; no lograba mantenerlas alejadas. Así que en Earls Court saqué una libreta y escribí «Preparación para UKI» en la parte superior de una página junto a algunas notas. Al final, llené la hoja con mis apuntes. Podrían ser de ayuda.

Me encaminé por el pasillo, decidido, pero, antes de llegar a mi despacho, alguien detrás de mí me dio una palmadita en el hombro izquierdo.

—Lewis. Me alegro de pillarte.

Al volverme, vi que James Lovett miraba al frente. Nos dirigíamos a su despacho.

—Tenemos que hablar —informó.

Dejó caer su maletín sobre la pulida superficie de la mesa del rincón con efusiva despreocupación. Después hizo un gesto para que me sentara. «Para tener éxito, hay que tener pensamientos exitosos.» Me puse el maletín sobre las rodillas y de repente me sentí a la defensiva con ese bulto encima. Sujetaba con timidez un café sobre él, así que lo dejé a un lado de la silla de estructura cromada. Al acomodarme, ya con el regazo vacío, me sentí al descubierto. Mi silla estaba demasiado alejada del escritorio y de la mesa, con lo cual quedaba abandonado en medio de la moqueta. El café en la mano resultaba demasiado informal. Me volví y me estiré hacia la mesa rinconera; dejé el vaso de cartón encima con sumo cuidado, como si fuera muy valioso. Pero al regresar a mi postura inicial, no supe qué hacer con las manos. Los segundos se convirtieron en minutos y la sensación de estar expuesto empeoró, pues se convirtió en un sentimiento más profundo de indefensión.

¿Por qué me había invitado a entrar Lovett? Tenía que ser por el asunto de UKI, ya que era el único trabajo que estaba llevando para él. Me puse en lo peor: Lovett lo sabía. Y a mí el algodón de la camisa me raspaba. Las sienes me empezaron a sudar.

Mientras tanto, Lovett repasó las notas y los mensajes que le habían dejado durante la noche. Ejerció su derecho a tenerme esperando sin darme una explicación durante más de cinco minutos. Encendió su ordenador, repasó rápidamente sus e-mails, escuchó los mensajes del teléfono e incluso hizo dos llamadas a su secretaria y a otro abogado *junior*. En fin, dirigía el comienzo de otro día. Alcanzó su agenda de mesa, me dijo que esperara allí a que él volviera y salió del despacho. Oí su voz en el pasillo.

La agenda. Anselm. Lovett y él ya habrían hablado. Mi nombre estaba subrayado en la página. La misma fecha. Aquello tenía que significar algo. O, peor aún, UKI había contactado con Lovett y le había dicho a la empresa lo que yo había hecho. Atacarían en breve. ¿Y qué coño esperaba yo? La puerta de la nevera ya decía bastante. Estaban decididos a desacreditarme. A deshacerse de mí de una vez por todas. Tal vez

Anselm trabajaba para UKI. Tal vez Lovett también. Me aferré ciegamente a aquellas conexiones entre los hechos; luché por tranquilizarme contando los lomos de los libros: veinticuatro, veinticinco, veintiséis, veintisiete. No servía de nada. Lovett había ido a avisar a los de seguridad. Tal vez la policía ya estaba de camino. Estaba a punto de desfilar hacia las escaleras de emergencia cuando oí de nuevo su voz en el pasillo.

–Así que tiene un *handicap* ocho, ¿no? Muy bien, pues apúntale.

Una cortina de humo. Debía salir corriendo. No. Correr sellaría mi destino. Podían estar vigilando las salidas. Volví a sentarme y crucé los brazos: dos gruesas cuerdas que me ataban a la silla.

–Treinta y ocho, treinta y nueve, cuarenta, cuarenta y uno –susurré–. Cuarenta y dos, cuarenta y tres...

Mis ojos se posaron sobre la fotografía aérea de la finca de Lovett. En el camino en forma de *ese* junto al helipuerto vi una *ese* de Socorro.

Lovett entró sin prisa en el despacho. Llevaba una taza de café en la mano. Se sentó. Repasó las páginas de su agenda, dio unos sorbos, dobló un clip hacia delante y hacia atrás entre el pulgar y los dedos de la otra mano.

–Cierra la puerta, ¿quieres, Lewis? Si no, van a interrumpirnos.

Hice lo que me pedía. El teléfono sonó cuando volví a sentarme. Con lo que parecía una frivolidad poco habitual en él, Lovett bromeó con la voz que se oía al otro lado del teléfono. En un momento dado, incluso me miró y puso los ojos en blanco en gesto de disculpa. Miré hacia abajo. Mis propias manos, que me había forzado a mantener quietas sobre mi regazo, se estrechaban tanto que se transparentaban los huesos. Al fin terminó la llamada. Soltó un suspiro y capituló:

–Idiota.

Pensé que se refería a mí. Pero, al levantar la mirada, vi que apuntaba algo en una libreta. Cuando hubo terminado, le puso el capuchón a su bolígrafo Montblanc y respiró hondo. Fue un golpe de efecto.

–UKI –dijo sin mirarme. Yo clavé los ojos por encima de su cabeza–. ¿Qué pasa con UKI?

Se quedó mirándome. Tuve que esforzarme por no desviar la mirada y me costó mucho permanecer callado y confiar en mi presentimiento de que afinaría su pregunta antes de esperar una respuesta. Me encogí de hombros lo justo, como diciendo: «¿Quién sabe?».

–Yo no he vuelto a tener noticias suyas –continuó.

Funcionó. Mis dedos se relajaron.

–¿Se han puesto en contacto contigo? –insistió.

–No –contesté–. No han dicho ni pío.

–Lo digo porque no me creo que quieran retirarse. Eso no fue lo que les aconsejamos. Si hacen esperar demasiado a la otra parte, se arriesgan a que les retiren la oferta. Tenemos que darles un empujón para que se den cuenta de que no pueden quedarse ahí sentados sin más. ¿De acuerdo?

–Por supuesto.

–Así que llámalos. Deja claro que sigues mis órdenes. Tal vez debas sugerir una reunión. –Buscó un hueco en su agenda, pero se rindió y continuó–: Coordínate con Jan.

Me levanté y di media vuelta para irme. Al llegar a la puerta me acordé del maletín y del café. Los recogí sin que él me mirara.

Cerré la puerta de mi despacho. Sentí un cierto alivio en la cabeza. El cuello y la espalda seguían picándome con el roce de la camisa, pero se me estaba pasando. Abrí mi libreta por la página adecuada y eché un vistazo a lo que había escrito. La idea de llamar a UKI no era lo más adecuado. Pero no importaba: intenté serenarme y pensé que todavía podía llevarla a cabo. Apreté la mandíbula hasta que me dolió.

Marqué el número de Londres que Hadzewycz le había dado a Saptak. Sonó durante mucho tiempo. Esperé. Los nudos que sentía en los hombros se relajaron con cada tono. Tal vez no estaba. Ya pensaba en colgar cuando contestó de forma cortante:

–Viktor Hadzewycz al habla.

–Señor Hadzewycz, soy Lewis Penn. He intentado ponerme en contacto con usted varias veces.

Tomé aire para calmarme, y justo cuando iba a soltar mi perorata, dijo:

–Sin duda, sí. Escuche. Le recojo fuera de oficina a las ocho de tarde. Traiga nuestro documento. ¿Comprendido? Hasta entonces.

Soltó aquellas palabras de un tirón y la línea se cortó en el acto. Me quedé con la boca abierta. La cerré, todavía sujetando el auricular contra mi oreja; me tembló la mano. Se había ido. Colgué el teléfono.

Mi despacho estaba en silencio. Sólo escuché el zumbido de los conductos del aire acondicionado. Traté de reconstruir sus palabras. La llamada no había salido bien. Todo me había sorprendido: el sonido extranjero de su voz, la inmediatez de su toma de control. Él había ignorado las reglas en una conversación telefónica de negocios. El protocolo al que se atenían Kommissar y Gorbenko, al parecer, no significaba nada para Hadzewycz. Dije sus nombres en voz alta: Hadzewycz, Gorbenko y Kommissar. Éstos se disolvieron en el aire cuando los fui repitiendo una y otra vez. Mostraron una jerarquía cuyas reglas no lograba adivinar. ¿Cómo iba a saber de qué modo debía hablarles? ¿Por qué pensaba que la conversación iba a seguir unas reglas? ¿Por qué no me había lanzado a hablar? En cualquier caso, ¿por qué motivo habrían de creer lo que tenía que decirles? El sonido de los conductos de ventilación rugía y no podía hacer nada para acallarlo.

Intenté calmarme. Al menos había hecho la llamada. Había iniciado algo. Tal vez había juzgado mal su estilo. Quizá le hablaba así a todo el mundo por teléfono. Ya tendría ocasión de decir mis frases cuando nos encontráramos. Sí, una reunión aquella tarde funcionaría. Comprobé mi agenda electrónica. A las ocho me iba bien, era tan buen momento como cualquier otro. Reservé dos horas arrastrando con el ratón un cuadrado en blanco. Mis manos quisieron teclear un encabezamiento para la reunión, pero no se me ocurría ninguno.

El teléfono me sacó del bloqueo. Tenía que ser Hadzewycz. Conté las veces que sonó su timbre de doble tono y, a la octava, dieciséis timbrazos, contesté. A la desesperada, me esforcé en atar los cabos de lo que había planeado decirle. Después respiré hondo para que mi voz sonara con autoridad. Por un segundo el acento americanizado me hizo pensar que tenía razón, que era Hadzewycz, o tal vez Gorbenko, pero la voz que contestó a mi «Lewis Penn» era la de Beazley.

–Soy Kent. Estoy en Zurich. ¿Por dónde vamos?

–¿Cómo?

–Con el informe. Voy a hablar con los japoneses a las once y quiero informarles de nuestro progreso. ¿Cuántas cajas de ésas hemos repasado ya?

–Bueno, hemos hecho un buen comienzo –improvisé–. Pero me temo que no podemos dar más detalles sin estudiarlo primero. Y en algunas cajas los documentos son un auténtico caos. El cliente no ha establecido una correlación entre ellos que nos sea útil.

La típica excusa. No me costó encontrarla.

–¿Qué es un buen comienzo? ¿Cuántas repasaste anoche? –preguntó directamente.

Hubo una pausa.

–Unas cuantas cajas, me temo que no las he contado.

–¿Unas cuantas? Venga ya. Dame una aproximación. ¿Vamos por la mitad? ¿Menos o más?

¿Por la mitad? Él sabía perfectamente la envergadura del

trabajo. Había una tensa impaciencia en su tono de voz y percibí que estaba reconduciendo el enfado que tenía por otro motivo, que la llamada era una excusa para desquitarse. Sin embargo, su frustración hizo que me relajara; era una presión conocida y previsible, una fuerza que sabía contrarrestar: todo lo que hacía falta era diligencia, ocultación y tacto.

–Estoy trabajando en ello a toda máquina –le dije–. Llevo casi un cuarto del trabajo hecho, y tendré el informe preliminar preparado con tiempo de sobra para que podamos realizar la versión definitiva sin problemas antes del plazo de entrega. Dijiste ayer que teníamos nueve días. Siendo así, no debemos preocuparnos. Puedes decirles a los japoneses que vamos por delante de lo previsto.

–Bien.

Kent calló un instante para pensar de qué otra forma podía expresar su irritación.

–Quiero un borrador provisional encima de mi mesa antes del fin de semana. No te preocupes por dónde vayamos, siempre podrás completarlo después. Pero quiero ver el formato, puede que queramos hacer algunos ajustes antes de llegar a la fase final del documento. Estos tipos son puntillosos. Tenemos que adelantarnos a la jugada.

Estaba anticipando la fecha de entrega cuando no tenía ninguna razón para hacerlo. Redactar un borrador provisional me haría retrasarme con el informe preliminar, que, a su vez, era sólo un peldaño en el camino hacia el resultado final. Eso, y engordar nuestra factura. Sin embargo, aquello también era previsible, desde luego era algo que me veía capaz de manejar.

–Lo entiendo –dije–. Tendré algo preparado para que puedas revisarlo el sábado.

Hubo una pausa en Zurich. Enfrentado a ese pronóstico optimista, Kent no podía salir con nada más.

–Bien. Sigue así –concedió, y colgó.

Yo hice lo propio. Entonces me di cuenta de que no quería desaprovechar lo que había ocurrido en la conversación. Podía hacer lo que Beazley me pedía si no tuviera más trabajo. Podía ponerme con eso hasta terminarlo, entregar aquel borrador innecesario a tiempo, hacerle frente. Pero ¿acaso no era todo absurdo? Absurdo y, sin embargo, lo único que importaba, la única fuente de consuelo: algo positivo que podía hacer. Parecía lógico intentar cumplir el plazo, porque seguro que contaría para algo. Yo ganaría puntos por no haberme venido abajo pese a la presión. Si le dedicaba unos días, podía hacer la peor parte del trabajo.

Le di vueltas a esas ideas, pero desconfiaba tanto de ellas como se desconfía del agua caliente cuando se comprueba su temperatura con una mano congelada. Me había vuelto el cansancio y, con él, la desesperación, que lo desdibujaba todo para convertirlo en contradicciones enfrentadas. Exasperado, tomé el teléfono y llamé a la residencia. Le dije a la bruja de la enfermera que iría a visitar a Dan más tarde. Después llamé a Paula para decirle que anotara los recados, y me encerré en la sala de documentación durante seis, siete horas, enfrascado en el trabajo que tenía entre manos. Impulsado por algo más hondo que el cansancio, me decidí a sacar el informe adelante a una marcha constante.

Me gustaba la idea de estar haciendo algo que comprendía, por muy gris que fuera. Cuando notaba que la mente me divagaba, todavía trabajaba más, volcaba más datos en la desembocadura del río para allanar las dificultades. El sonido de mi voz transmitiendo análisis al dictáfono encendido era la prueba de que estaba pensando en otro tema. Y me tranquilizaba: una música familiar en un entorno desconocido.

A las cuatro ya había logrado un innegable avance en el trabajo. Allí estaban las pruebas, por si alguien quería comprobarlo. Sin embargo, empezaba a ir más despacio, tropezaba al pronunciar las palabras y tenía que repasar los contratos para ver por dónde iba. Me olvidaba de si había revisado las cláusulas fundamentales y me quedaba mirando los textos como si fueran ladrillos de una pared. Seguí trabajando otros veinte minutos más o menos, pero no sirvió de nada. Las palabras que leía no tenían ningún sentido. Ahora sí había hecho un buen comienzo. Ordené los expedientes en dos pilas: hecho y por hacer.

De vuelta en mi despacho, recogí el abrigo del perchero de latón falso. Vi que había un mensaje de teléfono, pero no reconocí aquella voz apremiante.

«Hola. Soy yo, Tate. Lewis, siento recurrir al teléfono, pero me estoy volviendo loca. Tienes que ser tú. Sería demasiada coincidencia. No me importa qué esté ocurriendo, Lewis, hemos llegado hasta aquí y no puedes dejarme fuera. Puedes meterte en líos en el trabajo sin tener que perderme a mí. Quiero ayudarte. Sé que puedo echarte una mano con lo que sea. Este silencio me está matando. No me lo merezco. Por favor, Lewis, llámame al 0908 8510379. No voy a rendirme.»

Esa voz no pertenecía a nadie que yo conociera. No conocía a ninguna Tate. Aquello debía de tener algo que ver con UKI, debía de ser otra mentira. «Puedes meterte en líos en el trabajo sin tener que perderme a mí.» Como la lluvia cayendo sobre el cristal de una ventana, aquellos mensajes suponían otra lente de irrealidad a través de la cual estaba forzado a sacarle sentido a una situación ya de por sí distorsionada. Pero el apremio en su voz sonaba real. No era algo que pudiera rechazar de inmediato. Volví a escuchar la grabación. Puro teatro. Pero ¿acaso pensaban que podían engañarme una segunda vez? Seguro que no. Era demasiada coincidencia. Me fue imposible darle una segunda lectura. ¿Por qué la habría utilizado UKI justo cuando había quedado con Hadzewycz? No se me ocurría. Miré el reloj para sonsacarle a su esfera qué hora era. La sensación de urgencia presionaba mi mente.

Antes que UKI, que de Hadzewycz y aquella absurda Tate, tenía que ir a visitar a Dan. Escribí el nombre y el número en un *post-it* y lo dejé en mi bandeja. Después bajé por las escaleras laterales a la planta baja. A una parte de mí mismo le apuraba que pareciera que me iba a casa pronto.

25

En la residencia, esta vez nadie me abordó por el camino. A medida que me acercaba por el pasillo a la habitación de Dan, pude oír unos gemidos. Sonaban derrotados: la persona que los emitía quería rendirse. Entré en la habitación de Dan y cerré la puerta tras de mí, y, con ella, corté el paso a ese lamento.

Aún dormía. La manta y las sábanas, subidas hasta el pecho, estaban dobladas con cuidado hacia atrás. Tenía la boca y los ojos cerrados, el rostro, inexpresivo. Alcancé a ver los hoyos bajo sus mejillas, a pesar de la luz tenue, y su hombro izquierdo le sobresalía por entre el pijama, como una percha de abrigos. Parecía sereno, con el pelo extendido sobre la almohada.

Susurré su nombre, pero él no se despertó. Me senté a su lado y escuché su lenta y dificultosa respiración. Él quería contarme algo y yo tenía que explicarle lo de Clara, así que antes o después debía despertarse. Lo decía el guión.

El ordenador portátil de Dan estaba cerrado sobre la mesa junto a la lamparita de noche. El mensaje que me había enviado provenía de aquella extraña dirección. Y sólo difería en una letra de la de ese tal T.D. que había intentado contactar conmigo. Aunque T.D. podría ser Tate. Una luz se encendió en mi cabeza: dos gotas de lluvia que resbalaron y confluyeron sobre el distorsionado cristal de la ventana, para luego precipitarse en una carrera conjunta. Si Tate tenía algo que ver con UKI, ¿estaba Dan de alguna manera implicado en sus mensajes? Al formularlo, esa idea me pareció tan inadmisible, tan ridículamente malévola, que enseguida busqué una forma de detenerla, de aplastar la gotita de lluvia que se precipitaba. Dan estaba al margen. El e-mail que me había enviado no podía venir de él. Sentí la amenaza de una risotada. Eso era. Y, sin embargo, dado el contenido del mensaje, en realidad no podía poner en duda que viniera de Dan. La risa se tragó a sí misma. Se me ocurrió una forma de descubrirlo, pues eso habría que comprobarlo. Consultaría el fichero de *Elementos enviados* en su correo electrónico. Mientras sujetaba la mano que le colgaba, estiré el brazo izquierdo, abrí la tapa del ordenador y le di al botón. Al encenderse la pantalla azul, a mis espaldas se abrió la puerta de la habitación.

–¡Lewis!

Me puse de pie y al volverme vi a mamá con el abrigo sobre el brazo. Unas gotas de lluvia brillaban sobre su cabello gris moteado. Me sonreía a pesar de su fatiga. Detrás de ella, papá se limpiaba las gafas.

–Ah, hola, hijo. Así que estás aquí –dijo mi padre con aire cansino.

–Así es.

–¿Qué tal está? ¿Sigue durmiendo?

Mamá se acercó a la cama.

–Está fuera de combate –sentencié.

–No ha estado bien, nada bien. –Mamá le retiró el flequillo de la cara–. Ha estado muy enfermo. Y muy preocupado. Tuvieron que aumentar la dosis de sedantes para calmarle. No podía respirar. Ha estado durmiendo toda la tarde, hasta que nos hemos ido a tomar el té. Hemos vuelto por si se despierta. –Lo explicó mirando a Dan, no a mí.

–Preguntó por ti –comentó papá.

–Lo sé. Vine ayer, y aquí estoy ahora.

–Intentamos llamarte durante el fin de semana –confirmó.

–Estaba fuera.

Entonces hubo una pausa. Luego papá dijo:

—Espero que lo pasaras bien.

Pero pareció arrepentirse de aquella pulla nada más decirla, porque dejó caer las manos a los lados, en gesto de resignación, con lo que las gafas oscilaron, y rápidamente desvió la conversación hacia un terreno práctico más seguro.

—Mejor que duerma. Le ayudará a recobrar fuerzas.

—¿Estás bien, Lewis? —siguió mamá—. Te veo muy pálido.

—Tengo mucho trabajo. Anoche me quedé hasta tarde. Quería venir antes. No es un buen momento en la oficina, me están haciendo pasarlo mal.

—Pero ¿va todo bien? —preguntó papá—. Estoy seguro de que puedes con ello. —Buscaba reconfortarse a sí mismo.

—Lo tengo todo controlado.

Permanecimos en silencio alrededor de la cama de Dan, todos juntos frente a la inminente catástrofe. Estaba ocurriendo algo que se veía venir desde hacía mucho tiempo, pero de pronto resultaba tan extraño, tan prematuro e inesperado...

—Voy a hablar con la hermana para que me ponga al día de lo que hay, a ver qué planes tienen.

Fue papá quien rompió el silencio. Intentaba en vano inyectar cierto optimismo en su tono de voz, como si el mero hecho de consultar a las enfermeras pudiera cambiar, incluso mejorar, el pronóstico de Dan.

Ninguno de los dos contestamos. Salió resuelto de la habitación.

Mamá se sentó, compungida, al otro lado de la cama de Dan. Me sonrió, contenta de que estuviera allí. Pero ignoró por completo un detalle clave: que Dan no podía saberlo.

—Voy a comprobar unos asuntos de trabajo en el ordenador —expliqué señalando la pantalla encendida—. Puedo acceder a mis cosas desde aquí.

Asintió con un gesto de la cabeza. No tenía que molestarme en dar más explicaciones.

Volví a sentarme a la mesa. Y examiné el escritorio. Unos iconos desconocidos lo diferenciaban del mío. Los repasé buscando el progama del correo electrónico hasta que lo encontré. Sin embargo, al intentar abrirlo, tuve que seleccionar entre varios nombres de usuario. Un ajuste muy pertinente si el programa iba a usarlo más de una persona, o si el usuario quería diferenciar los e-mails que enviaba. La caja mostraba las alternativas. Primero: dp@cucoveloz.velocidadaerea.com. Debajo: lp@cucoveloz.velocidadaerea.com.

El cursor parpadeó como si dudara. Ahí estaban, en el ordenador de Dan, las dos cuentas de correo electrónico. Aquello era suficiente para convencerme de que el e-mail que había recibido era suyo. Ya no tendría que comprobar la bandeja de *Elementos enviados* desde dp@cucoveloz.velocidadaerea.com. A menos de un metro de mí, él daba lentas y roncas respiraciones. No tenía derecho alguno a seguir con aquello. Pero una duda persistía. Los e-mails que yo había recibido de T.D. y, más recientemente, el mensaje telefónico revelando su nombre, si es que realmente era la misma persona, seguían siendo un misterio. Tal vez yo sí que era el Lewis Penn correcto. No había querido reconocerlo, pero tenía que haber una conexión. Allí estaba la cuenta de correo a la que T.D., o Tate, también había intentado acceder al enviarme su mensaje. Tal como estaban las cosas, no tenía ningún sentido, pero si comprobaba las cuentas, si leía la correspondencia de Dan, tal vez podría aclarar lo que estaba ocurriendo. Él quería contarme algo. Forcé la lógica: descubriría qué quería contarme si investigaba más en su ordenador. Dejé convenientemente a un lado el hecho de que me hubiera dicho que quería hablar conmigo. No podíamos hablar, él no me lo podía contar, pero yo sí que podía leer.

La indignación moral se enfrentaba con mi necesidad de comprender. Tiraban en direcciones opuestas: la indignación era la resaca en la orilla; la curiosidad, el oleaje. Ganaron las olas.

Marqué la dirección lp@cucoveloz.velocidadaerea.com y pulsé *Enter*. Se abrió un recuadro de contraseñas. No lo había previsto. Si la cuenta estaba protegida con una contraseña, eso significaba que no quería que nadie en absoluto leyera su correspondencia. Yo no era nadie en absoluto. Las letras «lp» tenían que referirse a Lewis Penn, igual que «dp» era por Dan. Probé a poner «Lewis» en el campo: rechazado. Lo intenté con «Dan» en el campo «dp»: de nuevo incorrecto. Frustrado, probé variantes de nuestros dos cumpleaños en los respectivos campos. No hubo suerte. Reprimí un suspiro. Al menos eso creí.

–¿Todo bien? –preguntó mamá.

–Sí, bien, gracias –dije sonriendo.

–Tenías el ceño fruncido.

–¿A qué ceño fruncido te refieres?

–El que siempre pones cuando las cosas no van del todo bien. Cuando algo que no puedes cambiar se interpone en tu camino.

–Bueno, esto es un poco frustrante, pero no es el fin del mundo.

–El fin del mundo, no –repitió la frase dejando que las palabras adquirieran significado por sí mismas.

–Sólo es trabajo –dije, más para detener el eco de la frase anterior que por otro motivo.

–Deberías desconectar de vez en cuando. De verdad que deberías. –Tenía una expresión de preocupación en el rostro.

–Claro, mamá, estoy de acuerdo –dije, y sonreí para tranquilizarla.

Entonces tuve una idea. No sé qué la provocó. Tal vez fue la discrepancia entre mis esfuerzos desesperados por mantener mi vida inteligible e inalterada y la resignada renuncia de Dan a la suya, allí a mi lado. El caso es que de repente me pareció que casi sería un alivio cambiarnos uno por otro. Intercambiar los sitios. Dejar que Dan se preocupara por mantener a Lewis intacto y dejar que yo me disolviera en lugar de Dan. Un trueque. Miré los dos campos en blanco, y en «lp» tecleé «Daniel». Funcionó.

Mientras se abrían las pantallas, eché un vistazo furtivo a Dan y después a mamá. Él seguía con los ojos cerrados como una ventana cubierta con tablones. Ella miraba hacia abajo, a sus manos, y se rascaba distraídamente una piel del dedo índice con la uña del pulgar. Me llevó un minuto averiguar en el ordenador cómo había organizado Dan los ficheros dentro de la cuenta «lp». Por *Recibidos* y *Enviados,* agrupados por fecha, mes a mes, retrocediendo bastante en el tiempo, más de un año. Pinché la carpeta más reciente, la de enero.

Todos los mensajes eran *De* y *Para* las direcciones «lp» y «td». Había unos diez e-mails en enero, el último enviado una semana antes. Hice dos clics en diciembre y salieron unos cuarenta mensajes. Otro mes al azar, luego un fichero de correspondencia archivada. Dudé en abrir alguno de los mensajes, a pesar de que ardía mi deseo de comprender. Quería desenmarañar lo que de momento parecía ser un enredo de conexiones perdidas, de identidades cambiantes.

En lugar de ello, derivé mi curiosidad. Intenté conectarme a la identidad «dp» con la contraseña «Lewis». También funcionó. A primera vista, los archivos agrupados bajo «dp» eran mucho más dispares. Reconocí los nombres de un par de amigos de Dan, junto con otras carpetas con títulos más ambiguos y atrevidos como *Idiota, La enfermedad* y *Ríete de esto.* En medio de ellas había una denominada *Lewis.*

Abrí la carpeta *Lewis.* Allí sólo había guardados unos pocos e-mails. Por lo que podía ver, eran los que yo le había enviado y sus correspondientes respuestas. Me sentí en terreno seguro, ya que no hacía daño a nadie que leyera lo que yo había escrito o leído con anterioridad. Tenía razón. De repente, los mensajes me hicieron sentirme trivial y calmaron la indignación que me remordía por curiosear. Cerré esa carpeta y estudié las demás. Una me llamó la atención, la titulada *Borrador.* Mensajes escritos pero sin enviar. Mensajes que puede que nunca fueran enviados. Eso los hacía inmediatamente más importantes. Palabras pensadas pero no dichas.

Al haber violado ya un límite, el siguiente lo crucé con mayor facilidad. Abrí el fichero. Había un solo borrador, que iba dirigido a mí.

En la cama, a mi lado, Dan inspiró con esfuerzo: unos pies de barro que se arrastraban por entre más barro. Seguía con los ojos cerrados, inmóviles bajo unos palidecidos párpados. Abrí el e-mail. Las primeras líneas decían:

```
Querido Lewis:
Quería decirte esto cara a cara. He estado in-
tentando hacerlo desde que la cosa llegó dema-
siado lejos. Desde que yo dejé que llegara.
```

Oí unas voces al otro lado de la puerta y noté que mamá alzaba la mirada. Entraron papá y la enfermera con la que yo había hablado el día anterior. Él sujetaba la puerta como si estuviera invitándola a pasar a su salón. El efecto se estropeó cuando ella le dio una patada a una cuña que retenía la puerta justo donde él la sujetaba.

```
Esta disculpa no debería ser por escrito. Ni sólo
mediante palabras. Eso es lo que siento. Debería
habértelo dicho la otra noche.
```

–Éste es nuestro otro hijo, Lewis –decía papá.

–Ya nos conocemos –comentó ella.

Alcé la vista para relajar el ambiente y saludarla, pero ella le miraba a él.

–Es abogado –explicó papá.

–Caramba.

Entonces se volvió hacia mí con una sonrisita mordaz.

```
Pero no lo hice y no parece que vaya a tener ya
la oportunidad de decírtelo, y tengo que con-
tártelo de alguna manera, así que aquí va.
```

El mensaje continuaba más allá del final de la pantalla. Hice avanzar el texto rápidamente y vi las palabras extendiéndose debajo. La hermana se había acercado a mi lado de la cama, ajustó las sábanas y después alcanzó la jarra de plástico que había detrás de mí.

–¿Qué haces ahí, hijo? –preguntó papá con una sombra de sospecha en su voz.

Tomé una decisión repentina. No podía repasar aquello allí: lo reenviaría a mi dirección electrónica y lo leería a solas.

–Estoy comprobando unas cosas para el trabajo –contesté.

No miré hacia arriba, me incliné para esquivar a la enfermera, que trajinaba a mi alrededor, cerré el e-mail e intenté reenviármelo. El portátil tenía que establecer primero la conexión, y tardó siglos. Mientras tanto, pasé de la identidad «dp» a «lp» y, dado que no sabía agruparlos en un solo bloque, empecé a enviar los mensajes uno a uno. Se pusieron en cola hasta que funcionó el acceso telefónico, y después empezaron a filtrarse desde la *Bandeja de salida*. Uno, dos, tres, cuatro, cinco, seis... tan lento que me exasperaba. Envié los e-mails de enero y la mitad de los de diciembre antes de notar que papá se me acercaba rodeando a la enfermera, y luego se alejaba hablándome:

–No sabía que pudieras acceder a tu trabajo desde otro ordenador.

Veinticuatro, veinticinco... Cerré los archivos precipitadamente.

–Sí, se puede, con el código adecuado. Pero ya he terminado.

La enfermera se había ido de la habitación.

–¿Qué ha dicho? –pregunté señalando con la cabeza hacia la puerta abierta. Aproveché para cerrar el ordenador de Dan.

Papá se volvió hacia la cama, y, de espaldas a mí, repitió el cliché:

–Dice que es cuestión de mantenerle cómodo hasta que... De mantenerle todo lo cómodo que podamos.

Me levanté y puse una mano sobre el brazo de papá. Por la tensión de su cuerpo, noté lo inesperado de ese contacto. Después, bajó los hombros despacio en señal de resignación. En ese horrible momento, me pareció que temblaba. Aquel desastroso «hasta que...» todavía audible... Pero él se recompuso con firmeza.

–Tengo que irme –susurré–. Si se despierta mientras estáis aquí, ¿podéis decirle algo de mi parte?

Ambos me miraron, decepcionados.

–Claro –dijo mamá.

–Podéis decirle que he estado aquí, que creo que recibí su mensaje, lo que intentaba decirme. Decidle que no llegó demasiado tarde, que intentaré hablar con él pronto; aseguradle eso.

–Claro.

26

El tren para Waterloo se detuvo a menos de un kilómetro de la estación. No comunicaron nada por megafonía. Esperé mordiéndome los labios por dentro, e intenté repasar mis frases para Hadzewycz, deseando que el tren se moviera. Desde las 19:25 hasta las 19:40 no ocurrió nada. Caminé en vano por los vagones en busca de un revisor. Al llegar a la cabeza del tren, incluso consideré la posibilidad de bajarme a la vía: vi que pasaban coches a través de un hueco entre los edificios, más adelante, y pensé que tal vez podría llegar a la carretera y tomar un taxi. A sólo veinte minutos de mi reunión con Hadzewycz, estuve a punto de correr ese riesgo. Me fijé en las luces de un bloque de oficinas, y coloqué la mano en el tirador de la puerta. De pronto aquellas luces empezaron a moverse hacia atrás: estábamos de nuevo en marcha.

A las 20:10 rodeé la esquina de Madison & Vere, reduciendo mi carrera a un paseo, decidido a entrar con calma en el vestíbulo principal. Antes de llegar, se abrió hacia la acera, frente a mí, la puerta trasera de un Volvo negro aparcado, y de él salió con destreza un hombrecillo de pelo blanco que se interpuso en mi camino. Di un paso a la izquierda, pero me dio la impresión de que iba a intentar detenerme, como en efecto hizo. Extendió su mano como para estrechar la mía, sonrió bajo su bigote gris y anunció:

–Lewis, me llamo Viktor, Viktor Hadzewycz.

Tuve que forzarme a respirar despacio, pero me sentía extrañamente tranquilo, como si me hubieran quitado un peso de encima. No intenté esquivarle, ni volverme para salir corriendo. En lugar de ello, le tendí la mano.

–Ah, hola –dije–. Me alegro de conocerle, por fin.

–Yo también –respondió–. Estábamos deseando verle.

Señaló el coche y siguió hablando, con su acento norteamericano apenas perceptible sobre una entonación rusa o de algún país de Europa del Este.

–Debemos tener pequeña charla. Si quiere, podemos dar vuelta en coche, tal vez coger algo y comer. Conozco buen restaurante no lejos, aquí cerca. Tiene pinta de necesitar comida de verdad. Buena comida.

Hablaba con gentileza, de forma que me tomé la oferta como un detalle. Al mismo tiempo, y a pesar de los errores en su inglés, rezumaba autoridad. Quise decir algo para mostrar que me estaba pensando su sugerencia, para no aceptarla sin más. Pero no se me ocurrieron las palabras adecuadas. Lo cierto es que sabía de sobra que no podía decirle que no. Entré en el coche, donde hacía un agradable calor, y me deslicé por el asiento de piel negra hasta la plaza de detrás del conductor. Hadzewycz se metió detrás de mí y arrancamos al instante. Nadie habló durante un rato. El coche ronroneaba.

–Arreglamos esto durante cena –dijo finalmente–. No hay problema. –Asentí con la cabeza. Él continuó–: No esté preocupado. Recuéstese. El sitio que estoy pensando está justo al otro lado río. Guardamos charla para entonces. Echo de menos comida y, no lo sé, pero es mi fuerte creencia que todos pensamos con más claridad con el estómago lleno.

Asentí otra vez. Hadzewycz juntó las manos sobre su regazo, sonrió de nuevo y se volvió para mirar por la ventana.

Sentí la fuerte necesidad de empezar a hablar para llenar el silencio. Cualquier cosa, simplemente palabras, para darme notoriedad. Pero el guión no me satisfizo: tenía miedo de que si empezaba a hablar no fuera capaz de parar, de que acabara contándole la verdad. Me quedé mirando el reposasacabezas enfrente de mí, forzándome a esperar hasta el momento oportuno. El silencio, me dije a mí mismo, también es un arma. Todo lo que tenía que hacer era parecer cómodo sin hablar y eso le convencería de que tendría que vérselas conmigo.

Me sentí ligeramente extraño mientras nos deslizábamos por la ciudad, bajando por Threadneedle Street y cruzando el Southwark Bridge; pero pronto dejó de impresionarme la sensación general de irrealidad. Sin embargo, para hacerme llevadera la falta de diálogo, me concentré en los detalles: el conductor llevaba una gorra de chófer; lo pequeños que parecían los pies de Hadzewycz en el hueco de delante del asiento contiguo; y lo silenciosas que estaban las calles de la ciudad cuando uno les quitaba el sonido del viento y el tráfico.

En persona, Hadzewycz resultaba muy diferente de como me lo había imaginado. Me lo había figurado más joven, más alto, más moreno y, en general, más imponente. El tipo bajito que tenía a mi lado parecía bastante paternal y amistoso. Y también digno de confianza. Ése era el problema. En el fondo, sentía como si quisiera confiarme a él allí mismo, en el acto. A medida que el viaje continuaba, me costó mucho no hacerlo. No. Tenía que acordarme de lo que esa mañana había decidido decir. Sí. Cuando llegara el momento me atendría a eso, al guión.

El coche salió del puente, dejó atrás el edificio del *Financial Times,* el del *Globe* a nuestra derecha, y se metió en Southwark, que de inmediato pareció más sucio; el sur de Londres era muy plano y se extendía hacia lo lejos. Giramos a la izquierda, abrazando el río, a través de callejones, mientras yo lo observaba todo por las ventanillas del coche, que parecían tener un grosor de dos centímetros y ser inexpugnables. Pude ver el Támesis por entre las casas amontonadas, el *HMS Belfast* y la estación de London Bridge, que brillaba como el fondo de un espejo. Ante nosotros, en la calle, salía vapor de los respiraderos. Estábamos en el decorado de una película, sin duda. Cuando apareció la imagen congelada del Tower Bridge, iluminado para las cámaras, casi sonreí.

Pero en ese momento el coche se detuvo en Shad Thames, ante un restaurante que reconocí como un sitio en el que había estado en alguna ocasión por asuntos de trabajo, un restaurante intencionadamente refinado al que llevábamos a los clientes para impresionarlos. Clientes como UKI. Tuve la repentina premonición de que nos encontraríamos a algún compañero de trabajo dentro, Lovett, por ejemplo, y esa posibilidad me hizo estremecer. Aquello no estaba pasando en el vacío: sólo yo podía evitar que los acontecimientos de la película tuvieran repercusión en el mundo real.

Hadzewycz me invitó a entrar y nos fuimos derechos a una mesa libre, justo al lado de la ventana que quedaba al mismo nivel del río. Por el camino intercambió cortesías con el camarero. Nos sentamos, tomó de inmediato la carta y empezó a leerla con toda atención. Yo eché un vistazo rápido al restaurante para asegurarme de que no había nadie que me conociera y después hice lo propio. Pero no logré concentrarme en lo que decía la carta. Cada plato era simplemente texto que me vi contando. Primeros platos, ocho, segundos, doce, postres, diez. Treinta en total. Cuatro púas en cada tenedor, ocho, tres cuchillos, once, dos cucharas, trece. Alcé una de éstas y vi el reflejo de mi cara del revés. Un Lewis Penn dado la vuelta.

–¿Está decidido?

–Todo tiene buena pinta, sí –contesté.

–Me alegro mucho. Bien. Bueno, pidamos y entonces podemos seguir.

El camarero apareció en cuanto Hadzewycz alzó la mirada. Hadzewycz me sugirió cortésmente que eligiera como invitado suyo, así que me limité a decir el primer plato mencionado tanto en la lista de los entrantes como en la de los segundos. Tras pedir lo suyo, deliberó sobre la carta de vinos, y a continuación el camarero se marchó.

Por primera vez miré atentamente su rostro. El pelo blanco y el bigote gris eran engañosos, ya que no tenía más de cuarenta años; su piel tersa y curtida desentonaba con su traje de ciudad. Las patas de gallo que le salían de los ojos me recordaban a las que tienen los monitores de esquí y de vela, y no a las arrugas de un hombre cansado de su vida sedentaria. Le daban una aparente sonrisa perpetua. Sin embargo, los ojos gris claro eran tan implacables como puños cerrados y miraban fijamente los míos, de una forma tan directa que me ponía nervioso.

–Tenemos problema –dijo.

Hizo vibrar la erre de «problema», como luego haría con todas las erres. Daban color al resto de sus palabras.

–Tenemos problema y necesitamos que usted lo arregle.

–Pero no estoy seguro de poder hacerlo –respondí.

–Claro que puede, no es la cosa difícil –dijo con una sonrisa en los labios–. Todo lo que hace es devolver lo que se llevó. Lo queremos de vuelta inmediatamente.

Llegó el camarero y Hadzewycz probó el vino. En el dedo índice de su mano derecha llevaba un anillo grande, que lanzó un destello verde cuando levantó la copa. Como su cara curtida, el anillo no pegaba con su traje cruzado de color carbón. Asintió sonriente con la cabeza en gesto de aprobación y el camarero llenó nuestras copas; después la sonrisa volvió a dirigirse a mí y repitió la última palabra:

–Inmediatamente.

–No tengo los documentos –dije, y la sonrisa se esfumó–. Admito que los tenía, pero los tiré. Nunca fue mi intención tenerlos, de verdad. Fue un error.

–No vale. De ninguna manera. –Meneó la cabeza mientras untaba mantequilla en un panecillo.

–Pero es la verdad. Me llevé el expediente por error. Pensé que era el mismo que el señor Gorbenko me había dado, y que yo olvidé en la sala de reuniones. No me lo llevé a propósito. Un error. –Mis palabras sonaron patéticas–. No

quería admitir que me había llevado el expediente porque...
—Nada de lo que decía funcionaba, estaba muy lejos de donde había imaginado llegar según la escena para la que me había preparado—. Sin duda eso podría haber sido motivo de queja. ¡Es la verdad! ¡Destruí todos los papeles en Estados Unidos después de lo que pasó! ¡Están en el fondo del río Potomac a su paso por Washington!

—No es necesario levantar la voz —dijo él muy despacio. Ni me había dado cuenta. Continuó—: Pero eso no cuadra, ¿verdad? —Asintió con la cabeza como orgulloso de la expresión—. Si se llevó los documentos en accidente, ¿por qué no decírnoslo y devolverlos cuando descubre que es error? No, no tiene sentido. No para mí. Se fue a Estados Unidos. Cuando le vemos allí, casi lo único que tiene son copias de nuestros papeles. Usted está dispuesto a medidas extremas para recuperarlos. A medidas extremas.

—Pero eso también fue un accidente. —Sonó poco convincente.

—En cuyo caso, fue accidente desafortunado, no sólo para mujer muerta sino para tu bien propio, porque no parece accidente a mí. No, parece a propósito. —Su cara regresó a la sonrisa, pero ésta ya no significaba nada, porque esa última sospecha nos empequeñeció a ambos y borró las siguientes palabras que pronunció—: No, no, Lewis. Creo que empezamos otra vez: queremos nuestros papeles de vuelta.

Después de eso hubo una pausa.

—¿Lewis?

—¿Mujer muerta?

—Bueno, más que menos. —Se encogió de hombros—. No lee, creo, los periódicos de Washington. Pero tiene que hacerlo, debería. En cualquier forma, mucho temo que ella es ahora su preocupación más pequeña.

¿Qué quería decir? No fui capaz de hacer la pregunta de forma más directa por temor a la respuesta. El estómago se me subió al pecho y me levanté sin querer. La escena había ido fatal. Tenía que meterme entre bastidores. Sin embargo, al pasar junto a Hadzewycz, su pequeña mano salió disparada y agarró mi rodilla mala por detrás con una fuerza sorprendente.

–No andarás cinco minutos. –Su voz era apenas un susurro, la sonrisa todavía fija–. Siéntate.

Hice lo que me ordenó, pero creo que sólo porque un miedo repentino se apoderó de mí: era como haber mordido un chile al comer una ensalada; el sabor de todo lo demás sencillamente desapareció. Aquello estaba ocurriendo. Y tenía que hacer algo al respecto. Vi la historia que había preparado con una renovada claridad y supe que si no forzaba la conversación hacia ella, me ahogaría, dejando en su lugar las ondas en el agua. Clavé mi mirada en el deslumbrante mantel blanco, conté diez respiraciones lentas, levanté la vista y solté lo siguiente:

–Como digo, señor Hadzewycz, me temo que ya no tengo su expediente. Lo tomé por error, envié una copia a nuestra oficina de Washington también por error, y, de nuevo por error, pensé que podía ocultar mi transgresión inicial. Pensé que podía taparla. Eso condujo a lo que usted me dice ahora que fue mi error más grave, es decir, tirar sus documentos: otro error. Con todo, no puedo corregir esos errores. No puedo devolverles lo que no tengo. Entiendo que usted pueda no creerme, pero le doy mi palabra. –Puse voz de auténtico abogado, enfática, si bien un poco pedante. No importaba, tendría que valer. Seguí con el guión–: Antes de tirar los documentos los leí muy atentamente. El Proyecto Sebastopol, por lo que pude ver, es algo que UKI no puede permitir que salga a la luz. De igual modo, yo no puedo permitirme que mis errores sean de dominio público. Así que su jefe y yo estamos en un aprieto parecido. Nunca pensé en amenazar a UKI y, antes de todo esto, dudo mucho que UKI tuviera la más mínima intención de amenazarme a mí. Pero ahora los dos nos amenazamos mutuamente. Usted me dice que no duraré ni cinco minutos si salgo de este restaurante sin usted. Pues yo le digo que si resulto herido o si alguien llega a conocer mis errores, los detalles que tengo del Proyecto Sebastopol serán automáticamente públicos, tanto para las autoridades de aquí como para las de Estados Unidos. Debo recalcar la palabra «automáticamente». Me he pasado el día haciendo las gestiones pertinentes para el caso, pero, ahora que los dos nos entendemos, confío en que tal precaución resultará innecesaria. Sí, confío en ello. Porque la única forma que veo de cruzar este río de amenazas es construir un puente con mutua confianza.

No sé de dónde venía lo del «río de amenazas», y mucho menos lo del «puente con mutua confianza». Esa última parte la improvisé y salió por sí sola. Sin embargo, tras decirlo frené en seco, porque Hadzewycz negó con la cabeza y frunció los labios; parecía que respirara por entre los dientes en callado asombro.

–Lewis, ¿intenta hacer trato conmigo?

–Así es. Le estoy diciendo la verdad. Nunca tuve la intención de perjudicar a UKI y sigo sin tenerla. Pero si ahora me amenaza con entregarme a la policía, yo le devuelvo la amenaza.

El camarero regresó y nos sirvió, en unos platos blancos exageradamente grandes, la comida, dispuesta de manera recargada, en unas pirámides en miniatura, pintadas con la salsa. La sonrisa de Hadzewycz se volvió cortés y miró con verdadero delirio su primer plato. Dio las gracias al camarero, que asintió con discreción y se retiró. Por encima del hombro derecho de Hadzewycz, un barco turístico pasó por debajo del ornamentado puente. Un repentino reflejo amarillo brilló sobre su costado cuando las luces del puente dieron sobre el casco. Capucha amarilla. Intenté mantener la imagen a raya pensando: «Esta escena no ha terminado». Mientras tanto, Hadzewycz había empezado a comer y se metía con avidez en la boca tacos de carne de pato de un color oscuro.

Pareció olvidar mi presencia. Pero yo no fui capaz de unirme a él con la comida, ya que notaba el estómago demasiado cerca de la garganta. Así que, en vez de ello, desarmé la pila de tiras de arenque y zanahorias caramelizadas que, por lo visto, había pedido, y las retiré del centro del plato enorme, de forma que pareciera que no había podido acabármelo.

Cuando Hadzewycz por fin terminó, colocó el cuchillo y el tenedor con cuidado en el centro de su plato, construyó en el aire un templete con sus pequeños y meticulosos dedos y negó una vez más con la cabeza. Ahí el gesto sí pareció de desconcierto, como si le costara creer algo de lo que ya no podía recelar.

–Yo comprendo, pero usted no comprende –deletreó esa palabra y me clavó una dura mirada–. Roba nuestro expediente. Me trata por tonto. Idiota. Que le jodan. Tiene un día.

Había perdido el hilo.

–¿Qué quiere decir?

Mi voz sonaba como si viniera de fuera. No de mi cabeza, sino del otro lado de la ventana coloreada del restaurante.

–Qué quiero decir es que su trato es jodidas mentiras. Pero no se preocupe, yo tengo trato mejor. Todo no está perdido.

Una sonrisa en sus labios, pero la mirada seguía igual: las pupilas eran cañones de fusil; los iris, las estrías de los mismos. Al tratar de apartar la vista, lo más que llegué fue a sus manos. Sus pequeños dedos cayeron desde su templo a un nudo cerrado, como si estuviera orando, el punto más alto coronado con la gema verde. Despacio, ese dedo índice se extendió hasta apuntar directamente a mi pecho.

–El verdadero trato es éste. Le doy un día. Veinticuatro horas para devolverme lo que es mío. Llame a mi número. Nosotros le vigilamos. Si parece que intenta cualquier cosa, será el final. Le encontramos donde sea y le entregamos. Si en un día no expediente, va a la policía. –Aquí se detuvo, separó las manos, con las palmas hacia arriba, como diciendo que no sería culpa suya–. O peor. Como nuestra chica. ¿Comprende?

Aparté la cara para no tener que cruzarme con sus ojos.

–Sí.

Intentaba no sumar el dos más dos de lo que había dicho, porque lo que sus palabras insinuaban ya lo comprendía, pero no podía soportar mirarlo de frente. La parte del restaurante que se veía por detrás de la cabeza de Hadzewycz se difuminó, y por un momento la imagen se llenó de manchas. Logré desterrarlas asintiendo, e hice lo que pude, y a la desesperada, por mantener la compostura. Dadas las circunstancias, creo que lo hice bastante bien.

–Me alegro que veamos con mismo ojo por ojo –comentó.

Después se levantó y me tendió la mano derecha para que yo la estrechara. Me puse de pie despacio y la tomé, la envolví con la mía y la estreché bien para aguantar la fuerza de su apretón. Pero su mano se movió y tiró de mí hacia delante. Noté su anillo como un diente incisivo sobre mi dedo. El torno giró aún más. El anillo se clavó más hondo. Intenté soltarme, pero no pude. Sus ojos examinaron mi rostro, que asentía, y cuando su otra mano hubo subido lentamente desde su costado, tiró la servilleta blanca sobre la mancha de salsa de su plato. Después me soltó, dio media vuelta y se marchó.

Volví a sentarme e intenté mantener a raya las demenciales repercusiones de aquella reunión. Por otro lado, estaba la cuestión de la cuenta, sí, podía pensar en eso. ¿Llevaba la cartera? ¿Y qué había del segundo plato de Hadzewycz, debía pedir que no lo sirvieran? ¿Lo preferiría al mío? ¿Me apetecía comer alguno de los dos? ¿Qué pensaría el camarero al ver que seguía comiendo yo solo? Eso me importó un momento, y luego pasó a ser irrelevante. Después de ciento doce azulejos del techo, firmé el recibo de la cena y salí entre bambalinas.

27

Ya fuera del escenario, me senté en la parte trasera del taxi y esperé a que arrancara. El joven taxista tenía la cabeza rapada. Su cráneo era una piedra pómez en la penumbra.

—¿Qué tal si me diera una pista? Soy bueno, pero no un maldito adivino —soltó.

Le di la dirección de Madison & Vere. Dio media vuelta en dirección contraria y vi que las arrugas que tenía donde se unen la cabeza y el cuello me sonrieron maliciosamente al recostarse en el asiento.

La recepcionista del turno de noche levantó los ojos de la revista cuando pasé a zancadas por delante de ella de camino a los ascensores. Me sentí obligado a responder. Aunque acababan de dar las once, unos cuantos despachos de mi planta seguían ocupados, incluido el de Lovett. Reduje el paso al cruzar por su puerta abierta: no estaría de más que viera que estaba haciendo horas extras.

De vuelta en mi despacho, con la puerta bien cerrada, logré tranquilizarme. El «mujer muerta... más que menos» de Hadzewycz me retumbaba en los oídos. No pude quitarme de la cabeza su alusión a los periódicos de Washington. La frialdad de sus ojos grises parecía perseguirme, ya que temblaba ligeramente mientras esperaba a que la pantalla de mi ordenador portátil cobrara vida.

No fue difícil encontrar la página web del *Washington Post*, pero sí me costó dar con la historia que buscaba. Cada ventana equivocada volvía más inevitable lo que me temía encontrar en la correcta. Cuando finalmente localicé el artículo, abrirlo fue como obligarme a mirar una herida reciente por primera vez: sabía que estaba ahí, podía percibir la humedad de la sangre, pero me alarmaba que se confirmara su origen. Encendí un cigarrillo, pude calmarme y me obligué a leer el texto.

«AGRESIÓN DURANTE UN ACCIDENTE DE TRÁFICO
EN CHESAPEAKE – PISTAS

Por Benjamin Gowen, redactor

»La policía de Washington ha revelado nuevas pistas esenciales en torno a la búsqueda del autor de una brutal agresión durante un accidente de tráfico. La víctima fue abandonada herida de gravedad en el cabo Three Points, Chesapeake, donde fue hallada el domingo por la mañana.

»La joven ha sido identificada hoy como Clara Hopkins, de 33 años de edad, una investigadora política residente en Washington.

»Un hombre con acento británico alertó a los servicios de emergencia de un accidente de tráfico en la localidad de Chesapeake a las 6:12 del domingo. La persona que realizó la llamada, que en estos momentos la policía considera el principal sospechoso, se negó a revelar su identidad a la operadora del 911.

»Al rastrear la llamada, la policía ha averiguado que el móvil era propiedad de la señora Hopkins, el cual ha sido localizado hoy a primera hora en un coche de alquiler depositado en el Aeropuerto Internacional de Dulles.

»El portavoz de la policía ha declarado que, en el momento del incidente, el coche estaba alquilado a un turista británico. Hasta la fecha las autoridades no han dado a conocer el nombre del sospechoso.

»La misma fuente ha confirmado que el recibo de una tarjeta de crédito por la compra de combustible en una gasolinera de la zona concuerda con la identidad del sospechoso.

»Según han informado, las autoridades de Washington han pedido la colaboración de la Policía Metropolitana de Londres, en Inglaterra.

»La víctima, la señora Hopkins, no ha recuperado la consciencia y permanece en estado crítico en el Mary Washington Hospital.»

De entrada no leí la historia de principio a fin. Fui directo a buscar lo que encontré en el último párrafo, y el corazón me dio un vuelco cuando vi esa palabra: «permanece». Aunque estuviera en estado crítico y no hubiera recuperado la consciencia, ella seguía viva, todavía no había sido confinada a ser parte del pasado. Gracias a ello, aún cabía la esperanza.

Al volver sobre la esencia del artículo, el alma se me cayó a los pies, como si hubiese tirado de ella la mano de hierro de Hadzewycz. El teléfono, la gasolina. Podía haber evitado ambas cosas si hubiera pensado con claridad. No podía creer que hubiera sido tan estúpido como para preparar los cepos de mi propia trampa. Pero allí estaba yo metiendo el móvil en la guantera, colocando el gatillo con el paso de mi tarjeta de crédito por el lector magnético.

Sentí el rostro hirviendo; sé que me sonrojé. Podía oír el «¿Cómo pudo creer que no le descubrirían?» de colegas, amigos y familiares. Todos reunidos detrás de mí en la habitación, leyendo por encima de mi hombro y negando con la cabeza. Cerré los ojos y vi al policía rubio que había estado en mi piso, me lo imaginé –fuera de toda lógica– en Washington: de pie en mi anodina habitación de hotel, su ayudante anotando algo en su pequeña libreta al otro lado de la cama. No tenía ningún control sobre los detalles que se estarían desgranando en esos momentos ante la policía. Por algún motivo lo único que faltaba en la noticia del periódico era revelar mi nombre. Tenían el coche de alquiler, el teléfono de Clara y el recibo de mi tarjeta de crédito. Era sólo cuestión de tiempo.

Luché contra el deseo de haber hecho las cosas de forma diferente: no haber abandonado a Clara, no haberla perseguido, no haber ido a Estados Unidos, no haber negado tener los documentos. Y en primer lugar no haberme arriesgado a llevármelos. Las alternativas posibles en cada coyuntura fueron siempre menos desesperadas que a la que me enfrentaba ahora. Lo cual hacía todavía más improbable que, en esta fase, pensara en rendirme.

Primero vendría la tremenda humillación, y después la tarea despiadada de vivir con sus consecuencias. Se acabó el trabajo y todo lo demás. La cárcel o la amenaza de Hadzewycz; yo dejaría que otros reseñaran mi vida. Aquello era inaceptable. Así que no lo acepté.

Mi esperanza estaba en Clara. Por supuesto. Si se recuperaba, ella aclararía las cosas. Todo señalaba en esa dirección. Me negué a creer que no había sentido nada por mí. Si se recuperaba, o, mejor dicho, cuando lo hiciera, Hadzewycz le diría que no serviría de nada culparme del accidente. Le ordenaría que hiciera lo que ella habría querido hacer de todos modos: limpiar mi nombre.

Había una lógica satisfactoria en esos pensamientos. Los repasé y comprobé sus eslabones. Sí, Clara saldría adelante. Tenía que hacerlo. Y cuando lo hiciera, aclararía las cosas.

Todo lo que tenía que hacer era controlar la situación hasta entonces. Evitar a toda costa la confrontación con la policía, hasta que Clara recuperara la consciencia y suspendieran la búsqueda. Lo dejarían por iniciativa propia. Nadie tenía por qué enterarse de que andaban buscándome. Tamborileé con los dedos sobre la mesa, di un golpecito en cada sílaba, volví a explicármelo a mí mismo con tacto, letra por letra: si Clara se despertaba pronto, se paralizaría la investigación, y mi viaje a Estados Unidos y su motivo nunca saldrían a la luz; todo el lío se desharía; volvería al punto de partida.

Luego estaba el asunto del expediente.

Hadzewycz se había negado en redondo a creer mi explicación. Yo no lo tenía, pero él insistía en que sí. Aquella negativa era un muro de cristal, y parecía que me había dado contra él de bruces. La cabeza me dolía sólo de pensar en el revés que me había asestado. Veinticuatro horas.

Me senté ante la mesa. Detrás de mí, la ventana estaba oscura. Apagué la colilla del cigarrillo. También las paredes parecían estar hechas de cristal. No es extraño que Madison & Vere coloque micrófonos y cámaras en los despachos para proteger los documentos confidenciales. Pasé una mano por debajo de la mesa y examiné las placas cuadradas del techo, una, dos, tres, cuatro.

Cuando me convencí de que no había nada fuera de lugar, tomé una carpeta de anillas azul oscuro del armario del rincón donde guardábamos el material de oficina, abrí su mandíbula de acero y busqué papel en blanco.

No tenía el expediente. Lo necesitaba. Aquél era un expediente diferente. Aquel expediente sí que lo tenía... Así que tendría que valer.

Una a una, fui metiendo las hojas en la bandeja de la impresora y las conté según las introducía en la doble pestaña. Doscientas sesenta y cinco, doscientas sesenta y seis, doscientas sesenta y siete, doscientas sesenta y ocho. Eso es lo que más o menos cabía. Había sitio para dos más. Una portada. Creé un documento nuevo en el sistema y tecleé las palabras «Proyecto Sebastopol». Después me puse con la hoja final, y cuando la terminé, imprimí las dos –para darle un efecto añadido utilicé papel rojo– y las coloqué en su sitio.

Hadzewycz no había querido creerme. Clara no podía hacerlo. Pero había otra salida. Con el expediente por fin terminado, saqué el móvil, recuperé el *post-it* en el que había escrito el número de Tate y me detuve con el teléfono en la mano. Debía ser breve. Fijar un encuentro y esperar hasta entonces para explicárselo. Marqué el número. El teléfono sonaba y sonaba. Pensé en Hadzewycz para no desconcentrarme. Me cambié el auricular de oreja, esperé un poco más, y cuando estaba a punto de colgar, una voz adormilada respondió:

—¿Qué hora es?

—Necesito hablar con Tate.

—¿Quién es?

—¿Tate? Soy Lewis Penn. —Un silencio antes de repetir—: Lewis Penn. —La pausa se alargó. No sabía qué más decir.

Al final, ella reaccionó con la voz todavía ronca:

—Oh, Lewis. Menos mal. Gracias a Dios. ¿Qué ha ocurrido? Por favor, dime que estás bien.

—Estoy bien, pero... es una historia complicada. —Me estaba liando desde la primera respuesta—. No puedo explicártelo por teléfono. ¿Podemos vernos?

—¿Después de todo este tiempo? ¿Me llamas en plena noche y quieres que nos veamos así sin más?

—Tengo que hablar contigo. Esto no es lo que parece. ¿Dónde estás?

—¿Qué quieres decir con que dónde estoy? En Bristol. ¿Dónde voy a estar?

—Bien. Entonces salgo para Bristol ahora mismo. Te lo explicaré todo en cuanto te vea. Tan pronto como pueda.

—Por supuesto. Tu voz. No es así como se suponía que debía ser. Pero lo arreglaremos. Claro que te veré.

—¿Cuándo?

Me reprimí para no empezar a hablar y seguir adelante. Tenía que ir allí; hacerle ver las cosas.

—Tan pronto como llegues. No, espera, tengo que cubrir los juzgados de paz esta mañana. No podré irme hasta la una. Hay un pub debajo de la oficina. Podemos quedar allí. —Me dio la dirección del periódico y el nombre del pub—. Por fin has llamado.

Se le quebró la voz. Era una actuación del todo convincente: parecía desesperada por verme.

—Estaré allí a la una.

Y colgué el auricular.

El esfuerzo de hacer la llamada, de ceñirme a mi guión, fue agotador. Pero lo había hecho. No había soltado nada. Fuera cual fuese la forma con la que UKI pensaba manipularme, yo estaba aguantando el tipo.

Ella era un hueco en el tráfico constante de coches por el cual podría incorporarme a la carrera. Tate. Si se me permitía pensarlo, la táctica que empleaba era ridícula. La referencia abierta sobre mi cagada en el trabajo: un ardid obvio. ¿Cómo podían pensar que yo iba a caer en el mismo engaño dos veces? No lo haría. Su incomprensible táctica fracasaría. Encontraría una forma de convencerles. No sabía muy bien cómo. Pero no importaba, por el momento me conformaba con haber entrado en contacto.

Me sentía como si hubiera corrido una maratón. Estaba totalmente exhausto. Bajé la cabeza hacia la fría madera del tablero de la mesa, puse un ojo al mismo nivel que la costura roja de la carpeta cerrada e intenté no pensar más en ello.

Una inmaculada pradera de césped se extendía bajo mi silla. Por todos lados, daba paso a unos campos de árboles frutales, luego a un huerto que proyectaba una sombra interminable. El sol de la avanzada tarde dibujaba unas sombras en mitad de la pradera. La escena estaba envuelta por un bajo y susurrante murmullo. Sonaba igual que el agua corriente. No, lo que se oía eran unas voces que venían de más allá de la pradera.

Miré hacia arriba y me volví en dirección al ruido. Agucé el oído para captar lo que se decía, escudriñé entre las sombras. Dan estaba allí hablando con alguien, un Beazley animado. Y aquél, mi padre, escuchaba junto a mi madre a una mujer joven, Clara. A un lado vi el pelo blanco grisáceo de Hadzewycz, que relucía sobre el oscuro telón de fondo. Con una viva expresión en la cara, le sonreía a alguien que se parecía mucho a Holly, mi ex novia. Me pareció que estaba embarazada. Al volverse, vi que tenía razón, era Holly, y estaba enorme. Hadzewycz se agachó para escuchar al bebé, con la oreja sobre su estómago.

Lovett llevaba una chaqueta de botones dorados y en una bandeja servía al grupo bebidas en vaso largo. Asentía a todo el mundo cada vez que entregaba una copa. La mochila amarilla de la profesora Blake destacaba entre la multitud. Dan, con aspecto relajado, aceptó una bebida de Lovett. Llevaba su espeso cabello rubio recogido detrás de las orejas, que parecían unas alas incandescentes. Después se reunió con mamá, papá y Clara. Ésta dijo algo, le dio la mano y todos miraron hacia la pradera.

Intenté levantarme de la cómoda silla para dirigirme hacia los árboles, pero no podía. No es que estuviera pegado, simplemente las piernas no me respondían. Apreté los brazos de la silla con manos firmes, pero no lograba impulsarme hacia arriba. Mis pies presionaron la mullida hierba y siguió sin pasar nada; me quedé exactamente donde estaba.

Clara tenía una mano sobre el hombro de Dan. Hadzewycz acompañó a Holly hacia el grupo, al que ya se había unido un gran número de gente diversa, toda trajeada, que apenas reconocía. Sin embargo, Kommissar estaba allí, y con él, el joven policía rubio. Éste alcanzó una bebida de la bandeja de Lovett, se volvió para dársela a un hombre moreno, como de mi edad, vestido en mangas de camisa, que caminaba con algo en las manos: un bloc de notas.

Era Ben Gowen, el periodista; intuía que era él. Estaba tomando apuntes.

Observaba a cada uno de los participantes a medida que hablaban, levantando la vista y escribiendo sin mirar al bloc. Las exclamaciones eran palabras que yo oía como separadas, cuyo significado permanecía indescifrable. Su mano derecha escribía enérgicamente mientras asentía con la cabeza hacia Hadzewycz, quien, al parecer, estaba contando un chiste.

Clara lo terminó por él; le hizo parar con un gesto decidido y contó con excitación el final del relato.

El grupo estaba atento, paralizado, y de pronto todos rompieron a reír a carcajadas. Gowen también. Dejó de escribir y se frotó los ojos. Hubo una pausa, exactamente el tipo de pausa que sigue a un chiste. Todo el mundo momentáneamente tímido, sabiendo que la primera persona que hablara sería el centro de atención.

Un silencio total. En ese instante, Dan empezó a hablar. Reconocí su voz, pero sus palabras me resultaron ininteligibles. Ladeó la cabeza en dirección a mí y dijo unas frases comedidas. Todos me miraron: mamá, papá, el policía y Gorbenko. Sin embargo, sus ojos parecían buscar algo en el jardín. Dan hablaba y me señalaba. Kommissar seguía con la mano sobre la frente, dando sombra a sus ojos como si quisiera mirar a lo lejos. Todos miraban en mi dirección, todos excepto Dan, que sonreía y saludaba con la mano, saludaba con la mano y sonreía, llamándome con alegría, explicando algo con palabras que yo no lograba entender.

28

El e-mail de Dan. ¿Qué intentaba decirme?

Me incorporé de golpe y volví al resplandor de la pantalla de mi ordenador. La página del *Washington Post* seguía allí petrificada; de alguna forma, parecía haberse impuesto a mi salvapantallas. Desplacé el ratón, lo agité al ver que no funcionaba, y después lo picoteé con mi dedo índice, hice dos clics al azar a diestro y siniestro. Nada. El artículo de Gowen seguía allí, implacable. Por mucho que le di al *Ctrl+Alt+Supr* no funcionó. Me vi obligado a reiniciar el ordenador. La pausa por saturación en la red, de la que el ordenador se recuperaba, se me hizo interminable. Algo no iba bien. Finalmente apareció una nota parpadeante, suspendida en mitad de la pantalla: estaba activado el mantenimiento rutinario de la red, el sistema de M & V quedaba interrumpido hasta nuevo aviso.

Fuera, en el pasillo, había movimiento. Unos pasos, un crujido, una pausa, y de nuevo otra vez la misma secuencia. Un empleado nocturno de la limpieza avanzaba despacio y meticulosamente por la vacía uniformidad. Dentro de unas pocas horas el lugar volvería a ponerse en marcha. No podía estar allí para entonces. Los e-mails de Dan me llegarían cuando la red volviera a abrirse; podía descargarlos desde una línea telefónica en cualquier otra parte. Lo que importaba en ese momento era que me fuera de la oficina, lejos de donde la policía pudiera buscarme. Debía llegar a Bristol sin ser descubierto para convencer a esa tal Tate de lo que Hadzewycz se había negado a creer.

Hice lo que pude para que mi salida pareciera verosímil. Dejé a Paula un mensaje en el buzón de voz explicándole que me había quedado trabajando toda la noche, que me sentía fatal y me volvía a casa a dormir un poco. Ella lo escucharía al llegar y oiría al principio del mensaje la hora a la que se lo había dejado. Igual que Beazley. Llamé a su línea directa y le dejé un mensaje asegurándole que me había llevado a casa la información necesaria para trabajar en mi informe mientras me recuperaba. Lo tendría para el fin de semana, como le había prometido. Me importaba cumplir el plazo de entrega, así que me pasé un par de horas organizando las notas que había tomado hasta el momento. Correlacionando y etiquetando la serie de cintas de dictáfono para que Paula las transcribiera. Hice todo lo que habría hecho normalmente para escribir un informe de ese tipo.

Cuando terminé con aquellos preparativos, llevé las cintas a la mesa de Paula y las dejé allí para que las transcribiera. Busqué en su mesa algo donde escribir. Desde la pared de su cubículo, una instantánea de su gato siamés, con los ojos rojos, me lanzó una mirada desafiante. En su bloc de cosas pendientes escribí unas breves instrucciones indicándole que me enviara por e-mail la transcripción. Tuve que rehacer la nota tres veces antes de que mi caligrafía y la redacción transmitieran el exacto grado de urgencia. Sentí cierta satisfacción logrando aquellas metas: había dado un empujón al trabajo, y mis mensajes les harían saber a todos que me había quedado toda la noche, enfermo, para trabajar.

Poco antes del alba, con las cosas aparentemente en orden, eché un último vistazo al estéril despacho. Blocs de notas, carpetas apiladas, libros jurídicos repletos de marcadores de papel, libretas de abogado, vasos desechables de café vacíos, gomas elásticas, faxes amontonados, clips de pinza, las apagadas líneas de los recuadros de la moqueta y, arriba, los cuadrados del techo. Metí el ordenador portátil en su funda y dentro de una gran bolsa de viaje, tomé algunos blocs de notas y los eché dentro. Un puñado de bolígrafos de la bandeja del escritorio, un paquete sin abrir de *post-its,* algunas cintas. Finalmente, el expediente recién hecho. Pasé la mano por su suave y tranquilizadora cubierta y lo metí en la bolsa. Hacía la maleta para un viaje de negocios. Me palpé los bolsillos para ver si tenía el dictáfono, busqué a mi alrededor material de consulta que podría necesitar para el trabajo. Fue todo automático y sin sentido. No había nada más que consultar, ninguna nota, ningún plano, ningún mapa. Rodeé la silla giratoria por detrás caminando con rigidez, me agaché, recogí el abrigo, me eché la bolsa al hombro y me fui.

Desde la oficina me dirigí hacia Victoria, y cuando llegué a Vauxhall Bridge, no me sentía la cara. Todas las sensaciones parecían haberse condensado abajo, en mi candente rodilla izquierda. El viento que soplaba a lo largo del Embankment arrastraba dientes de sierra, afilados como el cemento y el cristal. El río negro se abría paso entre ellos. Si hubiera habido hojas de árbol que levantar, habrían estado por todas partes. Me senté en un banco en Eccleston Square, cerca de la estación de autobuses. Me fumé varios cigarrillos hasta que se me acabó la paciencia y volví a levantarme. Pensándolo bien, Bristol, como destino, no estaba mal. Allí era donde había ido a la universidad, donde había estudiado la carrera de Derecho. Era poco probable que la policía abriera una investigación en ese lugar. Tenía que mantener la escala de prioridades. Iba un paso por delante de ellos. En Bristol seguiría así.

De camino a la taquilla, la imagen de Gowen vigilando mis actos me vino a la cabeza. Le di las gracias por ello. Me desvié, encontré un cajero, saqué el límite de extracción, quinientas libras, y me metí los billetes en el bolsillo. Necesitaba dinero para el viaje y no cometería otra vez el error de usar la tarjeta de crédito.

La taquillera era una enana. Su abultada cabeza era tan ancha como sus hombros, y tecleaba con manos de niña. Levantó la vista, sonreí y le pedí un billete para Bristol en el siguiente autobús. Sus ojos volvieron a la pantalla.

–¿Va a volver? –Tenía una voz nasal, aguda.

–Esto..., sí. Claro. Viaje de negocios –dije levantando la bolsa de mi ordenador portátil.

–¿Cuándo?

Me quedé mirándola atónito. Bajo los pegotes de rímel tenía unos ojos verde mar.

–¿Regresa hoy mismo? ¿Se queda a pasar la noche? ¿Una semana? ¿Cuánto tiempo?

–Ah, bueno. Hoy no. Voy a pasar unos días, creo. No está decidido.

–¿Tanto como una semana? Podría ahorrarse algo de dinero con un especial.

Giró la pantalla hacia el cuadro de cristal que nos separaba y señaló algunas cifras, pero yo no lograba distinguirlas. Al inclinarme hacia el cristal, vi sus piernas miniatura, colgando flácidas del asiento de su taburete, como si fuera un muñeco de ventrílocuo. Aparté la mirada.

–¿Podemos dejarlo abierto? Pagaré la diferencia, gracias.

Asintió, contó mi dinero, buscó el cambio y lo pasó todo bajo la mampara de cristal.

–Siete cuarenta y cinco. Zona trece –dijo sonriendo.

Después de atravesar lentamente las densas arterias de Victoria y South Kensington, el avance del autobús mejoró camino de la autopista, en contra del flujo intermitente de trabajadores del extrarradio. El asiento junto al mío lo ocupaba una mujer de avanzada edad, con pelo de color caoba quemado, que leía una revista de moda.

A través de la sucia ventana del autocar, las farolas eran absorbidas hacia atrás. Una, dos, tres. Cuatro, cinco, seis. Una ambulancia llegó a nuestra altura sorteando el lento tráfico. Sin luces ni sirena. La joven sanitaria que lo conducía comía concentrada una manzana. La miré mientras la mordisqueba hasta terminársela, y en ese instante fue ella la que me miró a mí, agitando en el aire el corazón de la fruta. Volví a concentrarme en las farolas: siete, ocho, nueve.

–¿Está usted bien?

La mujer de pelo caoba se dirigió a mí con lenta y arrastrada pronunciación del West Country. «Bieen.»

–¿Perdón?

–Le tiemblan las manos. Está muy pálido. ¿Mareado? A mí me ocurre a veces. Mire por la ventana hacia algo que esté lejos, eso ayuda.

De frente, tenía una cara bondadosa.

–No, no. Estoy bien, gracias. Me he destemplado esperando el autobús. Pero estoy bien.

–Ah, bueno.

Dejó a un lado la revista. Una flaca Geri Halliwell miraba desde la portada. Entonces la mujer posó sus manos sobre su rostro. Seguía mirándome.

–¿Va de camino a Bristol? –le pregunté.

–Bueno, sí. En esa dirección va el autobús –explicó despacio.

–Lo sé. Lo que quería decir es si se baja usted allí.

–Ah. Justo a las afueras. No muy lejos.

«Bieen.» Hubo una pausa.

–Yo estoy de viaje de negocios. Voy allí por trabajo. –Involuntariamente, mis dedos dieron unas palmaditas sobre el ordenador portátil, en mis rodillas–. Soy abogado.

Al oírme, se volvió aún más hacia mí, terciando las caderas, y cruzó las piernas.

–¿De verdad?

Lo pronunció «verrdaad». No supe distinguir si me preguntaba o lo afirmaba.

–Sí. Soy un abogado especializado en negociaciones empresariales.

–Bien –y asintió con la cabeza. Se paró a pensar–. Me

pregunto si usted podría darme un consejo. No quiero molestarle ni nada de eso. Pero mi hijo y mi nuera tienen un problema. Una especie de problema legal. Si se lo cuento, ¿podría aconsejarme sobre qué debemos hacer?

−Lo intentaré. Haré todo lo que pueda. ¿Tiene todos los detalles?

−Oh, sí. De ahí vengo, de pasar un tiempo con ellos.

Movió un poco los hombros, con excitación, pensando por dónde empezar. Me vi sacando una de las libretas del bolsillo lateral de mi bolsa. Escogí un bolígrafo nuevo, doblé el capuchón hacia atrás y alisé la página con autoridad. La impresionaría.

−Verá usted, tienen su casa desde hace unos dos años.

Escribí «casa, 2 años» en la parte superior de la hoja. El alma se me cayó a los pies. Compra-venta de bienes inmuebles no, por favor, pensé. Lo suspendí en la facultad y había olvidado lo poco que sabía entonces. Bajó la mirada y habló con aire importante, como si estuviera frente a una cámara:

−La casa no es muy grande. Pero Jamie va al colegio cerca y no se pueden permitir mudarse, así que decidieron añadir otra habitación más en la parte trasera. Miraron por ahí y lo hablaron con constructores, pero el permiso de urbanismo y todo eso se les estaba yendo de las manos.

Asentí con la cabeza. Escribí: «ampliación, asunto permiso de urbanismo». Me hundió un poco más con aquellas palabras. Tampoco sé nada de legislación urbanística. Ella iba cogiendo velocidad.

−Sí, así que decidieron... Lo que decidieron fue construir una galería en la parte trasera. Alguien les asesoró y les dijo que no necesitaban permiso para eso. Se pasaron un montón de tiempo dando vueltas buscando, y no fueron al más barato ni nada, sino que eligieron una galería hermosa y bien hecha, y una buena empresa. Habitaciones Paraíso, se llaman.

Tomé nota: «Galería. Habitaciones Paraíso (¿S.L.?)». De

repente, era importante que entendiera el problema de la mujer y que le diera un certero y atinado consejo.

Estaba acalorado, mis manos se veían de color rosado sobre la página blanca.

–Así que los muchachos se presentaron en la casa y construyeron la galería. No llevó nada de tiempo. Y quedó maravillosa –dijo pronunciando «marravillosa»–. Fuimos a verla, cabe una mesa de comedor –explicó afirmando con la cabeza–. Y ya está. Lo recogieron todo, la factura se ajustaba al presupuesto y Mark pagó debidamente.

–¿Cuándo ocurrió todo esto? –me pareció apropiado preguntar.

–Hace diez meses. No más. Pero entonces... –Suspiró, esperó mientras yo escribía «aprox. 10 meses» y después continuó–: Entonces, como un mes después de que terminaran, apareció una gotera. No una gotera del techo ni nada de eso, sino de las cañerías. Dice Mark que gotea en el trocito que hay entre la galería y la cocina, en el hueco de la pared. Era sólo una pequeña gotera, ojo, pero empezó a hacerse más y más grande y les salió una mancha de humedad en la pared que empezó a crecer y a crecer. Al principio había un olor que no sabían de dónde venía. Al final vieron que había una mancha más arriba de la encimera. Primero pensaron que era del calentador, porque es viejo y está cerca, en la cocina, pero cuando fue el operario a revisarlo, dijo que no era eso. A esas alturas ya había calado hasta la moqueta del comedor, y hubiera empeorado si el fontanero no lo hubiera arreglado ese mismo día. Lo había calado todo: las tablas del suelo, la moqueta, que estaba a parches, y las paredes de la cocina y del salón se estaban desconchando. El fontanero tardó siglos, pero descubrió que venía de un empalme que habían hecho en el tabique. Tuvieron que tirarlo para arreglar el empalme antes de volver a dar el agua.

Hablaba muy deprisa, a muy buen ritmo, y yo apuntaba palabras sin criterio. Para entonces ya sabía que se trataba de un problema sencillo, pero, al mismo tiempo, mi mente se esforzaba por mantenerse a la misma velocidad.

–Los de Habitaciones Paraíso no quisieron saber nada. No devolvían las llamadas ni los recados. Y ellos estaban sin agua en la cocina, con los niños y todo. Era un desastre. Así que al final Mark contrató a un albañil y a un fontanero, y tiraron la pared, cambiaron las cañerías y las reconstruyeron. Eso costó más de mil libras. Y además, quedan las paredes que hay que volver a enyesar, y la moqueta de abajo, y redecorarlo todo. Un auténtico lío que arreglar. Pero los de Habitaciones Paraíso no quieren hacerse cargo de nada.

Se recostó en el asiento.

–Bien.

Yo seguía garabateando. «Suelo. Paredes. Reparaciones efectuadas... parcialmente. HP se niega.»

–¿Y siguen con lo de negarse a contestar las llamadas y ese tipo de cosas? –pregunté.

Intentaba ganar tiempo; sabía que la respuesta a la pregunta sería afirmativa. Su rostro estaba expectante: «¿Y qué si no?», decía.

–Claro que siguen. Les han escrito una carta y todo.

–Perdón, ¿quién ha escrito a quién?

–Mark escribió a Paraíso. No van a hacer nada.

–¿Les han dicho eso?

–Antes, cuando llamó.

«Carta», escribí en la libreta, y al lado: «llamada». Veía el problema, pero aun así parecía demasiado difícil. Era como si estuviera haciendo algo muy sencillo, cruzar una calle, por ejemplo, y me encontrara con que mis piernas se paralizaban en mitad del cruce.

–Pensemos un momento –dije.

Tracé una línea de un lado a otro de la página, debajo de las últimas palabras.

«Haz que el silencio trabaje a tu favor.» Nos enseñaron eso en Bristol: técnicas de interrogatorio. Sin embargo, sólo podía pensar en la máxima, no lograba hacer lo que aconsejaba.

Una cañería reventada. Un empalme roto. Paredes desconchadas por el agua. No por culpa de Paraíso. Un paraíso de habitación, llena de agua, repleta de peces... No, no, no. Había un contrato para construir una galería. Sin embargo, negligencia, incumplimiento. Mitigar la pérdida o daños, según contrato. ¿Dejar la situación en su punto de partida, o que la ejecución de la obra de Paraíso acabase como estaba previsto? Agua escurriéndose de mis manos.

–¡El seguro! –se me ocurrió decir–. ¿Se lo ha notificado su hijo a la compañía de seguros? Ellos deberían reparar el daño y pagarlo. Luego ya es cosa del seguro reclamar a Habitaciones Paraíso.

–Eso es parte del problema. No pagaron la prima. Su seguro caducó porque se olvidaron. Por supuesto, ahora están de nuevo asegurados, pero ya no vale. Lo primero que probaron fue el seguro. –Parecía decepcionada.

Lo sentía terriblemente por ella. Mis ojos estaban a punto de demostrarlo. «¡Piensa! ¡Piensa!» La fórmula empezó a funcionar. Había un contrato que había sido incumplido. Esa falta había causado daños. La parte damnificada, el hijo de aquella mujer, había intentado contener el daño, había puesto dinero de su bolsillo para arreglar la mayor parte. Podían reclamar eso. ¿Y el otro daño, el que todavía estaba por arreglar? Podían hacer que Habitaciones Paraíso se encargara de las reparaciones, o bien hacerle pagar los gastos derivados. No era tan difícil. También podía haber una reclamación por negligencia, pero era secundario. Mejor dejarlo así. Al fin y al cabo, aquello era un tema de Derecho académico, no del Derecho empresarial al que yo estaba acostumbrado. Esbocé la demanda que podían hacer y continué:

–Lo mejor será escribir una carta en tono duro. Si eso no funciona, deben presentar una demanda al juzgado. La Oficina de Asesoramiento al Ciudadano les prestará la ayuda que necesiten. –Sentía como si estuviera hablando desde la otra punta del autobús.

–¡Oh, menos mal! –exclamó ella–. Eso es de gran ayuda. Sabía que podían hacer algo. ¿Podría apuntarme lo que me ha dicho, por favor? Le estaría muy agradecida. –Los ojos le brillaban detrás de los cristales ovalados de las gafas.

–Por supuesto.

Arranqué una hoja de papel en blanco y redacté en intencionadas y claras letras mayúsculas la demanda, relacionando los hechos tal como ella me los había contado.

Ver la firmeza de mis palabras sobre el papel me impresionó. Estaban cargadas de significado, parecían atinadas. No quería parar.

En el anverso de la página redacté una carta borrador muy básica. Tuve que hacerle algunas preguntas sobre fechas, y dejé unos cuantos espacios en blanco para que los rellenara su hijo. Se deshizo en agradecimientos. Le resté importancia a lo que había hecho: no era ninguna molestia, un sencillo consejo, pero sonreía con ella; no podía recordar cliente alguno, ni uno, con el que me hubiera sentido tan satisfecho, tan radiantemente bien. Me ofreció un caramelo de menta de una bolsa arrugada de celofán. Lo acepté. Entonces me preguntó cómo me llamaba.

La miré como si fuera la primera vez. Tenía la mente en blanco. La pausa se alargó durante lo que pareció una eternidad. Resistí todo lo que pude la tentación de repetir: «¿Que cómo me llamo?».

–Billy –dije al fin. No tengo ni idea de por qué. Es probablemente el nombre que sonaba más falso de todos los que podía haber elegido. Pero tenía que seguirlo de algo más realista–: Bill Lucas.

–Bueno, Billy, como digo, te estoy muy agradecida. Eres un joven muy listo. ¿Para quién trabajas?

–Penfolds. –Bill se inventó el nombre sin pestañear; era más desenvuelto que yo.

–¿Ah, sí? ¿Y dónde están?

Se mostró maternal, interesada y cariñosa, aunque parecía que no fuera conmigo. Ya no estaba escuchando.

–Por todas partes, la verdad. En Londres, pero también en Estados Unidos, en Hong Kong... Es una empresa grande.

–Eso está bien. Muchos viajes entonces. Y también vas a Bristol por trabajo. Marravilloso. Gracias de nuevo.

Extendió la mano y me dio unas palmaditas en la mía, agradecida, con amabilidad. El gesto pareció invertir nuestros papeles. Tuve el fugaz impulso de explicarme bien. «No, no lo entiende, no soy lo que he dicho, no soy eso para nada.» Pero no lo hice. Simplemente le devolví la sonrisa y me mordí el labio inferior. Y en ese momento me volví con ímpetu para ver la fría línea de la mediana pasando a toda velocidad, ya entrecortadamente, ya en una brecha, zambulléndose bajo el asfalto como un delfín, o resurgiendo una vez más con trazo continuo.

29

El centro de Bristol había cambiado desde mi etapa universitaria. Bajé hacia el puerto. Donde antes terminaba la ciudad, ahora se extendía en líneas esbeltas alrededor de los muelles. Había esculturas modernas que parecían chimeneas, formando una columnata que enmarcaba la vía fluvial. Algunos de los viejos almacenes habían sido convertidos en oficinas. Varias personas trajeadas se apresuraban a lo largo de las explanadas para combatir el frío. Adapté mi paso al de ellos, deprisa, por el nuevo complejo. Como si fuera a una reunión.

Crucé un canal abierto por un delgado puente curvo de acero. El viento, en sus líneas afiladas, arrancaba una música intermitente; salí cojeando a una gran plaza nueva. Dos chavales se tiraban con sus monopatines por la escalinata mientras el vendaval interrumpía el traqueteo de sus tablas. Gorros de esquí y sudaderas con capucha. Tenía frío. A un lado de la plaza había un museo de ciencias nuevo. Una gran esfera de cristal que asomaba por su fachada lisa a un estanque de piedra poco profundo. El opaco cielo gris se reflejaba en la superficie de agua grisácea, y parpadeaba débilmente en el cristal gris oscuro. Subí con rigidez los escalones del museo para eludir el viento. Me tomé un café en la cafetería para darme ánimos y dirigirme después hacia la parte de Bristol con la que estaba más familiarizado: la zona alta, cerca de los edificios de las facultades, en Clifton.

El taxi me dejó en St. Paul's Road, donde se habían alojado Dan y mis padres cuando me hicieron una visita. Aunque no lograba recordar en cuál de los Bed and Breakfast o de los hoteles de ese tramo se habían hospedado en aquel viaje. Elegí uno: se llamaba Burberry, y lo escogí porque el nombre parecía cálido. El hombre alegre que aceptó mi pago anticipado estaba obviamente al tanto de ello, porque hizo un comentario acerca del tiempo sin que yo le preguntara. Después explicó con una sonrisa que era una suerte que hubieran instalado el segundo calentador durante el verano, ya que gracias a ello disponían de más agua caliente de la que nadie pudiera llegar a usar, al margen de la calefacción central. Intenté devolverle la sonrisa. Cuando me pidió que firmara en el registro, ahí apareció, con su rotunda firma, William Lucas. ¿Quién iba a atreverse a dudarlo?

Con la puerta cerrada detrás de mí, me dejé caer boca abajo sobre la colcha de flores. El abrigo desplegado a ambos lados, un par de alas de color gris carbón. Había un viejo teléfono de baquelita en la mesilla de noche. Estiré una mano aterida y me acerqué el auricular a la oreja: conectado.

En sólo unos minutos ya estaba accediendo a la *Bandeja de entrada* de mi correo electrónico para ver el montón de mensajes nuevos. La mayoría de ellos eran los que me había enviado yo mismo desde el ordenador de Dan. No me llevó mucho identificar el que había empezado a leer junto a su cama. Despacio y con cuidado, como un hombre pisando grava con los pies descalzos, leí su borrador.

```
Querido Lewis:
Quería decirte esto cara a cara. He estado in-
tentando hacerlo desde que la cosa llegó dema-
siado lejos. Desde que yo dejé que llegara. Es-
ta disculpa no debería ser por escrito. Ni
sólo mediante palabras. Eso es lo que siento.
Debería habértelo dicho la otra noche. Pero no lo
hice y no parece que vaya a tener ya la opor-
```

tunidad de decírtelo, y tengo que contártelo de alguna manera, así que aquí va.

Me enamoré. No te lo vas a creer, pero la conocí por Internet. Puedo oírte pensando: gilipolleces, la gente no se enamora realmente de esa forma. No es lo que tú harías. Pero piénsalo desde mi punto de vista.

Yo no puedo conocer gente como cualquier otra persona. Todo el mundo se entera antes de que estoy enfermo. Siempre va kilómetros por delante de mí. La gente levanta una barrera. Está bien, yo también lo haría. A veces incluso intentan no hacerlo. Pero, entonces, cuando aparezco, ven que hay una barrera. Saben lo que soy, y eso les impide ver quién soy. Incluso a veces se lo pongo más difícil todavía. Me escondo detrás del hecho de que estoy enfermo. A menudo no les dejo verme.

No estoy quejándome. No es culpa de nadie. Pero solía reventarme el hecho de no poder llegar a conocer a alguien sin que viera primero que estaba enfermo. Hacía imposible tener una relación. No porque no hubiera nadie interesado, sino porque cualquiera que lo estuviera tenía que ignorar la enfermedad, sortearla, estar interesado de verdad en mí.

Tú sabes cómo ha sido tener esta enfermedad. Sabes que siempre he intentado plantarle cara. No soy un cobarde, o al menos he procurado no serlo. Siempre he intentado doblegarla.

Pero no he tenido éxito. Al menos con Tate he fracasado. Al ver cómo mi enfermedad influía en la mayoría de la gente, sabía que haría falta que ella fuese una mártir para que se enamorara de mí. Y no quería eso, así que no se lo conté.

No lo busqué intencionadamente. Surgió de una conversación en un chat sobre otra cosa. Me gustó lo que escribió. Ella me contestó. Me envió su dirección de e-mail y contestó a mis preguntas contándome cosas de sí misma. Sin embargo, cuando pidió más detalles acerca de mí, no quise decirle la verdad. No lo pensé bien: mentiré, me dije. Al principio me limité a responder con vaguedades, evitando darle datos muy precisos.

Pero ella insistió y yo quería ofrecerle algo a cambio. Tenía que darle detalles. Así que lo hice: añadí un poco de trasfondo y completé el retrato llenándolo de detalles. Sólo que no eran detalles de mi vida. Eran de la tuya.

No era mi intención hacerlo. Fui cayendo en ello poco a poco. Y ojalá no lo hubiera hecho, ojalá no lo hubiera empezado, pero lo hice y tengo que confesarlo.

Utilicé tu nombre. Me adjudiqué tu trabajo y viví en tu piso. Cuando me preguntó por mis amigos, le conté cosas que me has contado de los tuyos. También historias de cuando éramos pequeños. Usé historias verdaderas de nosotros, pero las conté desde tu punto de vista, no del mío. Nuestros padres seguían siendo nuestros padres, pero los describí tal como son contigo, no conmigo. Incluso me otorgué un hermano pequeño, que describí como yo mismo, yendo de mal en peor.

Me resultó muy fácil. Tuve tu éxito y tu temor a perderlo. Tu amabilidad, tu inseguridad. Cogí todo el lote y completé el cuadro, desde dentro hacia fuera.

Y ello, por sí solo, fue adquiriendo velocidad.

Todo, cada detalle, vino rodado. La fotografía que le envié era tuya.

No me malinterpretes, pero nunca esperé realmente que la cosa siguiera adelante. Pensé que todo se esfumaría como de costumbre. Pero ella no es el tipo de chica habitual, de hecho es increíble. Simplemente fuimos intimando más y más. Yo vivo sus palabras y ella se ha quedado prendada de las mías. Es como si, a través de los mensajes que nos hemos enviado durante los dos últimos años, nos hubiéramos metido uno debajo de la piel del otro. Sólo que no era mi piel la que yo llevaba, ¿verdad? Era la tuya.

He intentado encontrar una solución. Sabía que tenía que desengañarla, pero ningún momento me parecía bueno y, de todas formas, no se me ocurría qué decir. Así que no le conté nada, esperando que ocurriera algo que lo hiciera más fácil. Me equivoqué también en eso. En resumen, lo he empeorado mucho más.

Al final, hace poco, le dije que teníamos que dejarlo. Ella está desesperada. Ya no puedo leer los mensajes que envía. Le he vendido la peor de todas las mentiras posibles. Y ésta te afecta a ti; te roba por la espalda.

Pero, al explicártelo, espero poder convencerte de que me perdones. No puedo esperar que ella lo haga, y no tengo estómago para decirle cuánto había de mentira en todo eso. Le he dado una verdad a medias, le he dicho que la relación no puede continuar porque ahora estoy metido en un lío, en un lío grave que va a acabar conmigo. Eso es todo lo que puedo decir.

En definitiva, es a ti a quien he robado, y

sólo tú puedes comprenderlo. ¿Podrás perdonarme? Y, llegado el caso, ¿sabrás explicarle quién soy realmente?

Dan

Los frenos de un camión silbaron con fuerza en la quietud exterior, como una ballena rompiendo el agua. Me froté los ojos.

Ni me lo había imaginado. Lo que me contaba no podía ser cierto y, a la vez, tenía que serlo. Encajaba con los mensajes que había recibido de Tate y con la urgencia de Dan por verme. Pero no podía creer que se me hubiera pasado por completo. Era lo contrario de Dan. No podía imaginarme aquellas palabras saliendo de su boca. Él no necesitaba mentir. Era idiota, y difícil de creer, que él quisiera ser yo. Me reí para mis adentros, después negué con la cabeza. Aquel mensaje no era auténtico. Porque si fuera real, algo verdadero se habría perdido; no, peor aún, algo era falso, lo verdadero nunca había existido.

Y lo peor de todo, lo más incomprensible, era que lo sentía por él. Eso no estaba bien. Habíamos descartado la compasión desde el principio. Nuestra igualdad se veía amenazada por aquella aparente revelación. Ésa era otra razón por la que no podía ser cierto. UKI, Hadzewycz, Tate: lo habían arreglado todo para manipularme. Sin embargo, eso parecía todavía más absurdo. Yo me había reenviado los mensajes del ordenador de Dan y, además, ¿cómo podían pensar en beneficiarse de aquello?

Sólo había una forma de comprobarlo. Llamé a la residencia de nuevo. La voz joven que contestó era empalagosa y rígida al mismo tiempo.

—¿Puede esperar, por favor? Veré lo que puedo averiguar.

—No quiero que averigüe nada. Simplemente páseme con él.

Me dejó escuchando el eco. Al cabo de un rato sonó como si proviniera de mi cabeza, y después volvió la voz:

—Daniel está descansando en estos momentos. No se le puede molestar.

—¿Qué quiere decir descansando? ¿Está dormido?

—Me temo que no lo sé. Eso es todo lo que me ha dicho la hermana. Lo siento.

—¿Puedo intentarlo más tarde? —sugerí.

—Por supuesto —contestó.

Pero del trasfondo de sus palabras me llegaba el sentimiento que ocultaban: «Perderá el tiempo».

Me quedé sentado en la estrecha habitación mirando a la pantalla. Allí, expuesto, estaba el bloque de mensajes que había reenviado desde el ordenador de Dan. Sin saber lo que contenían, al menos ahora sabía de qué se trataba. Enero, diez mensajes. De los mensajes de diciembre, había conseguido reenviarme diecisiete. Veintisiete. El nacimiento y la muerte de una relación. Mi edad, un final.

Conté las líneas. Incluirían los episodios finales de una historia, real o imaginaria; añadirían color al escueto resumen del mensaje que me había escrito Dan. Las palabras de ella y las de él eran peldaños de una escalera que subía, ante mí, por la pantalla plana. Al principio me contuve y, al abrir los mensajes, me di cuenta de que mi reticencia era un indicio de que sí creía que eran auténticos. Y si lo eran, ¿me estaba reteniendo por respeto a Dan, o por otra cosa, por algo más defensivo, cobarde incluso, por el temor de cómo me vería retratado? Si Dan escribía los mensajes, como él había explicado, poniéndose en mi pellejo, al leerlos probablemente descubriría al Lewis que Dan se imaginaba. Me encontraba en el silencio de la habitación del hotel, tumbado sobre aquella colcha que me producía dolor de cabeza, sintiendo mi propio olor bajo el traje, y no estaba seguro de ser capaz de mirarlos.

En vez de eso, repasé los mensajes que, aunque tal vez no pensados para mí, T.D. me había enviado a mi dirección.

El primero:

Querido Lewis: he conseguido esta dirección en
el Colegio Británico de Abogados y pido al cielo que haya dado con la persona correcta. No
sabía qué otra ruta probar. Lewis, si eres tú,
por favor, contesta. Sea lo que sea a lo que
te estás enfrentando, puedo ayudarte. T.D.

El segundo:

Lewis, si recibes esto, por favor, responde.
Sé que eres tú. Puedo ayudarte. Debes darme la
oportunidad de hacerlo. Sea lo que sea. Por favor, contesta, aunque sólo sea para decirme que
estás bien. T.D.

Lo que me llamaba la atención, al leer las palabras con
aquella nueva perspectiva, era su tono desinteresado. La sospecha de que pudieran ser auténticas, conociendo, si así era,
las circunstancias en las que las había escrito. No había ninguna acusación ni reproche. «Sea lo que sea a lo que te estás
enfrentando, puedo ayudarte.» Recordaba su mensaje de voz
y nuestra conversación telefónica. Ella también había sona-
do compasiva. Mi determinación a no leer se debilitó. La curiosidad pudo conmigo. Si ella era de verdad, ¿quién era?
¿De qué versión de Lewis Penn se había enamorado? No podía hacer nada por Clara. Había estado demasiado tiempo
sin saber lo que Dan quería decirme, y seguía sin poder co-
municarme con él. Pero había algo de lo que sí podía tomar
el control, de lo que podía averiguar más, que podía descartar que fuera una mentira. Abrí el primer e-mail y empecé
a leer.

30

Los tres mensajes más recientes eran de T.D.; el último de ellos, una súplica desesperada en la línea del que yo había recibido. «Sea lo que sea a lo que te estás enfrentando, puedo ayudarte.» Los dos anteriores eran parecidos, llenos de pánico y preocupación. El primero, más desconcertante, a la espera de una respuesta. Era la réplica al que Dan había enviado unos días antes, y su tono recordaba el mensaje borrador que me había escrito a mí.

```
Querida Tate:
Haría cualquier cosa por no tener que escri-
birte esto. Es lo más duro que he tenido que de-
cirle jamás a nadie. No tengo palabras con que
expresarlo. Pero debo intentarlo por tu bien.
Cuando te dije, el mes pasado, que teníamos que
posponer un poco lo de vernos, mentí acerca del
motivo. Podía haber sacado tiempo para hacer una
escapada si me lo hubiera propuesto. Tenía más
ganas de verte que de cualquier otra cosa. Pero
tuve que pedirte que esperaras porque veía que
las cosas se venían abajo. Lo que ahora me
tiene pillado ya había empezado en aquel mo-
mento. Y no podía imaginar que iba a suceder
tan rápido.
Estoy metido en el peor de los problemas. El tra-
bajo, mi casa, todo. Un lío del que no puedo
```

salir. No hay forma de que pueda recuperarme. Nunca podré ser la persona de la que te has enamorado, porque me estoy enfrentando a algo que va a acabar conmigo.

No hay salida. Ninguna esperanza de que ni yo ni nadie lo arregle. Tampoco tú puedes hacer nada al respecto. No tiene sentido que te implique en ello. Te pido que te mantengas al margen.

Si no te dijera esto ahora, sería mucho peor. Tienes que olvidarte de mí. Nunca he existido. Sé que esto va a hacerte mucho daño, pero estarás mucho mejor si lo superas ahora. Si no, después será más doloroso. Y contarte los detalles sólo empeoraría las cosas. Créeme, no debes saberlo. Simplemente, aléjate.

Fuiste todo para mí. Lo siento.

Lewis

Me quedé mirando las palabras: «Estoy metido en el peor de los problemas. El trabajo, mi casa, todo». Pensé en el mensaje de voz que ella había dejado: «Puedes meterte en líos en el trabajo sin tener que perderme a mí». Conexiones en forma de arcos voltaicos dentro de una cabeza llena de cables quemados. Nada estaba en su sitio. Los números desordenados. Retrocedí en la correspondencia a otro e-mail de T.D., de Tate, que enviaba un archivo adjunto.

Lewis:

Esta foto es del fin de semana, en la playa de Cornwall, Porthmeor. Las dos chicas con las que fui también salen en la foto. Jules es la pelirroja que te comenté, también trabaja en el periódico, pero en el departamento de venta por correo. Tenemos que ir un día juntos a West Cornwall, hay unos paisajes preciosos. Porthmeor es de las playas más bonitas que he visto, y estaba bastante vacía al no ser temporada. Y todas esas tiendecitas vendiendo cebo y figuritas de bailarinas hechas con conchas. Me encantan esas cosas.

Ayer tuve que escribir un artículo sobre un gato que se pone hecho una furia con la televisión. ¿Periodismo de vanguardia o qué? Era, evidentemente, un trabajo de relleno para las prácticas. Estuve con la dueña del gato, haciéndole preguntas sin sentido, intentando darle alguna entidad al artículo. «Cualquier cadena, cualquier programa», dijo. «Sin embargo, la radio no le interesa.»

Tú y yo oímos más allá de lo que nadie puede distinguir y vemos el espectro invisible de todos los demás.

Si no te las arreglas para hacerme un hueco pronto, ¡voy a ir a Londres a buscarte! No soporto alargarlo más. Ya hemos tomado la decisión, y estoy desesperada por hacer algo al respecto.

Besos,

Tate

Pinché la foto, curioso por saber cómo se suponía que era, pero había tres chicas en ella, la pelirroja que había mencionado y dos rubias, y, por supuesto, no estaba claro cuál de las rubias era Tate. Una fotografía despreocupada: tres caras jóvenes desafiando al objetivo. Estaban tumbadas boca abajo, vestidas, mirando hacia el montículo de arena en el que la cámara había sido colocada para hacer la foto con el disparador automático.

Examiné el rostro de las dos chicas rubias. Ambas eran

guapas, cada una a su manera. Una tenía una típica sonrisa norteamericana, la otra tenía una expresión más angulosa, sus ojos grises sonreían. De alguna forma, parecía más cómplice y deseé que fuera ella. Rodeaba con el brazo a la pelirroja, que se reía en medio de las otras dos, y si hubiera tenido que adivinar, habría dicho que era por un chiste que estaba contando la de los ojos grises. Tate. Si había otra foto adjunta a cualquier otro e-mail, tal vez podría averiguarlo. Lo comprobé expectante, pero el otro fichero adjunto era una fotografía de un paisaje urbano formado por una cristalera abierta y un balcón de hierro forjado.

Me detuve en aquella imagen, retrocedí y leí toda la cadena de correspondencia desde el principio hasta el final. Aquel Lewis estaba seguro de sí mismo, era sofisticado y efusivo, mucho más que yo, o que el Dan al que yo conocía. Tate era una reportera en prácticas para un periódico local de Bristol. Los e-mails estaban salpicados con historias de su trabajo, principalmente referentes a la intrascendencia de los artículos que tenía que escribir y a los periodistas para los que trabajaba. Había mucho más en la correspondencia sobre su trabajo que acerca del de Lewis. Dejando al margen uno o dos incidentes que yo le había contado a Dan, y que él había repetido textualmente, sólo mencionaba el trabajo como una presión de la que su Lewis podía haber prescindido. No era fundamental. Su Lewis estaba concentrado en Tate, atento a sus noticias, deseoso y complaciente.

Los pocos detalles sobre Lewis que aparecían eran correctos. El Lewis de Dan aludía a Saptak, a Nadeen, al Sam del trabajo. No le habría resultado difícil enterarse de cosas sobre ellos, pero algunos de los otros detalles secundarios eran sorprendentemente precisos. Tate le decía a Lewis cuánto sentía que hubiera recibido tres copias del mismo álbum de los Strokes por su cumpleaños. Había ocurrido. Lewis mencionaba una multa que le habían puesto, con el coche de su padre, el día de Año Nuevo. Eso también era cierto. Al registrar la correspondencia, aquellos indicios hacían que el resto de lo que estaba escrito pareciera real: tuve que esforzarme por no ceder y creerlos, así de fácil.

Uno de los e-mails de la cadena sobresalía entre los demás. Era de Tate, y empezaba contando «otra estúpida historia de animales» que le habían mandado cubrir, sobre una mujer ciega cuyo perro tenía un problema en los ojos:

Para empezar, me costó no reírme del chiste de tener un perro guía ciego. Pero logré contenerme mientras el veterinario me contaba cómo habían tenido tres días internado al animal, tratándole los ojos con colirio para perros. Eso no funcionó. Al final, el veterinario se vio obligado a operar. Sacaron al perro para que yo lo viera. Resulta que la operación sólo fue un éxito parcial: uno de los ojos mejoró, pero el otro lo perdió.

Entonces entrevisté a la mujer y era increíble, estaba muy aliviada. Lo que dijo fue: «Gracias a Dios. En tal caso, nos las arreglaremos sólo con uno». El veterinario me dijo que creía que ella necesitaría un nuevo perro guía. Evidentemente, la Asociación de Perros Guía querrá jubilarlo. Pero, por muy importante que sea tener un perro con buena vista, aquella mujer ciega estaba más interesada en poder quedarse con el suyo. Era maravillosa.

Una de las razones por las que estoy tan implicada en lo nuestro es porque empezamos sin habernos visto antes. Ni siquiera, durante seis meses, hablamos de intercambiar fotos, y aunque sólo te he visto en una fotografía, eso ya me vale. Aunque no me has visto jamás, sé que lo comprendes.

Con todos los demás ha sido al revés. Han estado más interesados en la Tate que ven que en lo que pasa dentro. Puesto que el yo que ven va a marchitarse, no son los mejores cimientos, ¿verdad?

La lógica farragosa de lo que escribía resultaba atractiva. Saqué del bolsillo la fotografía de Dan y mía que me había llevado del armario auxiliar contiguo a su cama, y la sujeté entre el pulgar y el índice. Yo sonreía a la cámara, Dan tenía una mirada divertida. Mientras observé la imagen, el ruido de mi cabeza se fue apagando; el tráfico que circulaba dificultosamente por ella se detuvo por un momento. Aquellas palabras tenían que ser verdad, el problema de Dan no tenía que ver conmigo. Pero en ese instante la calle se volvió a atascar y fue imposible y, a la vez, un alivio no ser capaz de saberlo con certeza; lo único que sí sabía era que la foto me entristecía, como las palabras de Tate. Podía leer sus pensamientos.

«Sea lo que sea a lo que te estás enfrentando, puedo ayudarte.»

¿Era posible enamorarse de alguien sólo a través de sus palabras? ¿No faltaría parte de los ingredientes necesarios, un elemento esencial? Un buen actor puede interpretar un personaje sólo con palabras. De igual modo, en cada encuentro, sobre el papel o cara a cara, ¿no proyectan las personas una imagen?

Enamorarse era el resultado de esa representación. Seguir enamorado era aguantarlo todo.

Clara había sido mejor actriz que yo. Hacía mucho tiempo que no se me había dado tan mal. Y pese a la actuación y a la evidente distancia entre la Clara de verdad y la que yo había conocido, ¿me había enamorado de ella?

No lo sé.

¿Empezado a enamorarme, al menos? Un espacio en blanco.

En realidad, ¿se había sentido ella atraída por algo enterrado bajo mi fachada?

Quien hubiera enviado aquellos mensajes sí que había dado con el Lewis Penn correcto. Y sí estaba metido en un lío. Pero las palabras no servían de nada. Si Tate era real, y los e-mails de Dan auténticos, en tal caso, mi única esperanza de imponerme a UKI, de rebatir la insistente acusación de Hadzewycz de que yo tenía el expediente, había desaparecido; y Dan también quedaría comprometido, a no ser que yo pudiera intervenir a su favor.

Pero éste no era un caso apropiado para la «balanza de probabilidades»: yo estaba ya en el territorio «más allá de toda duda razonable». Más allá de toda razón. Era más fácil no creer, confiar en mis dudas y seguir el rumbo marcado por mi última intuición.

31

Permanecí tumbado largo rato y después me di un baño, tras el cual, pese a no poder afeitarme, me pareció que mi aspecto resultaba más profesional. Me peiné con los dedos hacia atrás el pelo mojado, despejándome la frente, y me di unas palmaditas en las mejillas para que tuvieran color, a la vez que sonreía, asentía y me ponía la corbata. Los puños de la camisa estaban sucios, pero si ponía las manos a la espalda, no podía negar que tenía una presencia sobradamente aceptable y un rostro atractivo. Al menos la obsequiaría con eso.

La comodidad de la cuidada habitación hacía difícil respirar. Me quedé mirando la pulida bandeja de té sobre la mesilla de noche, el hervidor de plástico, los sobrecitos de café y los envases miniatura de leche UHT. Sin poder hablar con Dan, era incapaz de tranquilizar a ninguno de nosotros dos.

Empecé a recorrer el diminuto pasillo que separaba la cama y el tabique, pisando con el tacón luego con la punta, con el tacón luego con la punta, dando la vuelta al final del recorrido sobre mi rodilla buena –entre el armario revestido de formica y la mesilla–, hasta que lo vi claro: lo que tenía que hacer mientras esperaba la hora de mi cita era seguir adelante con otro trabajo. En la oficina no me habría quedado sin hacer nada. Hay que dar cuenta de cada fracción de seis minutos. Le eché otro vistazo al ordenador portátil y, como era de esperar, Paula ya me había enviado las transcripciones de las cintas. Aquél era el material en bruto con que hacer el borrador provisional de Beazley. Ahora que lo pensaba, era una excelente idea.

Al empezar a trabajar en él, los datos parecían extrañamente rebeldes, poco dispuestos a colaborar, pero la cosa implicaba un reto. Y disponía de conexión fija vía cable con el ordenador central para afrontarlo. De alguna manera, la introducción tomó forma y, partiendo de ese punto, empezó a crecer el alentador esqueleto de encabezamientos de párrafo, hueso a hueso. Me sumergí en la reconfortante tarea de engordar lo que había escrito, y seguí adelante, llevado por un espíritu de satisfacción. Pero me di cuenta de un nuevo y acuciante problema: no podía quedarme confinado en el hotel toda la mañana, al propietario le daría mala impresión si no salía a trabajar antes o después. Gente que ver. Guardé el expediente, el ordenador y los blocs en la funda del portátil, y salí a dar un paseo por la ciudad antes de encontrarme con Tate.

A pesar de la penumbra de la calle, podía distinguir sin problema las amplias baldosas bajo mis pies, del uno al noventa y nueve. Fui a tientas por las calles de Clifton, como una lengua rastreando el contorno de los dientes. Me resultaban familiares sin verlas, una tras otra. Encontré el pub que Tate había sugerido, que era nuevo, parte de una cadena, y estaba muy lleno.

Llegué un cuarto de hora antes. El camarero preparó mi taza de café meticulosamente mientras yo intentaba en vano poner mis ideas en orden. Era imposible preparar un guión para aquel encuentro. La situación era tan abierta que desafiaba la definición. No lograba limitar el abanico de posibilidades, ni tenía ánimo de intentarlo. Mientras esperaba sentado me tentaba la idea de que todavía podía evitar la confrontación. Ahí estaba la puerta si quería salir por ella. Pero la espera se prolongó hasta pasada la una y me fui poniendo cada vez más nervioso, sin moverme, hasta que el nerviosismo encontró un foco que se volvió cada vez más difícil no admitir. El pensamiento estaba ahí, justo en medio de mi cabeza: albergaba una vana esperanza. Ella tenía que ser auténtica, y si así era, no podía ayudarme.

Pensé en la fotografía: tres caras sonriendo hacia lo alto de una duna. Cada una de ellas, una seductora y diferente posibilidad. Una de las rubias, al parecer, estaba perdidamente enamorada de una versión de mí. ¿Importaba qué versión? Al fin y al cabo, la que yo mismo me había construido se estaba desmoronando. ¿Qué quedaría? ¿Podría Tate, quienquiera que fuese, ayudarme a averiguarlo? Había dicho que se quedaría junto a Lewis Penn pasara lo que pasase. ¿Podría aceptar su oferta, a pesar de todo, y crear un nuevo mito de mí mismo? Con la ayuda de ella. Con ella.

Dan. La vana ilusión de aquella línea de pensamiento egoísta se interrumpió. ¿En qué estaba pensando? Si Tate no tenía nada que ver con UKI –y, de nuevo, mientras seguía la espiral de humo de mi cigarrillo hacia el techo de madera, la posibilidad se hizo real y después se desvaneció–, en tal caso tendría que convencerla de que ayudara a Dan. De mí dependía inducirla a hacerlo.

Por un segundo aquel plan me resultó claro como una página impresa, pero inmediatamente la tinta empezó a correrse y sospeché de los e-mails. La coincidencia del momento en que habían aparecido era excesiva. Junté las manos y las planté sobre la superficie metálica de la mesa. Si UKI había enviado a Clara, era capaz de llegar a aquellos extremos. Y yo iba un paso por delante de ellos, listo para hacerme con el control.

Saqué el expediente en blanco de mi bolsa y le di la vuelta. Mi determinación y mis sospechas giraban con él. Dios, ¿qué esperaba conseguir con un símbolo tan vacío? Allí estaba yo, sentado en un pub, esperando a una completa desconocida con la que había quedado, cuando se suponía que debía estar manteniéndome fuera de la circulación. ¿En qué coño estaba pensando? ¿Qué podría estar planeando para mí Hadzewyck en aquel momento?

Un hombre con cara de puño y chaqueta de cuero entró en el pub, se sacudió el frío de los pies con unos taconazos y se acercó despacio a la barra, recorriendo el local con la mirada. Me estremecí cuando sus ojos pasaron por encima de mí, y otra vez estuve a punto de salir corriendo. Lo más lejos que llegué fue a volver la cabeza hacia la puerta de madera. Tate era la de los ojos grises de la fotografía. Exquisita y menuda; por algún motivo, había estado esperando una figura más alta. Una chica más robusta, del cuerpo de Clara. Por supuesto, era algo intencionado. Querían desconcertarme distorsionándolo todo. Una pequeña tentación rubia en lugar de la escultural morena. Al mirar, pasada la barra, su cara se abrió en una deslumbrante sonrisa de reconocimiento. Estaba muy bien conseguido, un momento de *Alicia en el país de las maravillas:* su menuda figura empequeñecida por la carpintería negra y los grifos de latón avanzando por el campo de fútbol de las tablas del suelo. Indudablemente, era ella. La sonrisa carecía de malicia, era inquieta e irrefutable: tuve que agarrar el tablero de la mesa con los dedos pálidos para evitar caerme por la madriguera del conejo.

Estaba ante mí, y el pub se desvaneció por completo detrás de ella. Me levanté, tembloroso, treinta centímetros más alto que ella. Saludé con la cabeza e hice todo lo que pude por sonreír hacia abajo de forma tranquilizadora. Una decisión quiso tomarse sola. Cada parte de mí quería participar en ella. Mis manos, concretamente, estaban por todas partes: obstinados cangrejos carnosos. No podía confiar en que ellos entregaran el expediente. Qué más daba lo que decía mi cabeza; mis manos dejaron de creer en ella. En lugar de eso, las puse detrás de la espalda, y después, temiendo parecer un mayordomo, las metí de golpe en los bolsillos.

–Dijiste que eras alto –comentó.

Se quitó el par de guantes de lana con delicadeza.

–Por favor, siéntate.

Un acomodador.

–Empezaba a perder la esperanza. Me debes una explicación –dijo.

Su tono de voz era decidido, pero sus ojos grises se desbordaban en la transparencia de su cara.

Había estado bien, muy bien hecho. Tenía que reconocerlo, trabajaban con profesionales. Se echó el halo de cabello rubio detrás de sus perfectas orejas sonrosadas. Miré hacia abajo para romper el hechizo. El expediente sobresalía por el borde de la mesa. Por un estúpido momento pensé que una de mis rodillas podría empujarlo suavemente hacia ella, pero las dos permanecieron quietas. Mi boca se encargó de contestar al tuntún para ganar tiempo:

–Lo siento. Escucha, esto no va a ser fácil.

–No, no pensé que fuera a serlo. –Y negó con la cabeza.

–Tienes que dejar que te lo explique. Paso a paso. –Eso funcionó. Tenía sentido de cualquiera de las dos formas–. Pero, antes de empezar, ¿quieres beber algo, un café? ¿Algo caliente?

Asintió. Sus manos de miniatura, juntas sobre la mesa, también estaban temblando. Durante un instante ninguno de los dos habló. Una montaña imposible se alzó ante mí. Me alejé de ella, hacia la barra, y estuve de pie durante una eternidad, intentando encontrar una ruta por la que remontar la escarpada fachada del problema. Una forma de hacer que esa chica fuera quien yo necesitaba que fuera. Pero, en lugar de tener buenas ideas, en lo único en que podía concentrarme era en el camarero, que se entregaba a su rutina con los filtros, las bolsitas de café y la leche calentada al vapor. La minuciosidad con que preparaba la bebida era fascinante. Cuando la puso ante mí, cerré los ojos y vi su rostro en mi cabeza. Fina, frágil, preciosa, muy joven. Ojos líquidos. Genuina. Por un momento me cautivó la idea de que aquella chica estaba enamorada de mí. Una corriente de posibilidades me embriagaba. Comprobé mi reflejo en las estanterías con espejo de detrás de la barra: mi firme mandíbula refractada y doblada a través de los vasos de cerveza puestos boca abajo. Pero Dan volvió a borrar ese pensamiento, y la duda y UKI se abalanzaron hacia delante con una prisa desconcertante. Llevaba de pie un tiempo sospechosamente largo.

Regresé y dejé la bebida con suavidad delante de ella.

–Bueno. Así que estás metido en algún tipo de lío. –Enfatizó las palabras «algún tipo». No sabía si intentaba quitarle hierro al problema con la frase o poner el énfasis en un tema más obvio.

–Eso es. Pero también lo estás tú.

Tenía que tratar de ganar capacidad de influencia. Si la había enviado UKI, necesitaba que volviera y les convenciera de lo que yo no había conseguido persuadir a Hadzewycz: que si intentaban hacerme daño, les saldría el tiro por la culata. Y si ella era sincera, el problema de Dan también era suyo. De cualquier forma, la frase debería haber funcionado, pero salió totalmente agresiva:

–¿Qué se supone que quiere decir eso?

–Sólo que cada uno de nosotros se enfrenta a un reto.

–Pero ¿de qué estás hablando? Corta esas estupideces zen y dime por qué has querido verme ahora, después de todo este tiempo. Por favor.

Sus ojos eran una contradicción: encendidos bajo una película líquida.

«Después de todo este tiempo.» Los e-mails entre Tate y Dan, que me había reenviado desde el ordenador de éste, eran todos anteriores a mi problema con UKI. Habrían tenido que amañar sus cuentas de correo y falsificar las fechas. Aquellas imposibilidades técnicas, que ya había desechado anteriormente, de repente volvieron a cobrar peso. Por un momento no logré superarlas: tenía que ser auténtica. Pero sé poco de ordenadores y la duda volvió a colarse por el hueco. El esfuerzo de navegar por aquel laberinto me pasó factura. Mi suspiro se convirtió en un ruego:

–Sinceramente, dime por qué estás tú aquí.

Negó con la cabeza y no dijo nada. Cuando pestañeó, una línea descendió por su mejilla. Toda la cadena de correspondencia electrónica entre ella y Dan se extendía, indiscutible, en aquel trazo de lágrima. La barrió con la mano, luchando por mantenerse serena. Sus manos seguían temblando. Involuntariamente, estiré un brazo y las cubrí con una mía. Ardieron al tacto. Después subió la vista y cruzamos la mirada.

–No lo entiendo. Todos los demás fracasan, escribiste, pero juntos no nos hundiremos. Y entonces vas y quitas el maldito tapón, así, sin más. Ahora ya no sé si realmente hubo algo. Ahora mismo no tengo ni idea de quién eres.

–¿No?

–No.

Tenía que ser cierto. La escalada que tenía por delante era interminable, pero al fin y a la postre era la única ruta posible.

–Soy Lewis Penn –empecé–, pero no el Lewis Penn que tú conoces. La persona con la que te has estado comunicando es mi hermano Dan. –La palabra «comunicando» no era apropiada. Seguí adelante–: Dan ha cometido un terrible error. Él lo sabe. Me ha pedido que le ayude a arreglarlo. –Los dedos bajo los míos se pusieron tensos–. Está enfermo. Tiene fibrosis quística –continué.

–Lo sé.

–Sí, pero el Dan al que tú conoces no es el verdadero. Estaba fingiendo ser yo. Tienes que creerme, aun así fue él en todo lo que escribió. Lo decía en serio.

Su expresión se endureció pasando de la resolución a la rigidez. Se estaba preparando. Las últimas dudas que pudieran quedarme en la mente se evaporaron ante su determinación. Lo intenté de nuevo, luchando por expresar lo incomprensible en términos firmes y concretos.

–Dan y yo somos hermanos. Tú le quieres a él. –Eso sonaba impertinente–. Te escribió fingiendo ser yo, porque pensaba, para empezar, que su enfermedad se interpondría en el camino. No es típico de él hacer algo así. Él no miente. Nunca tuvo la intención de engañarte. Pero todo pasó demasiado rápido como para que pudiera frenarlo. Cuando te escribió diciendo que no podía seguir adelante fue porque entonces ya estaba muy enfermo. No era capaz de contarte la verdad, tienes que creerme.

No quise continuar. Su expresión se volvió seria. En la pausa, sus manos se deslizaron fuera de las mías.

–¿Es esto algún tipo de broma?

–¡No! Por favor. Estoy intentando explicártelo lo mejor que puedo. No es una broma en absoluto.

–Porque suena como un montón de gilipolleces.

–¡Lo sé! Debe de sonar así. Lo sé. –Continué–: Pero debes escucharme. Es casi imposible. Escucha: Dan te ha estado escribiendo haciéndose pasar por mí, Lewis, el abogado con éxito, sano. Viable. Estaba harto de que la gente viera la enfermedad antes de verle a él. Pero tienes que creerme, ¡vale mucho más que yo! Sólo utilizó mi nombre. Nunca se imaginó que lo que había entre vosotros crecería. Y cuando lo hizo, ya no podía decirte que estaba enfermo, porque sabía cómo te lo tomarías. Trató de protegerte. Ahora sabe que no estuvo bien. Por eso me contó lo que había ocurrido. Por eso me pidió ayuda.

Se quedó un segundo pensativa. Los dedos todavía le temblaban mientras echaba el azúcar en el café.

–Si ésta es tu manera de dejarlo, Lewis...

–¡No! ¡No soy Lewis! No ese Lewis. Es el Lewis de Dan, quien intentaba protegerte de que descubrieras la verdad, de que está enfermo. Él no quería dejar nada. ¡Tienes que perdonarle!

–Entonces, ¿por qué no ha venido aquí él mismo? ¿Por qué tú? ¿Dónde está tu hermano?

–¡Está enfermo! Está en una residencia para enfermos terminales.

Pensé la palabra «muriéndose», pero no pude decirla.

–Yo he venido aquí por él, para contártelo. –Era todo insostenible. Estaba cayendo en picado–. Tú me lo escribiste a mí. Dijiste que fuera lo que fuese a lo que nos enfrentáramos podías ayudarme. Esto es a lo que nos enfrentamos.

Levantó la taza del plato, pero volvió a dejarla, temblando, sin dar un sorbo. La enormidad de lo que yo decía nos abrumaba a los dos. En aquel instante no pude creerme que hubiera dudado de ella; deseaba poder rebobinar la conversación y empezar una nueva versión de la verdad, libre de peso. Al contestar con evasivas, había socavado las escasas posibilidades que tenía de que me creyera.

–Todo lo que teníamos era lo que nos escribimos –pronunció cada palabra claramente–, y ahora me dices que todo fue mentira.

–No. No fue todo mentira. Un engaño al principio, pero el resto era verdad. Estoy seguro de ello.

Negó con la cabeza, pero no por incredulidad. La determinación se había ido de su rostro dejándolo inexpresivo. No se me ocurría nada más que decir. Nos quedamos sentados uno frente al otro durante unos silenciosos minutos. Yo, Lewis Penn, que había abandonado a Clara a punto de morirse, atrapado en la vorágine de mi propio engaño, estaba allí, intentando decir la verdad en defensa de Dan. Miré a la chica que tenía frente a mí. Ella, a cambio, me estudió abiertamente. Su pelo rubio, cortado en melena, todavía metido detrás de las orejas. Aquellos grandes ojos dominaban su pálido rostro, bajo los cuales sus labios oscuros permanecían apretados, intentando no ceder. Se había arreglado para aquel encuentro, estaba seguro. La idea se me hacía insoportable.

–Haría cualquier cosa por no tener que decirte esto. Ojalá no te hubiera ocurrido a ti, ni a él, ni a mí. Pero el sacrificio que él está haciendo no está bien. Ha cometido un error. Deberíais veros, demostrarle que eres real.

Sus ojos claros me miraban fijamente. Cuando volvió a hablar, el tono de sus palabras era más alto:

–Lewis, si es que eres Lewis, piénsalo por un momento. ¿Cómo puedo saber yo qué había de verdad en todo ello?

Me encogí de hombros y le devolví la mirada.

–Tienes que confiar en mí.

–¿Confiar en ti? ¿Por qué?

Giré la taza en el plato trescientos sesenta grados. El asa parecía una brújula buscando rumbo. No hubo respuesta. Ni siquiera estaba ya seguro de que pudiera fiarme de mí mismo. Si no hubiera empezado con ambigüedades, tal vez habría tenido alguna posibilidad. Al camarero se le cayó un vaso en el fregadero, detrás de la barra, y se hizo añicos. El hombre se puso a maldecir. Ella no bajó la voz:

–¿Cómo puedo saber que me lo estás contando todo? ¿Quién eres realmente? ¿Quién es él realmente?

–Te lo estoy contando todo, hasta donde puedo. Estoy intentando ayudarte.

Respecto a Dan, aquello era cierto. Pero ¿y en cuanto a mí? Rechacé la pregunta, pero no pude evitar que hiciera mella en mí: allí estaba yo, confesando la verdad de Dan, y, al mismo tiempo, huyendo de las consecuencias de mi burdo encubrimiento.

Por un instante pensé en contarle quién era yo en realidad, y quién había pensado que era ella hasta que nos habíamos conocido. Sentí una irresistible necesidad de confesarle el lío en el que estaba metido, e incluso por qué no me parecía a la persona por la que Dan se había hecho pasar. Abrí la boca para decírselo, pero no pude. ¿Acaso me lo impedía el hecho de que el encuentro con aquella chica no tenía nada que ver conmigo? ¿O era simplemente que no soportaba decir toda la verdad?

Examinó mi rostro, pensativa. Su boca resultaba convincente y prometedora. Aparté la vista. Ella al fin habló:

–Ya sabía yo que era demasiado bonito para ser verdad.

No lo esperaba, pero lo temía: cosas así de bonitas no ocurren. Ése era mi peor temor. Y ahora tú lo has dicho en voz alta.

Ahora tengo que aceptarlo y hacerle frente. Superar el peor de mis malditos temores. Y todo es por tu puñetera culpa. Debo hacerle frente. Y de la única forma que puedo: marchándome.

Sus palabras seguían siendo pausadas y nítidas. Cada sílaba era meditada y cargada de intención. Estaba recuperando su determinación.

–No, por favor, no debes. No puedes marcharte. Tienes que ir a verlo, y explicarle que le comprendes.

Pensó en lo que le decía.

–No estoy segura de poder hacerlo. No creo que sepas realmente lo que me estás pidiendo.

–Te enamoraste, ¿no? Te estoy diciendo que la persona de la que te enamoraste necesita tu ayuda, te necesita. Irás. Dijiste que irías.

–Ya no estoy segura de nada. Tengo que asimilar todo esto. Me lo echas todo por tierra y, al mismo tiempo, me pides que te ayude, a ti, o a tu hermano, o a otra persona. No creo que pueda hacerlo.

No me había planteado la posibilidad de que se opusiera. En realidad, no había pensado en cómo reaccionaría. Pero pude percibir en su reacción un destello que endurecía su mirada gris. Me había cargado su confianza y había estropeado la única oportunidad de Dan. Mi desesperación aumentó. Arrodillado ante Clara, entumecida en el suelo de la serpenteante carretera, había pensado que no había nada que pudiera hacer. Y ahora tenía ante mí aquella chica aterrorizada y debía aprovechar la oportunidad de actuar antes de que se retirara asustada.

Mi mano dejó la taza y se metió en el bolsillo interior de la chaqueta. Sacó la fotografía de Dan y mía. Anoté el número de teléfono de St. Aloysius en el reverso. Luego me levanté de la silla, rodeé la mesa hasta su lado y me agaché, sin poder evitar una mueca de dolor, sobre mi quejumbrosa rodilla izquierda. La sentía como si estuviera arrodillado sobre el vaso roto del camarero. Ella miró nerviosa por encima de su hombro, insegura. Sus defensas la abandonaban y estaba presa del pánico ante lo absurdo de aquel hombre que se agachaba ante ella en un tranquilo pub un día entre semana.

–Tate, no sé cómo vas a tomarte lo que he dicho, aunque estoy intentando entenderlo. Pero he leído lo que le escribiste a Dan. Eres compasiva. Vi los sentimientos que tienes hacia él. No le decías esas cosas a la ligera. No puedes pretender que nunca ocurrió. Te estoy suplicando que le perdones.

Busqué su reacción. Arrugó el rostro, asombrada y perdida, y en ese momento vi un mínimo atisbo de un gesto afirmativo en el movimiento de su cabeza.

–Tengo que pensarlo –dijo.

Le ofrecí la fotografía.

–Ésos somos los dos. Su número de teléfono está escrito detrás. Te darán la dirección si preguntas. Estarás haciendo algo bueno.

Como no tomó la fotografía, la dejé al lado del café, que estaba intacto. Ella miró despacio hacia abajo.

Por iniciativa propia, la mano temblorosa que yo tenía libre se posó en su mejilla y en la curva de la mandíbula. Me incliné hacia delante y le besé la frente en silencio; mi nariz rozó el brillo de su pelo.

32

En la soledad de mi habitación en el Burberry repasé la conversación con Tate. No bastaba con lo que le había dicho. ¿Iría a ver a Dan? Contemplé las dos opciones posibles. Sin duda lo haría; su asentimiento con la cabeza así lo había indicado; le había dejado el número; sí, iría. Pero ¿cómo estaba tan seguro? No se había decidido. No le había explicado quién era Dan suficientemente bien. Había enturbiado una situación ya de por sí incomprensible al contarle medias verdades y evasivas. ¿No evitaría enfrentarse a lo que ella había descrito como su peor temor?

Pronto lo averiguaría. Le daría veinticuatro horas, y después lo comprobaría; llamaría a Dan para ver si había ido. ¿No debería avisarle de que podía presentarse? No. Si se lo decía, y ella no iba, sería peor. Así que mejor que no supiera nada.

Veinticuatro horas. Mi expediente Sebastopol estaba sobre la mesilla de noche, caduco. La superficie de la mesa era de formica, decorada con un diseño a cuadros en amarillo y verde. Papel de gráficos. Conté once cuadrados a la derecha del expediente, y después me quedé mirando la carpeta azul oscuro: ya no lograba recordar lo que había esperado conseguir con ella. Mi desesperación estaba escrita en grandes letras en cada página en blanco. Era demasiado penoso pensar en ello. A cambio, conté los cuadrados a la izquierda del expediente: uno, dos, tres, cuatro, cinco, seis, siete. Once a la derecha, siete a la izquierda. Ya sólo quedaban siete horas para el plazo de Hadzewycz, y no tenía la menor idea de cómo emplearlas. Estaba solo en medio de un océano vacío; cualquier dirección resultaba inútil. Me tumbé sobre los repliegues de la colcha y dejé que ese interminable vacío nos borrara a la tarde y a mí mismo.

No había dormido bien desde hacía días, y tampoco lo hice entonces. Al cabo de una hora estaba totalmente despierto, conectando mi ordenador portátil a la toma del teléfono y accediendo a la página del *Washington Post,* pero nada en ella había cambiado: la misma historia de Ben Gowen en la que Clara seguía en coma. Por muchas veces que le di a *Actualizar,* las palabras sólo parpadearon. Pasé de aquella exasperación al informe provisional de Beazley, que me absorbió durante un par de horas, aunque no puedo decir que avanzara demasiado, la verdad. Algo en el silencio del hotel me impedía pensar con claridad.

Deseando que volvieran la normalidad y la actividad, me colgué el ordenador portátil del hombro y salí a buscar algo de comer. Me refugié en el estrecho y cálido interior de un pub que reconocí, el Highbury Vaults. Pedí una pinta de Guinness y una patata asada con chile. Fui a una pequeña mesa de un rincón y me senté. Las lámparas, de un color naranja apagado, emitían un halo sobre sí mismas y acentuaban la penumbra de un panel de tabiques revestidos de oscuros paneles. Los bancos de roble de respaldo duro se llenaron en poco tiempo de una mezcla de estudiantes y gente del lugar. No veía a nadie más con traje. Hasta que llegó la comida, no supe qué hacer con las manos. Deseé tener un libro o unos documentos que hojear, incluso se me ocurrió encender el ordenador, pero lo pensé mejor y, en su lugar, me conformé con ver bajar lentamente la espuma en el interior de mi oscuro vaso.

Un nutrido grupo, en animada conversación, entró en el pub y se sentó en un reservado de madera cercano. Parecían estudiantes. A la izquierda, un fornido veinteañero captaba la atención del grupo al denunciar con fingido enfado una presentación a la que habían asistido, ofrecida por una empresa que, me figuro, estaba reclutando a recién licenciados.

–¡Si creen que todas esas ingeniosas gilipolleces marcan alguna diferencia es que son tan estúpidos como parecen! –exclamó–. Si uno de ellos, uno sólo, reconociera que asistimos para beber y comer algo, y admitiera que ellos sólo acuden para librarse de un día en sus aburridos despachitos, y terminaran con la estúpida e idiota hipocresía de todo el patético asunto, aún les respetaría. Pero no, se supone que debemos estar atentos e impresionados, y están convencidos de que nos venden un servicio o un ideal. Menudos gilipollas.

Me quedé escuchando, tomé una segunda pinta con la comida, una tercera después, animándome con ellas. La bebida me tentaba a unirme a su conversación. Me apetecía recuperar la indomable seguridad de aquellos jóvenes. Pero sabía lo infundada que era esa farsa, y lo que debía hacer era inclinarme hacia delante y gritar: «¡No es tan sencillo!». Me mandarían a la mierda. Con toda la razón. No hice nada, simplemente permanecí sentado, observándoles y escuchando, fumando cigarrillos y bebiendo.

Cuando iba ya por la mitad de la cuarta pinta, pude darme cuenta de que se me estaba subiendo desproporcionadamente. Ampliaba su efecto lo poco que había dormido y la concentración de isobaras en torno a mi cabeza. Había solucionado lo de Tate y Dan, Clara mejoraría pronto, y yo no tardaría en regresar al trabajo con todo en orden... Pero recordé el plazo de entrega de Hadzewycz, y el trabajo me pareció muy lejano, y dudé incluso de que consiguiera volver. Quería estar sentado y pensar en soledad, pero también deseaba compañía y poder hablar. El traje resultaba inapropiado en ese entorno, de alguna forma me diferenciaba, pero, a la vez, y por la misma razón, resultaba correcto. Sabía mucho más, y mucho, mucho menos que todos los demás. Mi percepción iba disminuyendo con cada sorbo. Apuré la cuarta pinta y decidí que era la última, pero, entonces, sin saber cómo, me encaminé a la barra y pedí una quinta.

Mientras esperaba a que la Guinness reposara y metía el cambio de un billete de veinte en la gruesa boca de la cartera, me fijé en que había junto a mí un hombre de barba pelirroja con una gorra con visera bajo la cual asomaban mechones canosos de pelo. Pelo gris, barba roja, meciéndose suavemente. «Un mecánico», pensé, «sabe cosas concretas.» Quise decirle que siempre había admirado a los mecánicos, pero de pronto me di cuenta de que él también me examinaba, tranquilamente, no, fríamente, de modo que asentí y sonreí como saludo. Él se apartó por toda respuesta.

Volví a la mesa despacio y coloqué la jarra llena en el centro. Los estudiantes del reservado de al lado habían sido sustituidos por tres hombres mayores que bebían en un áspero silencio. Al sentarme en mi sitio, vi que el hombre de la barra se unía a ellos. Un minuto después, dos de los tres estaban medio vueltos en su asiento y me observaban. Di un sorbo a mi bebida, concentrado. Sin las voces de los estudiantes, el pub quedó en silencio y, a pesar de la cerveza, que ya no me apetecía, la quietud resultaba cortante. Estaba incómodo, sentía que los hombres de la mesa me miraban por alguna razón. Los había enviado Hadzewycz. Pensarlo era, a la vez, divertido y malo, gracioso y horrible. Debía irme. Tomándome mi tiempo, me levanté, cogí el portátil y me fui.

En cuanto salí del pub, percibí que alguien me seguía. No podía irme corriendo porque la rodilla se me había vuelto a entumecer. Llevaba menos de cincuenta renqueantes pasos cuando las pisadas se acercaron y noté algo que me golpeó desde atrás en un lado de la cara. El golpe me lanzó dando tumbos contra la entrada de una tienda. Dejó de dolerme nada más recibirlo, e inmediatamente después me enderecé con un único pensamiento en la cabeza: «¿Qué vendrá ahora?».

–¡La cartera! –dijo el hombre entre dientes.

Sujetó mi corbata y las solapas de mi chaqueta con el puño. Apretó fuertemente mi nuca contra la puerta con su brazo extendido, sobre el que se apoyaba como si estuviera empujando un coche para hacerlo arrancar. Sus ojos negros bajo la visera calada reflejaron una momentánea confusión ante mi sonrisa, pero no pude evitar que se ampliara; el alivio que sentí era irresistible. Entonces noté su otra mano en mi bolsillo interior; su cara, cerca de la mía, de forma que podía oler la cerveza en su aliento a pesar de la Guinness en el mío. Tenía la cartera abierta a la altura del pecho.

Sacó el fajo de billetes de veinte doblados y un surtido de tarjetas y, con un solo movimiento, nos empujó al suelo, a mí y al cuadrado de cuero. En ese momento tuve dos manos para frenar la caída, pero nada colgado al hombro, y eso era malo. Acabé por caer desplomado, las piernas cruzadas, con la cartera vacía sobre mi regazo. Oscuridad.

Después, un rostro frente al mío dijo:

–Intente levantarse. –Y alguien me sacudió el hombro.

Todo parpadeaba. Hice lo que pude por mantener los ojos abiertos, pero no funcionó: la pared de mi lado palpitaba y el hombre que me ayudaba a levantarme también iba y venía. Rojo y azul.

–No hace falta que se quede. Ya nos hacemos cargo nosotros.

–Me voy –dije.

Pasos.

–¿Puede decirme su nombre?

Mi nombre.

–¿Señor, puede decirme lo que ha ocurrido?

Enfoqué la figura. Un bigote. Tiras reflectantes en su abrigo. Detrás de él, más reflejos: un coche patrulla con dos ruedas subidas al bordillo. Sus luces parpadeando: uno, dos, uno, dos, uno, dos. No iba a ninguna parte. Pero sí que iba. Me balanceé de forma insegura y logré apartarme de la pared con una mano extendida: Clara separándose del parabrisas. No hablaba. «No digas nada.» Ahogué toda respuesta a las preguntas del agente. Hadzewycz no me había entregado, no podía, no tenía sentido. Eran tonterías, coincidencias. Viento frío. Me abroché el abrigo. No debían descubrir mi nombre.

–Bien –susurré.

–Han denunciado una agresión.

–Estoy bien.

–Tiene la cara cortada, señor. Sería conveniente que se la vieran.

Me tomó del brazo. Rojo y azul, uno, dos, uno, dos.

–Iré caminando. –Me solté y me puse en marcha.

Oí unos pasos detrás de mí, pero después se desvanecieron. Seguí adelante, esperando a que un sentimiento, cualquier sentimiento, se impusiera. Pero todo había ocurrido demasiado rápido para poder asimilarlo. Los hechos se habían adelantado a la reacción interna pertinente. La acera ante mí seguía saltando del azul al rojo.

Aquello no era justo y, sin embargo, me lo merecía. Una represalia dentro de un plan más amplio: yo había abatido a Clara, y lo mismo me había ocurrido a mí. Seguí caminando, sujetando la cartera con las dos manos, la cara me empezaba a escocer. Los dedos subieron a mi ceja izquierda y la notaron hinchándose y mojada, partida y, al parecer, sangrando. Me sequé la humedad mientras continuaba adelante rígido y desorientado. No recordaba si el Highbury Vaults estaba hacia arriba a la izquierda o hacia atrás a la derecha y, más allá de eso, no lograba visualizar el camino de vuelta al Bradbury, al Burberry, o como se llamara. Azul, uno; rojo, dos; azul, uno.

Lo que necesitaba era un taxi, pero no había ninguno. Durante un instante pensé en pedir al coche patrulla que pasaba que me llevara, pero cuando miré, no lo vi, sólo veía el rojo-azul que se mantenía ahí fijo, tuviera los ojos abiertos o cerrados. Examiné mi cartera vacía. Tenía un par de tarjetas metidas en un bolsillo, pero eran traicioneras. ¿En qué lugar me dejaba eso? La calderilla en el abrigo y en los bolsillos de los pantalones sumaba menos de cinco libras. Así que, en cualquier caso, nada de taxi. Pero ya no importaba, porque me abría paso por la recepción del hotel, parecida a un útero. No quería que me vieran, así que aguanté la respiración mientras subía las escaleras en espiral, y solté el aire por la boca fruncida al cerrar tras de mí, a tientas, la puerta de la habitación.

En el baño me examiné, me lavé el ojo hinchado y la mejilla magullada. La sangre hacía que pareciese mucho peor de lo que era. Si sonreía, el otro lado de la cara subía igualándose con la hinchazón, y el ojo derecho se tensaba como el izquierdo.

Por alguna razón me preocupé más por la camisa blanca. Un restregón de sangre había manchado el cuello. Recordé a Clara, roja. Me quité la camisa y froté con jabón la mancha, poniéndola bajo el agua caliente y restregándola en pequeños circulitos marciales con una toalla blanca del hotel. La puerta de la nevera. El rotulador azul. La mancha pasó del marrón a un rosa sucio que se aclaró al frotar con el jabón, pero que no desapareció del todo y volvió a oscurecerse bajo el grifo del agua hirviendo.

Después de frotar y aclarar durante un buen rato, busqué el secador de pelo, junto a una Biblia en el cajón de la mesita de noche, bajo mi expediente en blanco. Allí estaba: de cortesía. Pero no entraba en el enchufe para la máquina de afeitar. No hubo suerte. La inquietud encontró otro foco en el que centrarse; en la traicionera cartera. Y faltaba algo. El problema eclipsó la inamovible mancha. Dejé la camisa colgando sobre el lavabo para que se secara, me senté en el borde de la cama, con los ojos fijos en la pared, quietos sobre su fotograma. Pero el pensamiento tardó un siglo en formarse. Algo que ver con un plazo de entrega. Beazley, claro, y el ordenador portátil. No estaba allí, había desaparecido. Lo tenía el mecánico. La gorra grasienta. Ahora sí que tenía un problema de verdad, porque mis apuntes estaban en el disco duro, y ya no tendría el informe listo a tiempo para Beazley. Lo que era extraordinariamente frustrante. Mucho peor que el dolor punzante en el lateral de mi cabeza; ni siquiera eso parecía ya importar. Mi mirada bajó hacia el teléfono. Tuve una idea. Hacer algunas llamadas. Hacer algo positivo. Llamar a Tate para asegurarme de que había ido a ver a Dan. Llamar a Dan para contarle lo de Tate. Llamar a Clara para decirle que se repusiera. Llamar a Hadzewycz para decirle que se fuera a la mierda.

Gracias a Dios, antes de llegar tan lejos, me tumbé de lado sobre la mejilla en buen estado y cerré los ojos para pensar lo que diría. Tendido como una sombra vespertina, todavía con los pantalones del traje puestos, me di cuenta de que me había quedado sin palabras. Al descubierto. Me desembaracé de los zapatos, primero uno y después el otro. No sentía nada salvo una sensación de pérdida, pero no importaba, porque la ansiedad finalmente se estaba yendo, cedía. Me eché la floreada colcha sobre el torso desnudo y me quedé dormido.

33

Mis párpados resplandecían. Cuando los abrí, vi que había dejado la luz del techo encendida. El reloj decía que eran las cinco pasadas. Intenté darme la vuelta, pero el lado de mi cara se opuso rotundamente. En lugar de eso, me incorporé esperando que al menos parte de lo que sentía se pudiera atribuir a una resaca. Me palpé el ojo izquierdo y detecté la rendija a través de la que seguía funcionando. Recordé de repente el cuadro completo de la tarde anterior. Gruñí y fui hasta el baño, me quedé allí intentando enfocar mi rostro en el espejo de encima del lavabo. El cristal plateado estaba salpicado de problemas.

Me duché y me vestí. Tardé bastante en hacerlo porque moverme era doloroso. La rodilla parecía haber empeorado, y la caja torácica me tiraba bruscamente cuando me volvía o cuando inspiraba. La cara en sí no me dolía, pero la cabeza me iba a estallar y notaba el músculo desde la oreja al cuello, como si me estuvieran fustigando; tenía que volverme con cuidado. Además de eso, notaba el reverso de la mano izquierda raspado e hinchado, de forma que los dedos no podían agarrar con fuerza. Debía de haberme caído sobre ella. La mano derecha realizó una breve inspección recorriendo suavemente los tendones magullados, como si la izquierda fuera de un amigo. Me lavé y me sequé, me enfundé los pantalones arrugados y la camisa, me consolé con el movimiento automático de mis manos al anudarme la corbata. La mancha seguía allí. Tendría que acordarme de mantener el lado derecho hacia delante. No había cuchilla, pero la barba parecía ya casi intencionada. Si sonreía y miraba hacia la izquierda, era yo.

En casa se estarían abriendo grietas. Tenía que intentar taparlas. Primero Saptak. Dado que siempre se iba tan pronto a trabajar, era importante que llamara a tiempo de pillarle. Alcancé mi libreta y busqué una página en blanco, pasando por mis anotaciones sobre Habitaciones Paraíso. Éste era un asunto diferente. La mano que tenía en buen estado manejaba el bolígrafo con agilidad, la izquierda sujetaba la libreta con la palma. Marqué el número conocido. Sonó durante largo rato, durante el cual escribí «Saptak. Viernes». No lograba recordar la fecha.

–¿Sí? ¿Quién es?

La voz de Saptak se oía pastosa.

–Soy yo, Lewis. ¿Cómo estás?

–¿Cómo estoy? Lewis, ¿dónde coño estás tú?

–Sí, por eso te llamo. Pensaba decírtelo antes de marcharme. Madison & Vere me ha enviado fuera de Londres, a visitar a un cliente.

–Lewis, escúchame. La policía ha estado aquí. Han llamado tu secretaria y tu jefe. También ha llamado alguien de personal de tu empresa. Tus padres han llamado mil veces. Todo el mundo te está buscando. ¿Qué coño está pasando?

Su tono de voz era de enfado y preocupación a partes iguales. Mi bolígrafo escribió: «¿Qué coño pasando?».

–Ya, tuve que irme a la carrera. Es para un nuevo cliente, un trabajo de emergencia. No lo sabe todo el mundo en el trabajo, porque es confidencial. Ya sabes cómo funciona esto. Pero estaré de vuelta dentro de una semana o así, no va a durar eternamente. –Silencio–. Sólo quería que lo supieras, sobre todo por el tema del robo y todo eso. Si te hace falta comprar cosas nuevas para el piso, hazlo, te lo reembolsaré. Volveré a llamar.

–Espera, espera un poco. Creo que deberías volver ahora

mismo. Dime dónde estás, iré a buscarte. La gente está realmente preocupada por ti, Lewis. Tu madre ha dicho que la policía le hizo preguntas sobre algo que ha pasado en Estados Unidos. La policía que vino aquí dijo que tenían que interrogarte. Tienen a gente buscándote por todas partes. No puedes huir de ese tipo de mierda. El tío de personal dijo que quieren que te pongas en contacto con Madison & Vere inmediatamente. Un coche lleno de tíos trajeados ha estado aparcado fuera del edificio toda la noche. Ha debido de pasar algo serio, Lewis, lo sé. Tienes que volver. No me vas a engañar con esa gilipollez de un trabajo secreto. Soy yo, Saptak. Déjame ayudarte. Mira, además de todo eso, tu madre ha dicho que tu hermano está peor en este momento. Quieren que vayas a verlo.

Aquella vez la pausa era mía. Le puse fin con una risa leve, como por una irónica coincidencia. Con mi voz más tranquilizadora dije:

–Te están liando, Saptak. –No estaba seguro de a quién me refería con el «te están», pero obvié el problema y continué–: Estoy de viaje de negocios. En este preciso momento es muy inoportuno, pero no puedo hacer nada al respecto. Sé que Dan está enfermo, pero se recuperará. Por supuesto, iré a verle en algún momento durante el fin de semana. Tranquiliza a mis padres sobre eso. Diles que me va bien y que les llamaré pronto. Pero éste es un trabajo muy importante y voy a estar muy liado durante una semana o así. Ya sabes cómo es. Dile a la policía que les ayudaré en su investigación cuando vuelva. Debe de ser por el robo, seguro. Y los de personal no saben ni dónde están ellos, como para saber dónde estamos los demás. Probablemente andarán persiguiendo las hojas de control de horas o las reclamaciones de gastos. Les llamaré. Relájate, es sólo...

–No me hace falta relajarme, Lewis. ¿De qué estas hablando? ¿En qué coño estás metido? El robo no fue una coincidencia, ¿verdad? Está pasando algo malo. ¿Dónde estás?

–Estoy en el hotel. Tenemos una reunión dentro de diez minutos, para la que más vale que me prepare.

–Son las seis y cinco.

–Exacto. Te llamaré más tarde.

Colgué cortando el comienzo sin sentido de una palabra. Después vino un silencio en el auricular. Aguanté un momento la respiración. La quietud todavía era más profunda, muy tranquilizadora. Y entonces se quebró con un zumbido continuo.

Coloqué el teléfono en su sitio y me tranquilicé. Como siempre, Saptak había puesto el dedo en la llaga: «Está pasando algo malo». El expediente en blanco se burlaba de mí desde la mesita de noche. Levanté la cubierta y me quedé mirando la portada roja. Aquél era el problema y, sin embargo, no lo era. La capucha roja de Clara. Enterrada en medio del expediente, una diminuta costura roja, el vaso sanguíneo reventado de mi página invertida, y una única letra impresa en aquel papel: «Todo lo que sé sobre el Proyecto Sebastopol». Cerré la tapa de golpe.

Sobre la mesita auxiliar, mirando hacia abajo, estaban las rígidas líneas de mi expediente. Conté los cuadraditos de que constaba la mesa: estaban mal. Algo no encajaba. Ocho cuadraditos a la izquierda del expediente. Uno, dos, tres, cuatro, cinco, seis, siete, ocho, nueve, diez, a la derecha. Ocho y diez. El expediente se había movido. Alguien lo había movido.

Me puse a dar vueltas alrededor de la habitación, respirando por las fosas nasales con súbitos bufidos. El atraco no podía haber sido una coincidencia. Alguien me había seguido. Tenían varias tarjetas mías, sabían mi nombre. Habían robado mi ordenador portátil. Rojo y azul palpitando a mi lado mientras me tambaleaba de regreso a casa. ¿Hasta dónde me habían seguido? ¿Había rastreado la policía la habitación? ¿Hadzewycz? ¿O había movido yo el expediente al cerrarlo? No, no que yo recordara. Debía de haber sido el personal del hotel al limpiar la habitación la tarde anterior. Otra vuelta lenta por la habitación: la manta arrugada, las toallas desparramadas. No todo era un caos aquella mañana. No.

Conté los cuadraditos de nuevo: del uno al ocho, del uno al diez. No había duda. Pero no estaba seguro de haberlos contado la primera vez. El expediente era azul oscuro. Los cuadraditos de la mesa eran verde Chesapeake y el impermeable amarillo. Los había contado antes y los números ahora eran distintos, alguien había estado en mi habitación, a no ser que... Era inútil y tenía que irme ya.

No debía correr. Dejarme llevar por el pánico sólo reduciría a la mitad el tiempo que me quedaba. Arreglé la habitación sin darme prisa. Coloqué bien la manta de la cama y devolví a su sitio las toallas que había ensuciado. Limpié el lavabo, tiré de la cadena, puse la alfombrilla del baño sobre el borde de la bañera. Dejé el teléfono sobre la mesilla y alisé la colcha floreada. Después me puse el abrigo, que estaba en el colgador de detrás de la puerta. Había algo apelmazado sobre su manga de color carbón: la sangre que limpié de mi ojo la noche anterior. No importaba. La cepillaría en la calle. De pie en el cuarto de baño, me miré en el espejo con el expediente y mi libreta bajo el brazo, dentro de la bolsa de Safeway que había rescatado de la basura del baño, mi único equipaje. Practiqué la sonrisa tranquilizadora que me salía apretando la cara, volviéndome hacia el lado más presentable, el derecho.

La ciudad se sucedía en torno a mí mientras caminaba: los autobuses y los coches circulaban por las calles, se vaciaban de pasajeros, dejaban atrás a los viandantes que se abrían camino entre el frío, concentrados en seguir su ruta, exacta como un reloj. Una joven madre llevaba a rastras por la acera a dos niños abrigados y encapuchados. Pasé por delante de la entrada del garaje de una casa en la que una pareja se disponía a salir en coche; a ella se la veía en el interior empañado mientras él raspaba el hielo del parabrisas con una rasqueta de plástico de mango rojo. El tubo de escape resoplaba espesas nubes blanquecinas. Rojo y azul. Enfrente, una mujer mayor, envuelta en una bufanda color aceituna, tiraba de un carrito de la compra estampado en cuadros escoceses. Una de las ruedas se había quedado clavada, resbalaba y tropezaba con las losetas de color blanco apagado. Todo el mundo iba a alguna parte.

Yo también. Me dirigía cojeando hacia cualquier otro lugar, fuera de la vista, a esperar. Pero todavía había trabajo que hacer. Había emprendido algo a favor de Dan. ¿Un éxito? El temor que sentía me hacía recurrir a evasivas. ¿Qué más podría decirle a Tate para convencerla? Se me ocurría algo, pero, por mucho que intentaba pensar en ella, no conseguía enfocar la imagen, y a media mañana ya no pude posponer más la llamada. En alguna parte de Queen's Road encontré una cabina de teléfono y marqué el número de Tate. Cuando contestó, yo hablé primero, rápido:

–Soy Lewis. Escucha, tengo que saberlo, ¿has ido a verle?

–No.

–¿Y por qué no? ¿Qué coño te pasa? ¿No te das cuenta de que todo depende de ello? Si no le perdonas, si...

–¡Para! ¡Por el amor de Dios! ¿Por qué debería obedecerte? ¿Quién me dice a mí que cuando vaya no me voy a encontrar con que Dan nunca ha existido? ¿Qué prueba una fotografía? He estado toda la noche despierta pensando y todavía no sé qué creer.

La línea tenía eco. Ella sonaba a kilómetros de distancia, y cada vez más lejos. Respiré hondo y me obligué a hablar con calma.

–Lo entiendo. Perdona. Pero es la verdad.

–Eso es lo que tú dices.

Por un momento vi el camino hacia delante despejado. Explicarlo todo. Si ella se daba cuenta de lo difícil de mi situación, entendería por qué había empezado con mal pie el día anterior. Pero ¿por dónde debía comenzar? La verdad se extendía más allá de la curva de mi horizonte inmediato; todavía no veía cómo empezar sin que sonara ridículo. Espías industriales, mafia ucraniana, registros y atracos: el vocabulario sonaba a ficticio. No me creería. Al final, sin pretenderlo, una fórmula mágica se articuló por sí misma:

–Te prometo que te he contado la verdad sobre Dan. Sobre mí habría más que contar, pero ésa no es la cuestión. Aunque al principio pensé que lo era, porque creí que tus mensajes significaban algo completamente diferente; pensé que eran una... amenaza. Pero eso tampoco viene al caso. El problema no gira sobre mí. De verdad. Es sobre Dan. Ha cometido un gran error y te suplico otra vez que, por favor, le ayudes a arreglarlo. Simplemente ve a verlo. Dijiste que le ayudarías fuera cual fuese la situación. ¿Por qué te niegas ahora?

De pie en la cabina, esperando con los ojos cerrados, me vino el recuerdo de sus labios oscuros.

–Yo no he dicho eso. Sólo que no he ido y que no sabía qué creer. Pero no he dicho que no pensara ir.

Había una autoridad en su voz que no había notado el día anterior. Pegué el *post-it* con su número de teléfono en el cristal de la cabina telefónica, me quedé mirándolo, esperando a que continuara.

–Tengo la dirección. Y sé exactamente qué te escribí y qué te dije. Todavía no estoy convencida de que deba hacerlo, pero soy fiel a mi palabra. –Hizo una pausa. Escuché su respiración, mientras yo escribía «va» varias veces bajo el número–. ¿Lewis?

–Gracias –dije–. Gracias.

Dejé caer el auricular.

En lo alto de la cima de Park Street, miré pendiente abajo hacia el puerto y vi que el cielo extendido sobre los tejados se movía con rapidez a pesar de la quietud aparente. Una masa de nubes cubrió rápidamente el sol volviéndolo amarillo sucio, de forma que yo podía observarlo cómodamente allí suspendido, plano y circular por encima del horizonte. Las nubes avanzaron en silencio, y la visibilidad a lo lejos se deterioró a medida que llegaron los primeros copos. Aterrizaron sin llegar a derretirse sobre mis hombros, sobre mi pelo y sobre las raspadas punteras de mis zapatos. En la mano buena sostenía una serie de tarjetas de visita que había sacado del bolsillo de la chaqueta cuando buscaba el *post-it* de Tate. Las repasé y me detuve en la más estropeada. Una idea me asaltó, brumosa como el cielo que se emblanquecía sobre mí. La nieve me venía a la cara. El contacto de los copos era casi cálido.

34

–¿Lewis? –La profesora Blake se quitó las gafas y las dejó colgadas de su cadena alrededor del cuello. Su sonrisa se deshizo en una mirada de preocupación–. Pero, por Dios, ¿qué te ha pasado?

Abrió la puerta de su despacho y me hizo pasar.

–Tuve una pequeña caída sobre el hielo –expliqué.

Había libros por todas partes. El monitor de su ordenador era grande y gris. Por el salvapantallas unas palabras cruzaban de izquierda a derecha en letras mayúsculas amarillas: «La gran imagen de la autoridad: a un perro en su cargo se le obedece siempre».* La profesora Blake examinó con preocupación mi cara magullada.

–Bueno, ¡qué sorpresa verte aquí de nuevo! Ha pasado mucho tiempo. ¿Qué haces en Bristol?

–Estoy aquí por negocios –respondí– y pensé que podía visitarte.

Le sonreí. Su pelo gris quedó a la altura de mi pecho.

–Bueno, estoy encantada. ¿Dónde te alojas? ¿En qué estás trabajando, o es secreto?

Seguía estudiando mi cara, aunque, pese a ello, me miraba con cariño.

Ignoré la primera pregunta.

–Voy a hacer una presentación en una empresa de contabilidad. Estoy trabajando en ello.

---

* *El rey Lear*, de William Shakespeare, acto IV, escena VI. *(N. de la T.)*

–Bueno –dijo visiblemente decepcionada–. Entonces, ¿estás tú solo o has venido con gente de Madison?

–Estoy por mi cuenta. Me dijiste que me pasara. ¿Debería haber llamado?

–No te preocupes por eso. Escucha, ¿qué vas a hacer para comer? Yo me iba ahora a casa. Si crees que puedes soportar mi cocina, me encantaría que vinieras.

Asentí agradecido.

Se puso el abrigo en silencio, recogió la mochila y se encaminó hacia el pasillo del edificio de la facultad que conducía de vuelta a la planta baja. Se abrochó el abrigo hasta el cuello.

–No vivo lejos, pero con esta nieve es mejor ir en autobús, si no te importa.

Llevaba la mochila amarilla colgando desenfadadamente de uno de sus hombros. No pegaba con la sobriedad de su abrigo. Parecía que habían pasado siglos desde que asistiera con Sam al seminario sobre la Declaración de los Derechos Humanos: el recuerdo de otra persona. En el camino recordé datos sobre la profesora Blake. Su marido se había matado en un accidente de coche. No tenían hijos. Era portavoz de una organización a favor de condonar la deuda de los países del Tercer Mundo. La había oído hacía un par de años en Radio 4. Una vez, durante mi primer año, me puso un sobresaliente alto por un trabajo que hice sobre imposición de penas. Lo describió delante de mi grupo de tutoría como «magníficamente expuesto y admirablemente humano». Nada de lo que he hecho más tarde ha recibido semejantes honores. Esos pensamientos vinieron sin que yo los buscara. El último de ellos, en particular, chirriaba de forma irritante, acentuando la sensación de desesperanza que crecía dentro de mí. Hubiera deseado seguir simplemente andando. Sin embargo, me reconfortaba ser guiado a través de la nieve. Alejado del punto al que había llegado, de vuelta a la farsa para dar otra representación.

Los impulsos estaban allí. Mientras esperábamos el autobús, recorrí con la vista de manera automática el flujo de tráfico en busca de un taxi. Pensé que debía comprar una botella de vino, o tal vez una tarta, para la comida. Quizá con eso me arriesgaría a que me localizaran en Bristol, pero, de repente, el riesgo me pareció menos importante que el protocolo.

–Tengo que acercarme al cajero –expliqué.

–¿Por qué? Ya viene el autobús.

–No tengo suelto y me gustaría comprar una botella de vino.

–Gracias, pero no bebo. Yo te pago el billete. Sube –dijo señalando con la cabeza cuando las puertas dobles se abrieron hacia dentro.

Nos sentamos juntos en un asiento estrecho en el atestado autobús. Yo sostenía la bolsa de Safeway sobre las rodillas. Las ventanas estaban empañadas por el vaho y había charcos en el pasillo. Pensé en decir algo, pero, con la presión del silencio de la gente, me entró pánico escénico. Mis manos se amasaban la una a la otra. La profesora Blake se encontraba relajada a mi lado, estirando la cabeza para ver por dónde iba el autobús. Al cabo de diez minutos nos bajamos.

En el vestíbulo de entrada de su casa, la profesora Blake me pidió el abrigo. Al entregárselo, de nuevo me examinó la cara y el cuello manchado de la camisa, así como mi traje arrugado y los zapatos raspados.

–Desde luego, ha debido ser una buena caída, Lewis –dijo negando con la cabeza.

Asentí.

–¿Cuándo exactamente tienes que hacer la presentación?

–Depende –mentí–. Tal vez mañana por la tarde. –Me dio la impresión de que no me creía, así que, para reforzarme, añadí–: Depende de lo pronto que podamos resolver los conflictos de intereses.

Sonreí de forma convincente, aunque ya se había dado la vuelta.

–Ya veo. Bien, siéntate. Iba a hacer espaguetis a la boloñesa, o algo parecido. Al fin tendré la oportunidad de agradecerte tu visita. –Hizo una pausa–. Madison es más que una gran empresa, ¿no? Las nuevas oficinas son muy ostentosas. Espero que todo te vaya bien allí.

–Hay altibajos.

Sentí que ya no tenía ningún sentido seguir mintiendo ni tampoco estar allí. El dolor del costado era más intenso, agravado por el frío, el paseo y el viaje en autobús. Me resultaba difícil respirar y me limitaba a tomar rápidos y superficiales sorbos de aire.

–Tiene que haberlos. El ejercicio privado no es para mí.

La observé cortando las cebollas con un cuchillo de sierra poco afilado. Me contó por qué se había decidido por el mundo académico. Hablaba con cordialidad, llevando la conversación; a menudo alzaba la vista de su tarea y me miraba atentamente, con aparente curiosidad. En el aire flotaba el vapor de una cazuela con agua.

Aproveché una pausa para decir:

–En realidad, últimamente no me va tan bien. He cometido algunos errores. Puede ser que antes o después lo deje.

Levantó la mirada, asimiló el comentario y dijo despacio:

–Eso sería una pena.

–Ya, puede que no lo haga. La cosa va y viene. –Me encogí de hombros.

–Si lo haces, piensa en el mundo académico; hay un montón de doctorados esperando a que alguien los haga.

–Lo dudo.

Tate debía de estar ya de camino a Guildford. Tal vez ya estaba allí. ¿Cómo reaccionaría Dan ante ella? ¿Cómo y qué estaba haciendo yo? Si hubiera estado en aquella casa dos semanas antes, ella habría visto a un Lewis Penn diferente. Con éxito. Más seguro, pero igualmente vacío. El hilo de ese pensamiento se secó ante aquella palabra. Resonó en mi cabeza: vacío. Una concha. Nada dentro. En un rincón de la cocina-comedor había una librería empotrada. Para tranquilizarme, empecé por la parte superior izquierda. Uno, dos, tres, cuatro, cinco. Los lomos más finos de la balda superior eran difíciles de distinguir, pero hice lo que pude. Setenta y seis, setenta y siete, setenta y ocho, setenta y nueve. Había libros de ética, filosofía y Derecho, mezclados con novelas, libros de cocina y guías de viaje. *La cuestión de la eutanasia*, ciento catorce, junto a *El misterio de Edwin Drood*, y después de eso, una *Guía de Sicilia*.

–Lewis, ¿te encuentras bien? ¿Estás seguro de que estás bien?

Ponía los platos en la mesa. Sus pequeños dedos estaban manchados y su alianza lanzaba lentos destellos al compás de sus palabras; paradójicamente, su lentitud me aceleraba.

–Sólo estoy cansado y, si te digo la verdad, tengo hambre. Me he saltado el desayuno. Gracias por cocinar. Estoy muerto de hambre. Esto tiene una pinta fantástica.

En realidad, no la tenía. Había quemado la salsa y, bajo ésta, los espaguetis eran una espesa maraña. Pero esas frases automáticas ayudaban.

–Me alegro. ¿Y dónde has dicho que te alojas? –No contesté. Funcionaba–. Porque si te hace falta, puedes usar mi cuarto de invitados. Creo que un poco de descanso te sentará bien.

PROFESORA DE DERECHO PENAL PROTEGE A UN CRIMINAL EN BUSCA Y CAPTURA. Un nudo en mi garganta, pero ya tenía los pulmones en un puño. Luché contra ellos y conseguí decir:

–Eres muy amable. Aún no me he registrado en un hotel. Si lo dices en serio, te lo agradezco. Gracias.

–No hay problema. Yo encantada.

¿Así era como se sentía Dan, en cada respiración un esfuerzo intencionado? Como si me hubiera leído el pensamiento, ella continuó:

–Espero que no te importe que te lo pregunte, pero acabo de recordar que me contaste que tu hermano tenía fibrosis quística. Cuando me visitaste, me dijiste que andaba entrando y saliendo del hospital.

Dejó la afirmación suspendida, evitando articular la pregunta tácita.

–La verdad es que últimamente no ha estado tan mal, teniendo en cuenta las circunstancias –expliqué–. Ahora mismo no está muy bien, pero mejorará. Volverá a la normalidad. Todo el mundo le está apoyando.

Asintió con la cabeza, sonriendo.

–Debe de suponer una gran tensión para la familia.

No había nada que decir a eso.

Seguimos comiendo la boloñesa caramelizada en silencio, hasta que lancé unas preguntas forzadas sobre el departamento, los cursos que estaba dando y el nuevo desarrollo del puerto. Cada interrogante era una pregunta abierta, no buscaba una respuesta concreta. Más bien era un estrado desde el que ella pudiera hablar, y accedió, charlando generosamente. Mientras, recogía nuestros platos, sacaba dos cuencos y echaba en ellos helado de chocolate con trocitos también de chocolate, disculpándose por su inapropiada temperatura. Cada vez que yo alzaba la vista, ella me estaba mirando fijamente.

Después de la comida, pasamos al salón. Otra pared forrada de estantes. Butacas desparejadas y un sofá apiñados en torno a una gran mesa baja con periódicos, apuntes manuscritos, correspondencia, bolígrafos, postales y libros –algunos abiertos boca abajo, otros cerrados– esparcidos sobre ella. Era imposible ver de qué era la superficie de la mesa, pero las patas eran de hierro forjado y acababan en unas garras cerradas de león, que se clavaban con fuerza en la alfombra oriental. En el rincón del fondo había un piano de media cola y, junto a él, otra librería baja llena de CD y discos, espaciados equitativamente, un amplificador, un plato y un reproductor de CD, que desentonaban con el resto de la habitación: esbeltos, negros y minimalistas.

La profesora Blake cruzó el piso siguiendo mi mirada, sacó

un CD de una estantería y lo puso; un suave jazz se desplegó por el cuarto. Me indicó con un gesto que me sentara y fue a preparar café.

Tardó bastante tiempo. Al principio permanecí sentado escuchando el jazz. No estoy seguro de lo que era, pero sí relajante e impreciso como un baño caliente. Tras unos minutos, me cambié al asiento del piano y, con un pie sobre el pedal de la sordina, me quedé escuchando la música y dejé que ésta empujara mis dedos por las teclas. Mis manos estaban indecisas, me sentí pasivo y de repente vacío. Una agradable sensación que duró hasta que algo cambió y el espacio que creaba la música volvió a cerrarse sobre mí.

La profesora Blake hablaba por teléfono. Mis manos se colocaron sobre mi regazo. No lo había oído sonar, lo que significaba que había llamado ella. Me levanté y fui a la puerta a escuchar.

Hablaba en voz baja y poco definida. No lograba entender qué decía, lo cual empeoraba las cosas. Empecé a tener dudas que cambiaban insidiosamente: la profesora Blake veía que algo no iba bien, podía ver a través de mí. Probablemente lo había captado.

No sabía con quién hablaba, pero ésa no era la cuestión. En ese momento justo tenía que evitar cualquier cosa que comprometiera mi posición. No estaba seguro, sentía remordimientos y titubeaba, pero, escuchando con una mano sobre el marco de la puerta, cualquier cosa gris resultaba sospechosa. Debía ajustarme al blanco y negro.

En la mesa de centro encontré un sobre A4 vacío y un rotulador. Escribí: «Profesora Blake. Muchas gracias y disculpas. Lewis Penn». Intenté decir algo más, pero no se me ocurrió nada. No tenía tiempo. Me puse el abrigo, me metí la bolsa de Safeway bajo el brazo y dejé el sobre en el último escalón, para que lo viera al bajar.

35

El Volvo negro estaba pegado al bordillo enfrente de la casa. Mi pie derecho frenó a mitad de camino entre el escalón superior y el segundo. O, más bien, el momento se alargó para anular su avance. El pie se debatió entre la doble posibilidad de aterrizar y ponerse a correr o negarse por completo a apoyar mi siguiente paso. En otro sitio se libraba una batalla distinta entre dos fuerzas: las del «no es el mismo Volvo» contra las del «claro que lo es». Sin embargo, antes de que el dilema del pie se hubiera resuelto, la ventanilla trasera del Volvo ya había empezado a bajarse, el reflejo de los árboles menguó en ella y mostró la sonriente cara de Hadzewycz en el agujero negro enmarcado.

–Han pasado veinticuatro horas.

Mi brazo derecho se tensó presionando el bulto cuadrado que tenía debajo, apretando una esquina plastificada contra mi axila. Nada que responder, pero mis pies me impulsaron hacia delante a una velocidad moderada y me sentí agradecido por ello.

Hadzewycz abrió de un empujón la puerta del coche y continuó:

–Damos vuelta, entra.

Cuando subí, se deslizó ágilmente sobre el asiento de cuero y sus pequeños zapatos negros me parpadearon.

–Sí, veinticuatro horas terminaron hace mucho –dijo Hadzewycz–. Y tú aquí, en Bristol, hecho trapo. –Se rió e hizo una pausa–. Te seguimos toda la mañana, Lewis. Muy aburrido. Mi pregunta todavía es: ¿dónde están los documentos?

El coche ya había arrancado, se deslizaba a través de la neblina helada, los silenciosos limpiaparabrisas hacia delante y hacia atrás. Negué con la cabeza.

–Verás, Lewis Penn, los necesitamos de vuelta. Queremos ser razonables –pronunció «ratsunables»– contigo. Extendió las manos, con las palmas hacia arriba, y las hizo rebotar suavemente sobre su regazo como si pesara un imponente pez muerto–. Sabemos que ahora tienes el problema más grande.

Levanté la mirada de sus manos a su cara. Todavía la sonrisa; incluso sus ojos de bala contribuían a la expresión de su rostro. ¿Qué «problema más grande»? Por un momento me vino Dan a la cabeza. Me imaginé a dos soldados en los extremos opuestos de una placa base: Tate y Clara en medio como resistencias, y un enlace nuevo, a través de UKI, que amenazaba con quemar el aparato. De pronto relumbró el anillo verde de Hadzewycz, que me ofrecía algo, un sobre.

–No, problema no es nosotros ahora.

Le di la vuelta al sobre: frente en blanco, reverso en blanco.

–¿Qué es esto?

–Lo dije en Londres. Debes comprobar tu periódico de Washington.

–Lo hice.

–No esta mañana, creo que todavía no –dijo señalando el sobre con la cabeza–. Lee.

El coche continuó deslizándose suavemente hacia delante por entre las calles de Clifton. Serpenteó bajo las farolas, hacia las Downs. Deslicé el pulgar de mi mano buena bajo la solapa del sobre y lo rasgué para abrirlo. Dentro había un taco de hojas DIN A4, grapadas. Hadzewycz encendió la luz del techo y la página resplandeció amarilla.

«ASESINATO DURANTE ACCIDENTE DE TRÁFICO EN CHESAPEAKE:
SOSPECHOSO IDENTIFICADO

Por Benjamin Gown, redactor

»La policía ha facilitado hoy el nombre del turista británico sospechoso de asesinar a la investigadora política Clara Hopkins durante una violenta agresión en el curso de un accidente de tráfico, ocurrida en el cabo Three Points, Chesapeake, el pasado domingo.

»El teléfono móvil de la víctima fue hallado en un vehículo alquilado por Lewis Penn, un abogado de 27 años del bufete internacional Madison & Vere. El propietario de una gasolinera ha confirmado la presencia del sospechoso cerca de la zona unos minutos después de que las operadoras del 911 recibieran una llamada de emergencia procedente del teléfono móvil de la señorita Hopkins.

»Se cree que el señor Penn regresó al Reino Unido el día posterior al incidente, que dejó a la señorita Hopkins en la lista de pacientes en estado crítico del Mary Washington Hospital.

»A pesar de los intentos de los médicos por reanimar a la señorita Hopkins, las heridas en la cabeza y en el cuello han resultado mortales. Un portavoz del hospital ha señalado que los equipos que la mantenían con vida fueron desconectados a última hora de la pasada noche.

»Las autoridades de Washington han emitido una orden internacional de busca y captura a través de la Interpol y han solicitado a la Policía Metropolitana de Londres que localice al sospechoso.»

Las palabras me atravesaron; cada párrafo, un estallido punzante. Aquello no tenía sentido. Clara no fue asesinada, no estaba muerta: todavía era necesaria. Sus afilados dedos, sus transparentes uñas en media luna... No podía dejarme así. Ella no habría dejado que aquello ocurriera. Pero volver sobre los párrafos no cambiaba nada; el artículo nos había llenado de plomo a los dos, y ambos nos hundíamos hacia el fondo de un oscuro mar.

Hadzewycz dijo algo:

–Ves, ningún sentido ahora. Policía tu problema. Esa mujer no puede llevar a UKI. No nosotros. Pero nosotros podemos llevar policía a ti. Fácil para nosotros. –Chasqueó los dedos sin hacer ruido–. Así que...

Algo sobre el expediente, documentos, información. Saqué la bolsa de Safeway de debajo de mi brazo y se la acerqué.

Lewis Penn, asesino. Asesino. Sabía lo que aquello significaba. No hacía falta que fuera mi intención matarla para que el cargo se sostuviera. ¿Había muerto porque yo tenía la intención de hacerle daño? ¿Qué había pretendido yo al lanzarle el puño? Clavé la mirada en él. Había matado a Clara con mi propia mano. Esa misma mano. Los dedos se cerraron formando una pelota de hueso y piel, los blancos nudillos subieron hacia mí por su propia voluntad. Mía, conectada a mí. Podía sentir cómo cambiaba mientras seguía sentado. Peor que cambiando. Finalizando, sí, terminando: había hecho algo tan terrible que acabaría conmigo.

Hadzewycz hojeaba el expediente a mi lado. Mi cuerpo no conseguía quedarse quieto. Todo él temblaba, en violento contraste con la quietud marmórea del coche en marcha. Comprobé la página. Inmediatamente, esas palabras impersonales hacían la historia ajena, fuera de mi mundo. Metropolitana. Autoridades. Mortales. Asesinato. Interpol. Interpol, ¡por Dios! La sensación de que aquello no podía estar ocurriéndome a mí ya no importaba. Yo existía ya en alguna parte entre el eco de quien había creído ser y aquella nueva entidad sobre la que escribía Ben Gowen.

Las siguientes páginas eran otro listado de ordenador, esta vez al parecer de la página de Interpol: una «Alarma Roja» publicada con mi nombre, junto a una fotografía y una descripción de Lewis Penn. Habían utilizado la fotografía de mi tarjeta de identificación de Madison & Vere, la misma que me había costado cuatro intentos sacar bien: mandíbula cuadrada, pelo brillante hacia atrás desde las sienes, hombros bien paralelos a la cámara, nada agresivo, tranquilizador. Me reí. Apellido, nombre, sexo, edad, lugar de nacimiento, nacionalidad. En negrita y bajo esos datos: «El individuo puede ser peligroso». El-Individuo-Puede-Ser-Peligroso. Mi rostro permanecía inclinado sólo unos centímetros por encima del yo de la fotografía. Una lágrima, o tal vez una gota de sudor, cayó sobre la página. «Delitos: Asesinato.» El recuadro en el que yo estaba flotaba entre otros varios desde la misma página, cuyos ojos vacíos miraban sin comprender, «pero con intenciones asesinas». Debajo de mí había un terrorista de treinta y seis años de la Federación Rusa, cuya orden de detención, decía su recuadro, había sido emitida en Budennovsk. Leí mis datos otra vez: «Penn, Lewis, varón, veintisiete, Guildford, británico». Alguien estaba de cachondeo. Guildford. ¡Guildford! Volví a doblar con cuidado las páginas, eran demasiado disparatadas para soportarlas.

Nos habíamos parado. Yo estaba desplomado contra la ventanilla del coche. Los dientes me castañeteaban. Oí a Hadzewycz arrancar una página del expediente y cerrar la tapa de golpe.

−Sal −dijo.

No podía moverme. Pero su puerta se abrió y un manto de aire frío me envolvió. De repente la puerta dejó de sujetarme y caí a la grava; alguien me tiró de los hombros y me sentó contra la rueda trasera del Volvo. Apareció la cara de Hadzewycz. Por encima de su hombro, a través de las quebradizas copas de los árboles congelados, vi uno de los puntales del puente colgante de Clifton.

−¿Qué es esto? −pregunté.

Hadzewycz me mostró la página ante mí. «Todo lo que sé del Proyecto Sebastopol.» El papel tembló con la brisa. Interior rojo: la capucha de Clara.

—Me da igual —solté.

—¿Qué?

—Sólo con que haya ido a verle...

—¿Qué me estás diciendo? —exclamó.

—Ya no importa —dije—. Lo siento.

Hadzewycz chasqueó la página con el dedo índice que tenía libre.

—¿Es eso cierto?

Me encogí de hombros. De pronto la mano de Hadzewycz se comió la página, desde arriba hacia abajo, estrujándola hasta hacer con ella una pelota roja que tiró en mi regazo.

—No tiene ningún sentido —susurró entre dientes, y después me espetó en voz alta—: ¿Ves lo que has hecho por ella?

Otra mano me apretó el estómago por dentro y un borbotón de vómito cayó al suelo junto a mí, formando un charco sobre la grava.

—Oh, Dios —fue su reacción.

—Está en el fondo del Potomac. Te lo dije. Lo siento.

Me costó mucho esfuerzo permanecer sentado con la espalda recta. En la palma de la mano derecha se me clavaban unas piedras afiladas. El anillo de Hadzewycz. Estaba en cuclillas, pelo blanco, arrugas irradiando de sus ojos. Lo miré directamente por un momento, pestañeando. Una sensación nueva me invadió: algo parecido al alivio. Lo peor había pasado. No había nada más que pudiera hacer. Todo saldría a la luz.

Hadzewycz movía la cabeza de un lado a otro, muy despacio. Apartó la vista, silbó suavemente, volvió a mirarme.

—Joder. Muy difícil creer —dijo.

Entonces sus cejas parecieron levantarse por un momento, frunció la boca y soltó un resoplido. El aliento le olía a naranjas. Parecía haber tomado una decisión.

—Inútil contigo —siguió—. Mira ahora lo que pasa. Sabemos dónde estás. Si te vas, sabemos dónde vas. Una palabra

Sebastopol y llamamos policía por ti. Una palabra. ¿Comprendes?

Me encogí de hombros una vez más.

Frunció el ceño y negó con la cabeza.

—Sé que no tienes expediente —afirmó—. ¿Comprendido?

—No tengo el expediente.

—Sí, lo creo. Pero tú di palabra Sebastopol y te mandamos policía a ti. Peor tal vez. —Y añadió—: Estoy pensando chica muerta.

—Me da igual.

—Ahora. Arriba.

Se agachó y colocó el pie derecho con cuidado para evitar pisar el vómito que se solidificaba junto a mí. Después me ayudó a levantarme asiéndome por las axilas. Me puse de pie, tambaleándome por encima de él.

—Vete —ordenó—. Piérdete.

36

Por una parte, estaban las palabras: «Esto es insoportable». Las dije en voz alta. Me las repetía mientras caminaba.
Pero cuando fui a decirlas por tercera vez, me salió otra cosa
de la boca. Una frase igualmente intransigente: «Tú sigue».
¿Qué era insoportable? ¿La muerte de Clara? Me miré
las palmas de las manos para ver si había una respuesta en
sus rayas, los dedos se abrían y cerraban como las pinzas de
un cangrejo. Mi magullada mano izquierda era la responsable, y por su brazo corría una maraña de culpabilidad: se me
hacía insoportable pensar que Lewis Penn era el culpable.
Estaba muerta. Del amarillo al negro. No habíamos terminado, pues ni siquiera habíamos empezado. Nunca sabría si
me había traicionado a su pesar o con indiferencia.
Además, había otra cosa. Algo innoble y vergonzoso. El
artículo de Gowen y las palabras de Saptak me descubrían.
Desvelaban esa otra parte mía totalmente fuera de mi control.
Seguro que toda la historia saldría a la luz: aquello era insoportable.
Cuando ya todo era irrevocable, quise más que nunca recuperar lo que estaba fuera de mi alcance. Aunque lo confe-
sara todo, me entregara y consiguiera demostrar mi inocen-
cia, las mentiras y el encubrimiento fallido que había cometido
saldrían a la luz y se descubriría la representación. Todo el
mundo lo sabría.
Mientras cojeaba por Clifton en círculos improvisados,
me costó llegar a esta desesperada conclusión: si no podía

llegar a ser quien había imaginado, no estaba seguro de que mereciera ser nada en absoluto.

Sin embargo, el contrapunto de «tú sigue» no desaparecía. Una obstinada afirmación de que nada había cambiado para siempre. Un impulso instintivo de seguir adelante, con un pie tras otro, en dirección a mi último rumbo.

Sin detenerme, palpé el dinero suelto que llevaba en el bolsillo e hice rodar las monedas entre mis nudillos para identificar cuánto había. Dos libras con setenta y un peniques. Conté las monedas, del uno al catorce. Dos gruesas monedas de una libra, una angulosa ficha de cincuenta peniques, seis de dos, una de cinco y cuatro de uno. Y el problema: no tenía suficiente para otra habitación de hotel, a no ser, claro, que me arriesgara a utilizar una tarjeta.

La consigna de «tú sigue» me guió hacia un último sitio, algún lugar tranquilo donde pudiera sentarme y contarlo todo en detalle de principio a fin. En los últimos once días había jugado al doble o nada, subiendo el envite para recuperar mi apuesta inicial. No había funcionado. Había perdido. No iba a seguir marcándome faroles, y dado que no estaba muy cerca de poder saldar mis deudas, así tenía que ser.

La argamasa entre los ladrillos era del mismo color negro sucio que la costra de nieve medio derretida de la base del muro. Piqué el hielo con la puntera mate de mi zapato de cuero, y una esquirla de cemento cayó al suelo. Iluminada por la pantalla que tenía delante, mi mano izquierda sostenía en un pequeño abanico las tarjetas bancarias y de crédito que me quedaban. Sólo sabía la contraseña de dos de ellas, y el cajero automático acababa de rechazarlas.

Miré otra vez a la pantalla, que había vuelto a su página de bienvenida. En una playa azotada por el viento, una mujer rubia vestida de azul y caqui lleva a caballito a un hombre sin barba ni bigote, también de azul y caqui. Los dos descalzos.

Como ninguna de las tarjetas que había probado se acercaba a su límite, tenía que suponer que la policía las había cancelado todas. Mis cuentas congeladas como el suelo que ahora pisaba. Di la vuelta a las tarjetas sobre mi palma. Lewis Penn, decían.

¿Qué quedaba? Todo lo que tenía que hacer era aguantar hasta que la biblioteca abriera a la mañana siguiente y pudiera escribirle a Dan una explicación completa. En qué ocupar las horas hasta entonces era el último problema que resolver. Todavía tenía dos libras con setenta y un peniques. Con eso podía comprarme una bebida y sentarme en el calor de un pub hasta que cerraran.

Llegué al Alma Tavern y me senté en la barra sin prisa alguna de que me sirvieran. Una Guinness costaba dos libras cincuenta. Calculé que si pedía una pinta entera no tendría suficiente para llamar a Dan, así que me fui a la mesa de un rincón con media pinta y una libra con treinta y seis en el bolsillo.

Pensé en mis padres y lo sentí por ellos. Pero, en realidad, ya debían de sentir aquel disgusto y aquella tristeza. La persona por la que me tenían ya se había hundido en el fondo del río Avon. Al menos así el desastre estaría teñido de tragedia, rescatado de la vergonzosa farsa.

Dan me respetaría por ello, sin duda. Cuando leyera mi explicación, vería que estaba afrontando las consecuencias de mis actos. Para entonces, Tate ya habría ido a verle. Me había pedido que le perdonase y le había dado algo más; al conseguir que Tate fuera a visitarle, le había asegurado el perdón que realmente se merecía.

El pub, tenuemente iluminado, estaba lleno y animado, yo era sólo un agujero en su silencioso centro. En una estantería encima de la barra había filas de vasos relucientes boca abajo, del uno al cien, del cien al uno. Un número redondo. Fui bebiéndome la cerveza hasta que el barullo se apagó, se encendieron las luces y llegó la hora de marcharse.

Fuera volvía a nevar. No eran los copos grandes de la tarde, sino motas de nieve dura que caían a rachas esporádicas, un helado polvo de tiza soplándome en la cara. Las calles se llenaron de bebedores de viernes por la noche, que se apresuraban de vuelta a casa. Yo deambulaba guiado por las señales de carreteras que recordaba y por mi embotado sentido de la orientación. Atravesé lentamente Clifton y fui a salir un poco más al sur de lo que quería, a la empinada Sion Hill, a través del Royal York Crescent. Mientras subía dificultosamente por la colina, pasado el Avon Gorge Hotel, a la izquierda se alzaba el puente colgante. Los cables se combaban desde los enormes pilares de piedra de cada lado de la garganta; el arco colgaba de una cortina de cadenas de hierro. Espinas de pescado y nieve arremolinada iluminados por las luces halógenas que brillaban desde abajo.

Isambard Kingdom Brunel. Encontré el nombre dándole vueltas a la cabeza. Tres cojinetes con bolas. También algunos datos: se tardó treinta años en construir el puente; fue completado en 1864, después de la muerte de Brunel en 1859. A Holly le interesaba la arquitectura. Era un exponente del funcionalismo victoriano inspirado en Egipto. Doscientos diez metros de longitud, setenta y cinco de ellos sobre el río. Recuerdo estar de pie, en medio del arco, escuchándola impresionado.

Me encaminé deliberadamente al centro del puente. Había dos carriles para el tráfico, vacíos salvo por algún esporádico coche. Y una pasarela a cada lado, contiguas a unas rejas de hierro que terminaban en una protección pensada para hacer más difícil subirse y saltar. A mí la protección me parecía inútil. No me impedía saltar, sólo lo hacía ligeramente más difícil. Pero si una persona había llegado hasta allí, ¿qué diferencia supondría ese pequeño obstáculo? Ninguna. Yo había llegado igual de lejos y podía contestar a esa pregunta.

Me agarré a la estructura de hierro del lado sur del puente y me subí para mirar. La barra estaba tan fría que no la noté al tacto. Mis manos se pegaron al negro metal congelado, y cuando me solté, la piel de las yemas de los dedos dio un tirón. El metal estaba cubierto por una capa de hielo vivo. Miré por encima de la valla. Debajo, en la oscuridad, pude distinguir el curso del río en aislados destellos de plata, iluminados por los coches de la carretera principal. Analicé los aspectos prácticos. Apuntar hacia el agua parecía la elección obvia, pero ¿había alguna posibilidad de que, incluso desde una altura tan elevada, caer en el agua no resultara mortal? Recuerdo a Holly comentándome que una mujer victoriana fue salvada por sus faldas, que se hincharon como globos al saltar. Tenía que ser una leyenda. En cualquier caso, con mi traje no habría trabas. Caería setenta y cinco metros hasta el espejo del agua, y moriría al chocar contra ella. Si apuntaba hacia la orilla, lo pondría todo perdido. Sería más angustioso para quien me encontrara. Pensándolo bien, si caía en el agua, ¿podría ser arrastrado hasta el canal de Bristol? Aunque probablemente era difícil, eso sería lo mejor.

¿Y qué había de la caída? Setenta y cinco metros. Acelerando a nueve con seis metros por segundo, y teniendo en cuenta la resistencia del viento, tardaría más de cuatro segundos en impactar, y caería a más de ciento veintiocho kilómetros por hora. Me daría tiempo a tener unos últimos pensamientos mientras me precipitaba hacia la nada. No a una velocidad terminal, pero lo suficientemente rápido.

Me incliné hacia fuera por encima de la verja; me planteé qué se sentiría al dar aquel irrevocable paso, y no me dio miedo. Pensara lo que pensase durante la caída, sabía con fría certeza que, una vez explicada mi historia, el instante después a la pérdida del equilibrio sería una liberación.

Al bajarme de la barandilla, un coche entró en el puente por el lado de Somerset. Redujo la velocidad al pasar junto a mí y, por un desagradable momento, pensé que era un coche de la policía. El corazón se me paró, hasta que vi que las luces del techo decían «TAXI». Para entonces ya se había alejado, dejando a su paso unas tiras grises sobre la fina capa de nieve que cubría la calzada. Me puse en marcha tras sus huellas, de vuelta a la ciudad.

Intenté acelerar el paso para entrar en calor, pero la rodilla no me dejaba caminar muy deprisa. La nieve se agarraba a la lana de mi ropa, y me apelmazaba el pelo como si me hubiera bañado en el mar. Tenía la cara entumecida como la tierra congelada.

Con el viento de espaldas, anduve lentamente hasta llegar a Richmond Road. Me desesperaba tener que buscar refugio para sólo aquellas pocas horas, pero no podía ignorar el hecho de que las extremidades se me estaban congelando. La sensación era tan real e inevitable como la estructura de hierro del puente, el indulgente vacío bajo su arco.

Mientras caminaba, el cortante aire frío dio paso a un fuerte y cálido olor. Cloro. Me encontraba en la parte trasera de la piscina de la universidad. Me acerqué hacia el olor, que salía visiblemente de un respiradero disimulado, y después di la vuelta al edificio. En un extremo habían construido un cobertizo de ladrillo que daba al edificio de la piscina principal. No tenía techo. Me subí con torpeza sobre una papelera de color plata congelada y miré por encima del muro. Dentro había estantes con piraguas, pilas de remos pequeños, flotadores y, en mitad del suelo, rollos de corcheras apilados. Me descolgué hacia dentro, pasé por encima de los rollos y fui a tientas, palpando el casco suave de una piragua, hacia la pared interior de la caseta de almacenaje, que estaba hecha de material transparente. En el interior, la superficie de la piscina brillaba tenue. Pegué la palma de la mano a la pared translúcida y pude sentir a través de ella un ligero calor. Al pasar suavemente por la superficie de la cristalera, los dedos llegaron a una ranura. La seguí hacia abajo y tropecé con un picaporte. El de una puerta en la pared transparente. El pomo giró. La puerta cedió. Abrí apenas una rendija y esperé, escuchando, pensando que podía haber una alarma.

Silencio. Aguzando el oído sólo podía oír los murmullos del sistema de filtrado, nada más. Me deslicé a través de la estrecha abertura hacia aquel calor químico. Tras unos pilares, la tribuna recorría un lateral de la piscina. Había sillas de plástico apiladas contra la pared, como las que usábamos en primaria. Me llevé dos y las coloqué una frente a otra en un rincón, dejándolas con cuidado en el suelo para no hacer ruido. La poca luz que había provenía de los temblorosos reflejos de la superficie de la piscina en calma. Eran unas líneas refulgentes de un negro plateado que resaltaban la oscuridad del agua y que dibujaban sobre su serena superficie unas perezosas curvas ininterrumpidas, que convergían unas sobre otras, una forma en continua evolución, indivisible e incontable. Me senté en una silla, reposé los pies sobre la otra y observé las líneas ondulantes del agua, disolviéndome en su quietud.

37

–¿Quién eres?

Noté una línea de calor a lo ancho de mi espalda debida al borde de la silla de plástico. Me moví con incomodidad. Había un hombre de pie frente a mí. Sujetaba un palo. Me desperté al momento, bajé los pies de la silla de enfrente y me estiré hacia delante para ponerme en pie. El aire estaba enrarecido.

–¿Qué haces aquí?

El palo era una fregona. El hombre, un niño de quince años como mucho. En su camiseta se leía *Nine Inch Nails*.

–Sí, lo siento. Ayer por la noche me quedé fuera de mi apartamento, sin llaves con que volver a entrar. Estaba nevando.

–Lo sé. ¿Y? –preguntó.

–Y encontré una manera de mantenerme caliente. Para hacer tiempo.

–¿Así que te has colado aquí? ¿Por qué no en tu casa?

Rodeé el montón de sillas hacia la piscina. Él me siguió.

–Más vale que te quedes aquí hasta que traiga a Ken.

–Me temo que no puedo quedarme. Llego tarde.

–Me da igual. Si te has colado, te sientas otra vez y esperas.

Di un paso hacia el chico.

–Esa puerta de allí –señalé–. Diles que la cierren si no quieren que la gente se cuele.

Le sobrepasé con una zancada. Se volvió, indeciso. Oí sus

pasos tras de mí mientras rodeaba la piscina. Me detuve cuando llegué a la cristalera.

–Aquí. Me metí por aquí –expliqué.

La puerta cedió.

–Ya veo.

Parecía confundido por mi tono colaborador.

–Y ahora salgo por aquí otra vez. Me voy.

Le ofrecí mi sonrisa más convincente.

Toqueteó el palo de la fregona pensando si intentar detenerme. Luego lo soltó, se dio la vuelta y corrió hacia la piscina. Dentro, entre las piraguas, me esforcé por escalar para salir del almacén. Al final, salté por encima de la pared y aplasté una línea de nieve contra mi abrigo.

Jadeando, me sacudí la ropa, me obligué a alejarme caminando de forma normal. Conseguí no mirar hacia atrás hasta llegar a la esquina. No había nadie detrás de mí. Sólo un coche que se movía despacio por la calle blanca, como si tuviera poca visibilidad. La ciudad había sido anestesiada con hielo antes de una inminente operación.

En el tiempo que faltaba para que abriera la biblioteca encontré una cafetería barata y pedí un café solo. Me puse a pensar que aquél sería mi último café. La camarera tenía las puntas de los dedos amarillas. Rompí mi promesa, le pedí el último cigarrillo para acompañarlo y disfruté de ambos. Dedos amarillos, capucha amarilla, mochila amarilla. Por primera vez me arrepentí de haber huido de casa de la profesora Blake. Me había dejado llevar por el pánico. Ella no podía saber que estaba metido en un lío. Y aunque lo supiera, se hubiera enfrentado a mí antes que actuar a mis espaldas.

El café costó unos míseros cincuenta peniques. Dejé sesenta y seis peniques junto a la taza vacía y me despedí de la camarera con un gesto de la cabeza. Mi dolorida mano izquierda contó las monedas de diez peniques que tenía en el bolsillo del abrigo. Siete, seis, cinco, cuatro, tres, dos, uno, contando a la inversa. Suficiente para enviar un fax y para llamar a Dan y avisarle de que se lo había enviado. Hice rodar las monedas entre los dedos y caminé por la blanca explanada hacia la biblioteca central. Pasé por delante de la catedral y el edificio del ayuntamiento, acuosos tras una gasa de nieve, sin sombra y sin contraste en la pálida luz.

Desplegar las palabras una detrás de otra y componer la verdad resultó un trabajo duro y absorbente. Usé un lápiz prestado y hojas de papel de notas del mostrador de la biblioteca. Mi caligrafía quedó apretada y vacilante. Me resultó difícil describir cómo mi trayectoria en los últimos días era fruto de una mentira más profunda, cuya revelación era inevitable y no me dejaba ninguna otra alternativa salvo decir basta. Sin los detalles, la historia no tendría sentido.

Arropado por el silencio del papel reciclado, me esforcé por describir lo que había ocurrido con palabras que se escapaban y flotaban a la deriva en una amalgama general. Saqué de mi bolsillo interior los papeles arrugados que me había dado Hadzewycz y, para inspirarme, revisé la prosa precisa de Gowen. Doblé y retorcí mis palabras hasta dotarlas de sentido. Paso a paso, fui sacando la explicación adelante.

La parte más dura fue describir mi decisión: estrujar las palabras como una toalla mojada. Dijera lo que dijese, matarme era un acto egoísta. Pedí disculpas a mi padre y a mi madre, pero era duro decir que se tomarían mi muerte mejor que mi fracaso. Lo intenté durante horas, el lápiz revoloteando sobre la página, trazando variaciones. «Es mi decisión, Dan, tienes que hacerles ver eso, que soy responsable de mí mismo. Demuéstrales que sólo yo tengo la culpa.»

El fatalismo de mi madre la ayudaría a superarlo. Tenía que seguir el curso de la enfermedad de Dan: unas fuerzas más allá de todo control que ordenaban cosas terribles. Pero papá buscaría a alguien a quien culpar y, con toda probabilidad, empezaría por buscar en las paredes de ladrillo de UKI y de Madison & Vere. Intenté encontrar las palabras para atajar algo tan vano.

Intenté terminar. Cada intento era demasiado sombrío o demasiado frívolo, no había término medio. Después del último punto y final, sólo quedaría la interpretación. Más allá de los aspectos formales, de la influencia y más allá de la corrección: mi verdadero final. Cada palabra tenía demasiado significado y, sin embargo, no decía lo suficiente ni mucho menos.

De hecho, las palabras no servían. Lo que quería era algo más cercano a un número, un símbolo matemático suficientemente exacto para exponer la cuestión. Un cero. Pero, claro, un cero tampoco diría lo bastante. Fuera de contexto, no significaría nada. Miré y remiré las hojas, el tiempo pasaba, hasta que finalmente me di cuenta de que aquello me superaba, era inútil. Tendría que conformarme con lo que había allí escrito. Imperfecto, sí, pero era lo mejor que había podido hacer.

Tenía que llamar a Dan y decirle que mi explicación estaba en camino. Había teléfonos públicos en el sótano. Me paré ante uno de ellos, me serené, eché dos monedas de diez peniques y llamé a la residencia.

Contestó una mujer. No reconocí su voz. Sonaba joven y alegre. Todavía no había aprendido a hablar en el tono de voz bajo que era requisito esencial allí.

–Residencia St. Aloysius. ¿En qué puedo ayudarle?

–Hola. Necesito hablar con Dan. ¿Puede pasarme con su habitación?

–Ya. ¿Dan, dice?

–Daniel Penn.

–Humm. Daniel Penn. No me suena el nombre. Un momento, por favor.

–Daniel Penn, está en la residencia. Necesito que me pase. Es urgente.

–Espere un momento, ¿quiere? Voy a preguntar.

Oí cómo dejaba el auricular. Hubo una pausa. Por algún motivo, recordé, como si lo tuviera delante, el coloreado dibujo del caballo que la niña me había enseñado a mí y que le había regalado después a Dan.

Cielo índigo, hierba verde vivo, caballo castaño.

Sonaron los pitidos. Eché mi cuarta y quinta monedas de diez peniques en la máquina, una detrás de la otra, guardándome dos para el fax. El teléfono indicaba que quedaban treinta peniques. Sonó el eco de unos pasos por un pasillo, pero en mis dos oídos alguien cruzaba el sótano de la biblioteca. Entonces hubo un crujido, el movimiento del auricular al otro lado. Otra pausa. En la pantalla leí veintiséis peniques, veinticinco, veinticuatro. Finalmente la misma voz dijo:

–Hola. Escuche, acabo de incorporarme a la residencia hace muy poco. Soy nueva. Voy a pasarle a Mary, la hermana de guardia. Ya viene.

–No tengo tiempo. Por favor, simplemente páseme con Dan. Es importante que hable con él ahora mismo.

Pausa.

–Ya viene. Lo siento. Tengo que pasarle con ella. Lo siento.

El teléfono se quedó en silencio. Me lo imaginaba apretado contra un pecho mullido. La pausa se prolongó, elástica, hasta que la pantalla indicaba que quedaban sólo catorce peniques. Hubo otro chisporroteo y una nueva voz comedida habló:

–Hola. ¿Con quién hablo?

–Tengo que hablar con Daniel Penn.

–Entiendo. –La voz era blanda como el musgo, suave como el agua corriendo lentamente.

–Bueno, pues páseme. Por favor, me estoy quedando sin dinero.

–Me temo que no puedo hacerlo. Con quién...

–Escuche. Soy Lewis. El hermano de Dan. Usted no lo entiende. Debe ponerme con él ahora mismo.

–Lewis, soy la hermana Mary. Ya nos conocemos.

–Bien. No tengo suficiente dinero. Hermana Mary, por favor, páseme con Dan.

Otra pausa.

–Déjeme llamarle a usted. Si me da su número, ahora le llamo.

Lejos del auricular le oí: «Joddy, pásame un bolígrafo».

–Por Dios. Simplemente ¡páseme con él!

–Lewis. No puedo. Por favor, déjeme llamarle. O venga aquí. Debería hablar con sus padres.

–No. Es imposible. Tengo que hablar con Dan.

Ocho peniques. Pensé en echar los veinte que me quedaban, pero me contuve. «Ajústate al plan, veinte para el fax.»

–No puedo. Simplemente no puedo. –Cinco peniques–. Mire, Lewis, siento mucho tener que decírselo así: la enfermedad de Dan siguió su curso natural. No tuvo dolores al final. No sufrió. Falleció en paz el jueves por la noche. Muy plácidamente.

«Curso natural.» «Plácidamente.» «Jueves por la noche.» Seguí agarrando el auricular y la pantalla fue descontando despacio hasta llegar a cero.

38

Sentado en los escalones de la biblioteca, en la penumbra gris, miré hacia el espacio en blanco de enfrente, entre los oscuros edificios de piedra y la carretera, con su silencioso y lento tráfico. Todavía nevaba ligeramente. Hacía frío, pero yo no lo sentía; contemplaba la escena desde la comodidad de una cálida habitación. La blanca extensión frente a la que estaba sentado se iba oscureciendo y vaciando, destiñéndose hacia el negro.

Llevaba tanto tiempo sabiendo que Dan se estaba muriendo que se había vuelto inmortal. Al mismo tiempo, algo en mi interior me decía que estaba muerto antes de hacer la llamada. Las palabras «jueves por la noche» sonaron tan duras que me quedé petrificado. Era sábado. Tate se había puesto en marcha la mañana anterior.

Ya no había horizonte. Yo describía una nueva trayectoria a través del espacio vacío. En todo lo que pude pensar durante un largo rato fue en la palabra «error». Por muy inevitable que fuera, la muerte de Dan era sobre todo una injusticia criminal. Tate no había llegado a tiempo: se lo habían robado. Yo no había podido explicarme antes de que muriera: me habían estafado. Había sido así desde el principio. Su enfermedad había sido injusta con todos, y nadie podía hacer nada al respecto. Ahora ya estaba muerto.

Me quedé sentado sin noción del paso del tiempo hasta que el tráfico de la hora punta vespertina disminuyó y hacía daño mirar la extensión de nieve negra que se abría ante mí.

Tenía la cabeza, el cuello y la mandíbula paralizados; la espina dorsal era una lanza de hielo que se clavaba directamente en los escalones de piedra. Me supuso una gran fuerza de voluntad liberarme y ponerme de pie.

Levantarme fue el primer paso. Ya nada iba a ser normal. Seguí el itinerario del autobús, la nieve semiderretida me mojaba el bajo de los pantalones. Saltando del puente no habría enterrado mi error, lo habría inmortalizado. Ninguna justificación por escrito habría cambiado eso. Lo vi claro por primera vez: el único camino era admitir que había perdido, tenía que dar un paso más allá de mis fracasadas apariencias y revelar lo que quedara una vez se desprendieran todas las capas.

Empezaría a desmontar mi representación por el último sitio en que había actuado; desharía mi última mentira con mi primer intento de verdad.

La profesora Blake abrió la puerta con un libro en la mano. Me dirigió una larga mirada por encima de sus gafas de lectura y, después, poniéndose a un lado, me hizo un gesto con la mano para que pasara al vestíbulo.

–Otra vez tú. ¿Olvidaste algo?

–Sí. He venido a disculparme.

–¿De qué? –Parecía sorprendida de verdad.

–Tengo que explicarte mi comportamiento.

–No es necesario, Lewis. Fue grosero por mi parte dejarte solo tanto tiempo. Voy a publicar un nuevo libro de ensayos sobre la clonación, aunque parezca mentira, y tenía que hablar con una de las colaboradoras. No dejaba de hablar. No conseguía cortarla. Soy yo la que debería disculparse contigo.

–No.

–En fin, da igual.

Nos quedamos mirándonos el uno al otro en silencio. Parecía desconcertada, esperando a que yo dijera algo. Pero yo no sabía por dónde empezar. Creo que se dio cuenta de que me faltaban las palabras, porque relajó la situación invitándome a esperar en el estudio del piso de arriba mientras ella preparaba café para los dos.

–Seré rápida, lo prometo –bromeó, y me mostró el camino a la habitación–. No tienes que explicarme nada, Lewis. Pero, por supuesto, te escucharé.

Me senté en una butaca de cuadros escoceses y miré alrededor. En la pared de enfrente había colgado un grabado de Picasso amarillento en un marco de madera oscuro. Guitarras marrones, botellas verdes y fruta gris moteada, cortada en trozos y montada una sobre otra. Un revoltijo de planos intrincados. En medio del cuarto, mirando hacia la puerta, había un gran escritorio viejo con el tablero revestido de cuero. A un lado, una lámpara de pie proyectaba un tenue triángulo amarillo, de forma que las estanterías superiores se fundían unas con otras. Seguí con la mirada los lomos desde el suelo al techo. La habitación estaba llena de libros. Aquello me reconfortaba. Podía reventar allí mismo y el papel me absorbería. Era un buen sitio para empezar.

Cuando volvió, me armé de valor y empecé. Le conté lo de mi primer error con el expediente y llegué hasta Clara. Repasé la sucesión de hechos y, durante todo aquello, ella permaneció sentada, limitándose a asentir. No dijo ni una palabra hasta que expliqué que Clara había muerto a consecuencia de mi golpe. Entonces la profesora Blake soltó aire por la boca y susurró:

–Pobre mujer. Pobre, pobre chico.

–Le he dado tantas vueltas intentando precisar qué pretendía al golpearla, si soy un asesino o fue un accidente... Lo cierto es que no lo sé. Quería pegarle, eso es suficiente y a la vez no tiene nada que ver. Porque el momento de golpear a Clara y el momento de dejarla allí no fueron en absoluto la raíz del problema. Tampoco lo fue la decisión de perseguirla ni decidir ir en avión a Estados Unidos. Ni siquiera volver a robar el expediente. Todos eran síntomas que culminaron en este puño –dije, y lo extendí.

Mi pensamiento parecía haberse descarrilado. La profesora Blake siguió en silencio.

–No sé qué intentaba encubrir –proseguí–. Nada. Si quitas el corte de mi traje, mi despacho, mis tarjetas de crédito, la imagen que doy, queda un tremendo vacío. Ésa es la raíz. ¡Y ni siquiera me gusta tanto el trabajo! Pero sin él no queda nada.

–Sabes que eso no es así.

–Cuando descubrí que la había matado, lo vi claro: la mentira no iba a durar. Había hecho todo lo que estaba en mi mano para ocultarla, pero en cuanto vi mi nombre en el periódico, supe que estaba tan muerto como ella. No era sólo por lo del expediente, o por perder mi trabajo, sino porque todo el mundo vería que yo era un impostor. Toda mi vida he pretendido ser algo que ni siquiera elegí conscientemente.

–Lewis, no eres la primera persona que miente para darse algo de bombo. No eres más impostor que cualquier otro.

–Sí, pero yo no lo admito. O no lo he admitido hasta ahora. He seguido insistiendo en lo contrario. No he querido reconocerlo hasta este momento. Y ahora estoy, maldita sea, a punto de admitirlo del todo.

–Eso parece. Pero...

Subí la mano. Se detuvo. Continué:

–Estaba dispuesto a suicidarme para huir de la vergüenza, del bochorno, de la humillación de ser descubierto. Te juro que lo hubiera hecho.

–No puedo creerlo –dijo ella.

–Si no hubiera sido por Dan, estaría ya muerto.

–¿Cómo consiguió detenerte?

–Se murió.

La profesora Blake dirigió la mirada hacia el cojín de su regazo, los dedos jugueteaban con las borlas. De nuevo hubo un breve silencio. Cuando habló, sus palabras tenían una solidez acorde con las que yo acababa de pronunciar.

–Lo siento.

–Sabíamos que se estaba muriendo. Él mismo lo sabía. He estado preparado para ello toda mi vida, justo hasta que empezó a ocurrir de verdad. Sólo durante las dos últimas semanas he intentado negármelo. Desde que empecé a equivocarme.

–Sin embargo, yo no veo la relación.

–Sencillamente, ahora puedo verlo con claridad. Él estaba enamorado. Fingió ser yo, y se enamoró en mi nombre por correspondencia. Pero perdió la oportunidad de conocerla. Nunca pensé que él necesitara mentir, pero le juzgué mal. Era la única persona que veía con claridad a través del mito que yo había tejido, pero también lo utilizó y se hundió con él.

–¿Qué quieres decir con que se hundió?

–La chica a la que amaba quiso perdonarle cuando supo la verdad. Estaba de camino, pero llegó demasiado tarde: ya se había muerto. Ella le habría perdonado.

–Lo mismo puede pasar contigo.

–Eso no importa. Ahora ya no puedo desentenderme de lo que he hecho. Pensé que si escribía mi versión de la historia podría alejarme de mí mismo, por el puente, y guardar las apariencias. Pero estaba equivocado. –La profesora Blake asintió con la cabeza, dio vueltas al anillo en su dedo esperando a que continuara–. Me habría hundido con la mentira, igual que Dan. Habría muerto aferrado a ella. No, quiero ver qué queda después. Tengo que explicarme.

Permanecimos sentados en silencio. No podía mirarla a los ojos. Mi tono de voz estridente me estaba animando. Sentí la primera ráfaga de tranquilidad en aquel desahogo. El alivio de confesar por fin, aunque sólo fuera en la relativa seguridad de aquel refugio de libros y buena voluntad.

–Estoy segura de que tu hermano habría querido que hicieras esto, igual que tú querías lo mismo para él.

–Tal vez.

–Sin duda. –La profesora Blake cruzó los brazos y eligió sus palabras con cuidado–: No creo que te hubieras suicidado. Tienes demasiado espíritu combativo. No hace falta que te diga que, desde el punto de vista legal, entregarte, incluso ahora, sería un atenuante. Y tienes las bases para una buena defensa. Estarás mejor cuando des ese paso.

–Probablemente no lo aguantaré, pero al menos lo habré intentado.

Se encogió de hombros y sonrió. Me sentía un adolescente ante ella, aunque tratado con cariño. Recostó la cabeza contra la silla y juntó las palmas de las manos. Se quedó pensativa.

–Sabía que no estabas bien –comentó–. Caída en el hielo. Debí decirte algo.

–No había nada que pudieras decir.

–Tal vez. –Hizo una pausa–. ¿Qué vas a hacer ahora? ¿A quién se lo vas a contar primero?

–Tomaré la confesión, el follón que escribí para Dan, y la reduciré a una declaración para la policía. Puede que tenga que reescribirlo. Pero sé cómo hacer mi propia declaración, y voy a empezar con eso.

–¿Qué hay de UKI?

–Haré todo lo que pueda por no sacarles a colación. Forman parte de lo que ocurrió, pero al mismo tiempo son irrelevantes. No tengo que entrar en detalles. Ni siquiera los tengo. Hadzewycz cree que de todas formas me detendrán por lo de Clara. Seguro que creía que no podría hacer daño a UKI aunque quisiera, porque no entendía lo que había en el expediente. De todas formas, si llega el caso, sufriré las consecuencias que él quiera.

La lámpara brillaba contra la negra ventana del estudio. La profesora Blake se levantó para correr la cortina.

–Insisto en que te quedes esta noche. Es demasiado tarde para hacer nada. Si quieres usar el ordenador aquí, puedes. Intentaré hacer algo medio decente para comer.

Con aquellas prácticas palabras, salió tranquilamente de la habitación, recogiendo las dos tazas de camino. No hubo más preguntas.

Sentado frente al ordenador, saqué las hojas con los garabatos que había escrito en la biblioteca para Dan. También desdoblé las páginas impresas de Hadzewycz. Entré en mi cuenta de correo electrónico y volví a leer la confesión de Dan, su borrador de mensaje, vi que estaba tan incompleto como el que yo había intentado escribirle a él. Lo sabía. Por esa razón nunca lo envió. Y su último y crudo e-mail a Tate, junto con las respuestas de ella, explicaban el asunto de una manera concisa. Las palabras por sí solas siempre fracasan. Se disuelven en la ambigüedad, por muy esmeradamente que él, yo o cualquiera las disponga. Lo que Dan había querido decirme cara a cara era mucho más de lo que había empezado a escribir y nunca había enviado. Había querido contarme su verdad para que yo pudiera relatarlo.

Ajústate a los hechos. Escribe como Ben Gowen.

B-e-n-j-a-m-i-n-G-o-w-e-n: del uno al trece.

Desplegué las hojas de Hadzewycz, releí el título y la firma: «ASESINATO DURANTE ACCIDENTE DE TRÁFICO EN CHESAPEAKE: SOSPECHOSO IDENTIFICADO, *por Benjamin Gown, redactor*».

B-e-n-j-a-m-i-n-G-o-w-n: del uno al doce.

Qué extraño, el periódico escribiendo mal el nombre de uno de sus periodistas. Un error. Me quedé mirando el artículo. La dirección de su página web en su esquina superior: www.washingtonpost.com. Abrí el navegador de la catedrática Blake. Se abrieron pantallas internas, tapándose unas a las otras, mientras me movía por la página del *Washington Post*. Puse el nombre de Gowen en el campo de búsqueda, tecleando con dedos frágiles. Tras esperar una eternidad mientras el ordenador pensaba, se desplegó en la página una lista de los artículos de Gowen. Pero cuando introduje el nombre mal escrito, y sufrí la espera de otra eternidad, nada. Ningún Ben Gown. Copié el título completo de la reseña en el campo de búsqueda; de nuevo un siglo, después nada. Al volver a la lista de Gowen, busqué su artículo más reciente. No tenía nada que ver conmigo. La última noticia que había escrito sobre el incidente era el artículo que ya había leído en Londres, el cual dejaba a Clara en coma. Y al comparar la imagen en pantalla con la de la copia impresa junto a mí, vi que la maquetación era parecida, pero diferente. Una falsificación.

Mis dedos tenían dificultades con el ratón. Cada respiración, dentro y fuera, era un acto premeditado. Conseguí teclear «Cabo Three Points» en el buscador y le di a *Enter* como si estuviera lanzando un misil. Una tundra de espera. Sólo un resultado en las últimas cuarenta y ocho horas, en los breves de la sección nacional, unas sucintas líneas:

«Washington.– Clara Hopkins, víctima el domingo de la agresión en el Cabo Three Points, Chesapeake, ha confirmado hoy a la policía la identidad de su agresor. La señorita Hopkins (33), que estuvo inconsciente durante tres días después del incidente, ha declarado que Lewis Penn (27), un abogado británico por entonces de viaje de negocios en Washington, la golpeó a raíz de un altercado al borde de la carretera. La Policía Metropolitana del Reino Unido está trabajando con las autoridades de Washington para detener al señor Penn».

Ni siquiera lo firmaba. Pocas noticias, buenas noticias.

Encontré la página web de la Interpol y busqué pruebas de las páginas que Hadzewycz había impreso. No encontré ninguna.

Comparé el artículo falsificado con la «Alarma Roja», puestos ambos sobre la mesa. Era demasiado que Hadzewycz pensara que yo necesitaba una razón para obedecer. Me entraron ganas de reír. Clara había vuelto en sí. Y había dado mi nombre. También eso tenía gracia, yo siempre había creído que si recuperaba la consciencia no me identificaría. No significaba nada para ella: una operación frustrada, una chapuza, nada más.

Y eso no cambió nada. Todavía confesaría. El acto de haberla abandonado al borde de la carretera no había cambiado. Las consecuencias eran menos desesperadas, pero la había golpeado, y después había huido, y todo el mundo lo sabría. Lo expliqué detalladamente en el ordenador, paso a paso, en el silencioso estudio amortiguado por los libros, de madrugada, saltando entre las pantallas del *Washington Post*, los e-mails de Tate y Dan y mi propia confesión, que fue ganando cuerpo, hasta que por fin estuvo casi terminada.

Esta mañana, todavía estaba despierto cuando salió el sol. Al principio la luz de la lámpara se atenuó. Después una línea fina se coló por las cortinas y trazó desde la puerta un recorrido luminoso a lo largo de toda la pared. Justo antes de llegar a Picasso, hace unos minutos, la profesora Blake llamó a la puerta y entró con una bandeja en la mano. La dejó, descorrió las cortinas y apagó la lámpara.

Mientras cerraba las pantallas me di cuenta de que un aviso de nuevo mensaje había aparecido en mi cuenta.

La dirección de Tate. Cuarenta y cuatro palabras:

```
Llegué demasiado tarde. Pero ahora veo que de-
cías la verdad, y que cometí un error al dudar
de ti. Lo siento, por tu hermano y por ti. Lo
que me gustaría ahora es saber más, y la única
persona que puede ayudarme eres tú. T.D.
```

Sobre la bandeja hay una taza blanca, una cafetera roja, una jarra de leche y un pequeño azucarero. La habitación está formada por bloques de luz entrecortados por sombras: abstracción brillando bajo un cielo de magnesio. Se merece una explicación detallada de quién era Dan. Y también debo decirle toda la verdad sobre quién es ahora Lewis Penn.

Hace trece días cometí un error. Fue un desliz momentáneo, pero bastó para precipitarme en caída libre; toda una vida se deshilachaba tras mis pasos.

Voy a poner mis cosas en orden lo mejor que pueda. Cuando termine el café, imprimiré la declaración. Después, antes de llevarla a la comisaría de Broadmed, llamaré a Tate. No sé exactamente qué le voy a decir pero, de una forma u otra, se lo contaré todo.

AGRADECIMIENTOS

Gracias a Hannah Griffiths y a todos en Curtis Brown, a Peter Straus y a todos en Picador, a Chris Knutsen y a todos en Riverhead por su orientación editorial, su pericia y su apoyo.

Gracias a Christopher Booth, Jane Harris y Jason Lawrence por dar a los primeros borradores del manuscrito el beneficio de su inteligencia literaria.

Gracias a John Venning y a Ann Pasternak Slater por hacer que las palabras se pusieran en marcha.

Gracias, en especial, a mi familia por su ánimo y su entusiasmo.

Y a Gita. Sin ti, no habría libro.

Últimos títulos